末日前，MEET DEMON GIRL BEFORE ARMAGEDDON 3
我把惡魔少女誘拐回家了！

黑貓C——著
Fori——繪

目錄

MEET DEMON GIRL
BEFORE ARMAGEDDON

人物介紹

【系列主要角色】

蘇梓我／偉大的主角，相當嘴賤好色的香港高中生。

娜瑪／阿斯摩太，子爵惡魔，擅長誘惑術，任怨任勞的移動圖書館。

夏思思／阿斯塔特，子爵惡魔，擅長預視術，腹黑又滿懷心思。

利雅言／聖火堂區助祭、女神適性者。

杜夕嵐／聖火書院學生，羅剎血脈。

【蘇梓我的使役魔神／所羅門七十二柱魔神】（照收編順序排列）

比夫龍／子爵惡魔，排名第四十六位，頭的前後各有一張臉，所持神器為「死靈燭台」。

系爾／子爵惡魔，排名第七十位，生性孤僻不擅戰鬥，能力為「轉移術」所持神器為「乾坤球」。

賽沛／侯爵惡魔，排名第四十二位，人魚族，統御魔海，能力為「御海術」。

巴巴斯／爵位被褫奪，排名第五位，獅王族惡魔，擁有「黃金雙眼」，能力為「破幻術」。
佛拉斯／排名第三十一位，渾身赤黃，滿是筋肉，能力為「尋回術」。
埃力格／侯爵惡魔，排名第十五位，擅長「預謀術」，別稱黑騎士。
佛爾卡斯／排名第五十位，擅長「火占術」，外貌為一白髯老者，別稱白騎士。
納貝流士／排名第二十四位，原形為地獄三頭犬刻耳柏洛斯，其力量被吸進所羅門印戒中。
瓦布拉／男爵惡魔，排名第六十位，外形是頭瘦削的翼獅，擅長「機工術」。

【本集重要人物】

瑪格麗特·安東尼／亞倫·安東尼之獨生女，性格驕縱卻單純。
彼列／三大公爵惡魔之一，為所羅門魔神之一，排名第六十八位，擅長「御焰術」。

第一章

吠陀神器

1

羅馬聖教的教宗選舉以混亂結束。惡魔現形、天使更在梵蒂岡大開殺戒；幸好安東尼將軍回歸指揮，聖殿騎士才勉強擊退米迦勒與聖德芬，只是加百列的光球最後被兩位天使帶走。

亂局過後，為免再與教會起衝突，蘇梓我與娜瑪等人返回香港據點休養治療。蘇梓我救了受重傷的娜瑪，魔力耗盡，睡了一整天後才召集眾人到聖火教堂討論下一步行動。

利雅言說：「實在太驚險了，看見你們中了多瑪斯的陷阱，一時之間竟也沒有對策，果然我們還是太過輕敵嗎。」

夏思思答：「沒有輕敵喔。只是敵人提前選舉，我們沒有足夠時間準備呢。」

「別只往壞的方向想啦。」蘇梓我說：「至少封印在金牛像的蘇萊曼記憶轉移到我身上後，我知道了不少事情。」

包括天魔戰爭的前後經過、蘇萊曼與聖主的決裂，蘇梓我全部如實告訴了眾人。

夏思思問：「不過當時蘇萊曼王沒有印戒力量，他是如何對抗聖主呢？」

「這個嘛，在決戰前夕，蘇萊曼到鬼界探訪萬鬼之母，其實不僅是為了說服對方收留魔神。」蘇梓我努力回想，但那些事實在超越他這人類的理解，只能抓著頭試圖解釋：「總之蘇萊曼跟萬鬼之母借來了『未來的力量』，讓世世代代的轉生都獻給自己，並藉此力量掐死了聖主。」

夏思思嘆道：「所以撒旦大人才會說那是永遠的死亡。蘇萊曼湮滅在世界的循環裡，也幾乎從人類歷史中消失，至少聖經抹走了他的真名。」

「但蘇萊曼的存在刻在印戒上，他的記憶存在金牛像裡，現在就由我來繼承了。」

艾因加納道：「蘇先生能戴上印戒也是種緣分，尤其你手上有撒旦獸印及聖子聖痕，是個非常特別的存在。」

「聖子。」蘇梓我繼續尋找腦海記憶。「在『最終決戰』時，蘇萊曼掐死聖主，聖主最後分成三位神格——聖父、聖子與聖靈。蘇萊曼心思細密，按理不會就這樣不管，至少有向以色列的大臣交代才對，因此這三個神格最有可能是落入以色列王國手中。」

艾因加納應道：「但以色列在蘇萊曼死後分裂為南北兩國，並先後遭兩河流域的帝國所滅，最終三個被封印的神格也下落不明。」

「等等。」利雅言說：「根據聖經記載，聖主差遣大天使加百列向聖母預告她將會懷有聖子，是為『聖母領報』。聖子誕生之年為公元紀年的元年，但不論天魔戰爭還是以色列亡國都是公元前的事，比聖子誕生早了幾百年，兩個論述不是矛盾嗎？」

蘇梓我說：「如果聖母領報是假的話……」

「但至少天使加百列實際存在，那時梵蒂岡的兩位大天使，稱呼被囚禁在梵蒂岡地下的天使為加百列。」

「應該不會錯。」艾因加納說：「雖然那時我沒親眼看到，但那種感覺肯定是與米迦勒並列的三大天使。」

加百列被取走後，整個羅馬便陷入昏暗和死寂，也確實可以間接證明兩位天使帶走的，就是梵蒂岡的守護天使加百列。

蘇梓我問：「所以聖教果真利用天使的『能量』來發展文明？」

艾因加納答：「他們最初只是利用聖母領報的傳說來歌頌聖母與加百列，這樣教會便能蒐集到龐大的信仰力。」

接著把信仰力轉化為神力後，能辦到的事就非常多了。自從羅馬皇帝信奉聖教後，人類文明都是由教會領導；文明得以繁榮也是教會利用天使的結果，守護天使之名當之無愧。

然而蘇梓我想起了維斯塔女神，她雖被聖火堂尊為聖火聖女，但卻諷刺般地被赤裸綁在地下室，不見天日兩千年……人類還真可怕。

艾因加納續道：「不過教會對歷史嚴格保密，迦蘭小姐當上樞機後，幾經努力才稍微理解到教會的過去呢。」

「說起來妳和迦蘭是如何混進樞機團的？還有一眾主教的追隨。」

「有錢使得鬼推磨啊。」艾因加納笑道：「蘇先生你忘記自己把蘇萊曼的寶藏留給小姐了嗎？那可是當時全世界一半的黃金，還有其他珍貴寶物都是價值連城——這並非誇飾，要買下幾個城鎮都沒問題，畢竟只用作『育兒基金』的話根本花不了那麼多。」

據艾因加納所說，她們幾乎把整個南亞及大洋洲的宗教團體都買了下來，還包括南太平洋全部島國。

迦蘭解釋：「為了協助勇者大人拯救世界，我便委託艾因加納收購周遭教會，結果機緣巧合下發現被沖到岸上的安東尼將軍……我們當時不知道原來他曾傷害過勇者大人的同伴呢，不然就由他自生自滅了。」

「我家使魔才沒那麼弱，不要緊。」蘇梓我追問：「所以妳救回了安東尼，卻沒有讓他返回梵蒂岡？」

迦蘭搖頭。「隱藏行蹤是安東尼將軍的個人意願，因為他知道庇護十三世已經失勢，不躲起來的話可能會被多瑪斯主教剷除。」

艾因加納補充：「也幸好我們沒有白救他。多虧他在背後幫忙，收購教會的過程才會如此順利。我想安東尼將軍已沒有和蘇先生敵對的意思了。」

迦蘭看著蘇梓我，高興地說：「最後就是收買樞機主教，又在選舉當日遇上芭芭拉小姐，一同揭發多瑪斯的真面目。」

蘇梓我點頭道：「話說芭芭拉現在人呢？」

「芭芭拉小姐已經返回巴別了。」

「這樣啊，錯過了以身相許報答她的機會呢。」蘇梓我又笑道：「不過總算明白事情的來龍去脈，迦蘭妳做得很好，這樣全南太平洋的教會都已歸順我們了吧？畢竟妳的東西就是我的東西，哇哈哈哈。」

「沒錯，我們願意永隨勇者大人拯救世界。」

「真沒想到育兒基金會有如此妙用……咦？」蘇梓我忽然一驚，望向迦蘭。「妳們剛才說的育兒基金……」

迦蘭微笑回答：「沒錯，我已經懷有勇者大人的骨肉了，根據傳統應該是個女孩呢。」

「噢噢！」蘇梓我非常興奮，抓住迦蘭雙肩大叫：「是我的孩子嗎！將來一定是個美女，絕不能把她交給任何臭男人！」

賽沛女王嘲道：「蘇大人的孩子在魔海多得很喔，不如晚點我帶大人去看看？」

「嘖，我才不會承認她們。」

旁邊的夏思思也在抱怨：「果然人類和惡魔族的契合度也不盡相同呢，居然被人類女人先一步懷了蘇哥哥的孩子。」

「妳連胸部都沒有，根本不適合當母親吧？」

「蘇哥哥，你這是對女性的侮辱！」夏思思相當生氣，蘇梓我見狀唯有道歉哄她，畢竟思思一發起脾氣有時會很麻煩。

同樣也可以很麻煩的還有娜瑪，蘇梓我見她悶悶不樂的模樣，心想歷史故事不是她的最愛嗎？居然整夜都沒搭話。

「娜瑪……不，沒事。」

蘇梓我沒說下去，娜瑪也沒有回應。

2

在地球另一端的羅馬，安東尼家好不容易才抓住家庭團聚的時光。雖然屋外依舊風雨欲來，甚至有傳聞看見天使盤旋在歐洲城市的夜空中。民眾皆是惴惴不安，但至少瑪格麗特十分珍惜與父親共聚晚餐的現在。

老管家端上主菜，久違的溫馨氣氛，在柔和的燭光對面，安東尼將軍微笑道：「瑪格麗特，這陣子我不在家讓妳受苦了。」

「那一點點的挑戰根本考驗不到女兒。所有打算傷害我的人最終都受到神的制裁，以聖瑪格麗特之名。」

「聖瑪格麗特……」安東尼將軍喝了一口紅酒，了然道：「我和妳母親替妳取這名字時，也沒想過原來妳是帶著聖人的靈魂誕生。但聖人的力量難以隱藏，有一次妳伸手碰向聖經，書封的十字架發出金光，那時候妳才三歲。」

瑪格麗特驚訝道：「所以父親大人早就看出女兒的天賦嗎？不愧是聖教會的樞機團長大人。」

見自己女兒一臉無邪地笑著，安東尼不禁搖頭嘆息。「但妳的天賦會令妳的人生充滿苦難。身為父母，尤其我經歷過無數與天使的紛爭，我還是自私地希望妳能過著平凡女子的生活。因此我才不讓妳接觸教會，把妳留在家中，因為萬一妳覺醒了聖力，那就無法歸於平凡了。」

「身為安東尼家的長女，不是已經注定不平凡了嗎？」

「安東尼家的身分不能與擊退惡龍的聖瑪格麗特相比，而且將來必定會有人對妳的力量虎視眈眈。」

「只要有父親大人在，任何人都不敢對女兒輕舉妄動。」

「聖教會沒妳想像中那麼簡單，多瑪斯主教就是個例子。」在安東尼眼中，瑪格麗特就像個握有核彈開關的小孩，令人掛心且不穩定，因此他語氣比平日嚴肅許多，問瑪格麗特：「看到兩位大天使屠殺教會的人，妳有何感想？」

「……很殘忍。天使不是應該祝福和引領我們嗎？」

安東尼冷漠否定。「教會和天使一直都是敵對關係。外面信徒不知道，他們只看見多瑪斯樞機化成惡魔，以為天使下凡懲罰梵蒂岡。天使屠城的畫面已傳遍全世界，教會很快就會名聲掃地。」

瑪格麗特震驚不已，默默聽著父親的教誨。

「妳看看窗外，所有生命都正在枯竭，就好像聖教的前景般。但絕望與希望是同時存在的，就如光和影。瑪格麗特，妳要成為教宗，領導聖教走出困境，這是妳覺醒之後的義務。」

瑪格麗特搖頭。「但比起女兒，父親大人不是更加適合嗎？」

「我沒有聖人的祝福，能做的事並不多。另一方面，妳只有當上教宗才能保護自己。」安東尼凝重地望向瑪格麗特。「妳認為自己能夠接下此重任嗎？」

「我、我是安東尼家的長女聖瑪格麗特，一定不會辜負父親大人的期望！」

瑪格麗特逞強說著，內心卻慌張得很，當然安東尼也知道。

安東尼說出那人的名字：「蘇梓我，是那少年幫助妳反抗多瑪斯的吧？如果把他拉攏過來，妳認為如何？」

「這是個好主意。除了父親大人和管家，蘇先生是對我最好的人。」

「那就這麼辦。」安東尼吩咐管家：「麻煩你立即聯絡身處香港的迦蘭樞機安排會面，務必要讓對方答應。」

時日無多了，安東尼在想，或者只有蘇梓我才能拯救人類的未來。

而且，蘇梓我也需要比迦蘭更接近梵蒂岡核心的情報來源，安東尼主動提出會面正合他意，雙方不顧時差，便在深夜進行視訊會議。

◇

蘇梓我一方與會的有娜瑪、雅典娜、夏思思、利雅言，以及迦蘭和艾因加納；視訊屏幕的另一邊則是安東尼與瑪格麗特。

一開始，安東尼先感謝蘇梓我照顧他的女兒，又為香港聖戰時的偷襲行為向娜瑪等人道歉。娜瑪依舊一言不發，與雅典娜一起無視安東尼的話。

蘇梓我知道安東尼是個恩怨分明的人，沒有錯過賣他人情的機會，笑道：「本英雄心胸開闊既往不咎，你只要記住本英雄的偉大就好。所以今天找我所為何事？不妨直說吧。」

「蘇弟兄快人快語，我也開門見山說了。我希望可以跟你們聯手對抗天使，若我們兩方結成同盟，聖教也不會再找你的麻煩，這樣對大家都有好處。」

「但天使是你們惹出的禍，我們為何要幫教會善後？」

安東尼答：「你們也有聽說昨夜米迦勒在歐洲上空徘徊吧？天使的目的再明顯不過，就是要救出其他同伴，而且不擇手段、重演梵蒂岡受創的一幕。」

利雅言駁道：「但梵蒂岡確實囚禁了加百列，到底哪一方才是正義——」

「天使都不是好人！」

娜瑪突然打斷對話大喊，一點都不像她的性格。她說完後臉上神情複雜，既生氣又尷尬，接著突然離席急步離去。雅典娜本身對教會也沒有好感，便跟著主人從視訊屏幕旁離去，看得安東尼與蘇梓我雙方都一時愣住。

蘇梓我無言望向夏思思，示意了下，夏思思便追了出去。

「繼續吧。」蘇梓我問安東尼：「你有什麼理由要我們對付天使？你們教會聽起來也不是好人。」

「這無關好壞正義，一切僅為生存。」安東尼又重複一遍。「天使的存在就足以使人類文明毀滅，教會封印天使是逼不得已。我敢斷言，如果所有天使重新被釋放，不但人類滅亡，就連地球上所有生命都會滅絕……因為世界的靈魂配額有限。」

3

——世界的靈魂配額有限。

這句難以理解的話迴盪在聖火堂的會議室內。蘇梓我詢問什麼意思，屏幕上的安東尼回答：「每個生命都擁有靈魂，反過來說，必須擁有靈魂才能稱之為生命，這是世界的造物法則。」

正如古神創造人類，喜歡先用泥土塑造，再為人偶吹入靈魂；一個成年人平均擁有二十一克的靈魂，這並非傳說而是事實。

「至於其他動物的靈魂就相對較輕。正如體重五千公斤的成年象，牠擁有的靈魂不超過五克；其他動物也是，所以牠們都缺乏智慧。」安東尼又舉例：「昆蟲的話，一隻螞蟻體重只有數十毫克，可想而知，其靈魂最多也只能以毫克計算，及不上人類的千分之一。」

植物也有靈魂，靈魂的重量甚至比螞蟻還要輕。某程度上，一個生命的極限，就是由生命的靈魂載量決定。

蘇梓我問：「那麼古神和惡魔的靈魂應該比人類還要重？」

「惡魔的個體差異很大。低階惡魔的靈魂殘缺，有些會比人類還輕；爵位惡魔則可達數千克，比人類高出百倍，可以說惡魔部分身體是由純魔力構成的也不為過，因此娜瑪小姐受了重傷也可以快速痊癒。」

所以魔界需要精純的靈魂作為貨幣，惡魔需要與人類簽訂契約騙取靈魂。任何方法強行收割都會對靈魂造成破壞，只有自願奉上的靈魂才是最完整的。

但蘇梓我聽得一頭霧水。「所以靈魂載量的多寡，跟人類滅絕有什麼關係？」

「靈魂的循環。」安東尼答：「任何生命都離不開靈魂的循環，即使惡魔和鬼族能借助萬鬼之母的干涉轉生，但他們死後與所有生命無異，靈魂都會回歸這顆星球，淨化、重新分配。例如惡魔死後的靈魂，可能被分配到即將出世的嬰兒身上；人類死後的靈魂則被分到綻放滿園的鮮花中。」

「有點難以理解啊。」蘇梓我眉頭緊皺。

艾因加納見狀便再做補充：「把靈魂看成積木就好。由二十一塊積木拼出的人類，與一百塊積木拼出的惡魔，死後他們的積木都會被拆散、交還到積木箱內，留待之後拼出其他生命。」

安東尼點。「只要理解靈魂的循環，你們就知道天使的可怕。教會曾用天使來做實驗，發現天使蘊藏的靈魂幾乎無法測量，粗略估算也得用上公噸來度量。換言之，一個天使的靈魂動輒就抵上幾十萬個成年人，天使長的話更加不止這數目。你不妨想想，這對世界的平衡來說會有什麼影響？」

二十一塊積木組成的人類、一百萬塊積木組成的天使，同時，整個世界的積木數量是有限的。

安東尼續道：「數千年前，聖主派遣天使降臨人間，傳授人類最先進的知識，使人類文明發展一日千里。」

然而當時世界人口只有幾千萬，如今卻已超過七十億；簡單來說，在二十一世紀的現在，這顆星球根本沒有足夠靈魂來供給天使生存。

「這是生命的零和遊戲。沒有新的靈魂供給天使，天使就只能榨取現有靈魂，這是生存本能。」

蘇梓我立即想起當他取走香港守護天使，還有梵蒂岡的加百列被救出的時候。他感嘆道：「原來那些無數生命突然一同死亡的異象，就是天使強行榨取其他生命靈魂的結果嗎？」

安東尼問：「你還記得米迦勒救出加百列時，加百列只是一個未成形的光球嗎？那就是天使的雛形，因為才剛開始成長，只能吸取下等生命的靈魂，所以樹木才會枯萎，鳥群才會集體死亡。」

「難怪你說天使本身的存在就已十分危險。」

「那僅僅是開始。」安東尼說：「你們也曾經保管過天使，天使約櫃本來就是用來封印天使『進食』，但聖德芬的天使櫃大概出了問題，你們帶著它經歷了香港聖戰和雅典暴動，讓聖德芬有機會吸收當地逝去的靈魂，因此她才能破櫃而出。

「天使需要榨取現有靈魂得以成長，雖不至於出現另一場大規模戰爭，但昨晚有個義大利的農場報警，說他們飼養的牛羊一夜之間變成乾屍，家畜對加百列來說只是一盤開胃前菜。」

安東尼繼續警告：「身為三大天使之一的加百列，所需的靈魂數量遠比聖德芬的多，下次吸收的對象就是一般百姓了吧。」

一直榨取靈魂，那要直到什麼時候才會足夠？利雅言思索了下，恍然大悟驚道：「假如全部天使復活，世界的靈魂分配重新回到三千年前……人口從七十億銳減至七千萬，至少百分之九十九的人類將會滅絕！」

安東尼再次重複：「這不是正義的戰爭，而是生存的戰爭。自從米迦勒出現的那一刻開始，什麼教會戰爭和惡魔紛亂已經沒有意義。我們一定要阻止米迦勒救出其他天使，不然人類文明會從地球上消失。」

蘇梓我皺眉回應：「所以我們要殺死那些天使嗎？」

「不，沒有任何方法能殺死天使，頂多只能將天使封印成『天使核』，就是那個光球狀的物體。這世上能殺死天使的只有祂——聖主。」

「既然如此，為何你們三大教會要把聖主拆散成三體各自保管呢？不如互相協調一下，復活聖主再將天使殺死吧。」

「復活聖主，那就是『彌賽亞再臨』。然而三大教會對『彌賽亞再臨』一事有著極大分歧，這就是教會聖戰的關鍵原因。」

據安東尼所說，儘管歷任教宗意見不盡相同，但聖教普遍主張復活聖主以消滅天使，將世界的主權留在人類手上。正教則是一直潛心研究控制聖父和天使的祕法，他們復活聖主，不過是想得到聖主的力量、稱霸世界。

「真是可怕的想法。」

「更可怕的想法是新教。以美洲為根據地的新教，他們骨子裡對人類徹底絕望，渴望復活聖主來審判人類。換言之，剩下七千萬名人類的世界才是新教所樂見的，他們所望幾乎與世界末日無異。」

「結果不就是一群瘋子嗎？」蘇梓我再也聽不下去，深吸一口氣道：「總之，我先保留我的答覆。此事影響深遠，我不能聽從片面之詞而決定對天使的態度。」

安東尼答：「我了解，但希望蘇弟兄盡早下判斷，我們剩下的日子可能不多了。」

在低落氣氛中，會議就此結束。

4

視訊會議結束後，利雅言有感而發：「天使的問題遠比想像中複雜，為了保護人類就必須繼續封印天使，就像父親大人封印維斯塔女神那樣，即使目的和手段不同，結果卻是相同。」

蘇梓我回答：「如果安東尼沒有隱瞞的話，確實是這樣。所以妳同情天使嗎？」

「或許很天真，但我還是希望能共存。」利雅言脫下祭司披風。「不過你無須顧慮我的想法，我先回去處理學生會的事務，能在背後默默支持大家我就滿足了。」

蘇梓我苦笑。「麻煩妳替我跟夕嵐他們問好。」

「有空你也到學校露露臉，不然他們會想念你的。」利雅言微笑點頭，披上冬季校服的外套便離開了。

「勇者大人，」迦蘭說：「我要提醒教會協防天使，所以先失陪了。關於安東尼提出的同盟，我和艾因加納都沒有異議，只要是勇者大人的決定我們就會追隨。」

「嗯，妳們也辛苦了。」

迦蘭與艾因加納雙雙離去，蘇梓我面對空無一物的屏幕，內心好像欠缺了什麼似的。從梵蒂岡回來後，發生了太多事，直到一人獨處時才發現，原來自己仍會感到徬徨。

他無意識地離開聖火堂走到戶外，望向重建中的聖火書院，才驚覺自己早已脫離尋常的校園生活，但至少希望夕嵐等其他人能過回平凡的日子。

蘇梓我坐在樹蔭下望著田徑場上練跑的學生，不知過了多久，一道熟悉的聲音在耳邊響起。

「好久不見了呢，蘇梓我。」

「啊、君姊。最近教書忙嗎？」

「問這些無關痛癢的事情做什麼？」孔穎君抱著課本偷笑道：「你看起來心事重重呢。」

「哈哈！哪有什麼心事。」

「你的眼神跟以前看著我的眼神一樣，是喜歡一個人卻不敢表白的眼神。」

蘇梓我生氣否認。「妳什麼時候轉行看面相了。」

「不用看面相也知道。你就像偷吃冰淇淋不擦嘴，卻又矢口否認，果然還是沒長大吧。誠實一點說出感受，不但是為了自己，也是為了那女孩的幸福呢。」孔穎君心想：畢竟你們都是同一類人啊。

蘇梓我心想他這幾天確實莫名地鬱結，不論是自己抑或她都像變了個人。

「我去教訓一下娜瑪。」

沒錯，娜瑪在會議上太沒禮貌了，他還特意叫夏思思去看管她，不知現在人在哪？念動術好像也沒回應，他只好親自找了遍聖火書院，才在教堂附近找到夏思思，坐在草地上逗她的蛇寵玩耍。

「小娜娜回老家去了。」

「什麼？」

「只是暫時回去跟媽媽訴苦吧。小娜娜以前也經常這樣，晚上就會回來。」

聽見夏思思提起娜瑪的往事，蘇梓我才想起她們是多年好友，思思應該知道娜瑪許多他不知道的一面吧。

「原來娜瑪有母親啊……」

「惡魔也是有親人啦！」夏思思說：「雖然小娜娜的母親經常不回家，但聽說她很疼小娜娜呢，所以每當小娜娜有煩惱的時候都會去找媽媽。」

蘇梓我問：「這麼說來，妳不覺得妳的同期好友最近有些奇怪嗎？她以前就這樣，還是被母親寵壞，所以養成經常發脾氣的習慣？」

「那是小娜娜自己的問題啦。明明是夢魔族，而且對迷惑魔法擁有極高天賦，在她的家鄉可說是天才少女。可是小娜娜在魔界的純情排名絕對是前三名，不但是貞潔之身，更沒有戀愛經驗。身為夢魔族，本來就有異於常人的性慾，所以她需要加倍的定力才能保持清白，慢慢就變成現在這樣。」

蘇梓我交叉手臂沉思。「所以直到本英雄出現，她終於能夠談戀愛了吧。」

「蘇哥哥真是這樣認為？還差得很遠很遠喔。」夏思思說：「雖然小娜娜沒談過戀愛，但她身材火辣，讀書時一直被其他惡魔騷擾，所以對男生還是有點抗拒。不過嘛……」她頓了頓。「至少小娜娜沒有討厭蘇哥哥就是。她是口是心非的小動物，這微妙的分別思思很清楚。如果蘇哥哥想得到純情小娜娜的話，除了肉體上，更需要心靈上的愛。」

蘇梓我不爽地反問：「怎麼妳跟君姊好像都說差不多的話，女人真是麻煩。」

「不如向小娜娜用最正經的方式示愛吧。」夏思思偷笑說：「假如你真的想吃掉小娜娜，必要的犧牲還是不能少。」

之後夏思思又分享了很多娜瑪往日的故事，包括娜瑪如何無意間搶走她男朋友等等，結果竟是越講越生氣。

5

娜瑪最近舉止奇怪，其實蘇梓我也一樣。他想了半天，終於想通是什麼原因，直到肚子作響他才驚覺，娜瑪居然過了八點還沒有回家弄晚飯——

此時，玄關大門突然打開，只見娜瑪走進了客廳，蘇梓我立即命令她：「跟我進房間。」

「欸？你又在打什麼主意，今天本小姐沒心情。」雖然抱怨，但娜瑪還是跟著蘇梓我走到二樓的房間。他們目前借住在利家大宅。

甫進房，娜瑪立刻問：「你是因為早上我罵天使的事想責怪我嗎？」

「啊？天使的確都是混蛋，妳罵得好啦，我幹嘛責怪妳。而且妳不是回家找媽媽訴苦嗎？」

「誰、誰說我找媽媽訴苦啊！」

「像妳這種挺胸走路都能搶走別人男友的夢魔，在學校一定常受其他女生排擠吧？沒有朋友就只能找母親訴苦，不是嗎？」

娜瑪臉紅愣住。「一定是思思那傢伙告訴你的，她就愛管閒事！」

「別怪她。在魔界奸淫擄掠很平常，而且思思捉弄妳不過是惡作劇的程度，對惡魔來說簡直是仁慈了。沒有她的競爭，妳今天還是個愛哭鬼呢，怎麼能當上爵位惡魔。」

娜瑪氣得鼓著臉頰抱怨：「哼，我若真的憎恨她的話，早就跟她大打一場了。」又開始反擊：「反而你這笨蛋在學校也是沒有朋友，連鬼神都討厭！」

「至少我還有一個認識多年的朋友……叫李什麼來著。」

「李訥仁啊。你們兩個都是四肢發達頭腦簡單，因為體能好，初中時被挑選進足球校隊。」娜瑪指著蘇梓我的額頭訓話：「可是你就愛衝動生事、四處樹敵，弄得自己變成不受歡迎的人物，為了保護自己不受傷，漸漸變得自我中心、目中無人。」

蘇梓我撥開娜瑪的手指。「可惡，難怪今天君姊對我偷笑，肯定是她告訴妳的？」

「孔老師就是擔心你墮落下去，幾經辛苦才到聖火書院當教師，你不知道聖火書院對老師要求有多高。」

蘇梓我安靜下來，坐到床上自嘲：「結果我們都是孤單的人呢。」接著他變出一張莎草紙，懸浮在娜瑪面前，問：「妳還記得這東西吧？」

「化成灰我也認得啊！就是你騙我簽下這份契約，本小姐才會淪落到當你這笨蛋的跟班。」

「哈哈，明明是妳先打爛我家玻璃，衝進來威脅要取我靈魂。但都不要緊了，有件事我一直隱瞞著妳。」

「什麼？」

「妳看一下契約上的文字。」

——娜瑪願意成為奴隸直至蘇梓我心滿意足為止。

娜瑪看著契約，還是非常悔恨自己粗心大意，但蘇梓我卻溫柔地對她說：「坦白講，這段日子妳表現得很好，我已經心滿意足了。所以妳已履行了契約，我們之間的契約已結束。」

結束——整個空間忽然靜止了般。

娜瑪愣愣地問：「結束是什麼意思？」

蘇梓我走近娜瑪輕拍她頭頂。「既然妳已完成契約內容，接下來就換我履行最後一步了。」

「你是說，要我回收你的靈魂……？」

蘇梓我靜默半晌。「最近看妳神不守舍又心事重重，我現在明白原因了。當時我透過金牛犢，體驗了蘇萊曼的一生，妳也是如此吧？」

蘇梓我繼續說：「蘇萊曼是真正厲害的大人物，甚至能犧牲一切去換取魔神的存續，讓愛人永遠活下去。雖然艾因加納她們都說在我身上看見蘇萊曼的身影，但回想起來實在可笑，我連他一半的成就和勇氣都沒有，根本不可能是蘇萊曼；除了戴有相同印戒，我和他沒有任何共通點。

「我對他只有佩服，才能很快抽離他的記憶。可是妳不一樣，妳透過娜瑪的記憶、經歷了娜瑪的一生；與蘇萊曼王相遇、被他吸引、結婚生子，最後為他擋下天使的劍而亡……我想妳一定能體會她的心痛，那種痛甚至比劍傷還要痛苦百倍。

「我也不知該怎麼說，而且我也不是蘇萊曼……」蘇梓我牽著娜瑪的手。「正因為我不是蘇萊曼，所以我喜歡的不是三千年前的娜瑪，而是這一刻在我面前的妳。這些跟蘇萊曼沒有關係。」

沒想到蘇梓我會突然表白，娜瑪一時不知做何反應，只是淚水率先失控溢滿眼眶。

她雙眼水汪汪的，低頭說：「這不是很正常嗎？在梵蒂岡時我救的也不是蘇萊曼王，而是你這個笨蛋。」

「這樣我就安心了，能夠被我愛的人取走靈魂，我死無所憾。」

娜瑪看到蘇梓我露出至今她未曾見過的表情，她舉起右手緩緩伸前，直至碰觸到和蘇梓我之間的惡魔契約。

「那就讓契約完結吧。」

娜瑪的食指在血跡簽名上抹了一抹，下一秒，莎草紙便化成七彩磷光在空中飄懸，好比夜空中的繁星在娜瑪的側面閃爍著，分不清是星光還是淚光。

娜瑪生氣地說：「你這笨蛋的污濁靈魂我才不想回收呢。」

「妳不後悔？」

「就算是路邊的垃圾桶被打翻我也覺得可憐，你的價值比垃圾桶要好一點點啦。反正本小姐身為惡魔寬大為懷——」

說到一半，蘇梓我卻忽然把她抱到床上。

蘇梓我邪惡地大笑：「哇哈哈哈！既然妳放棄回收靈魂的權利，世上已再無任何東西能阻止我了！」

「明明剛才氣氛不是這樣的啊！」娜瑪立即展開翅膀從蘇梓我手中逃走，順勢向蘇梓我轟出兩枝黑色魔箭，擊中他面前的地板。

「本小姐沒了契約束縛，才不會輸給你這笨蛋！」

深夜的房裡發出轟隆巨響，把樓下熟睡中的利雅言都吵醒了。

「他們兩個又在房內做什麼，都忘記我才是這間大宅的主人嗎？」利雅言在床上嘆氣，但也只能無奈地帶上耳塞繼續睡覺。

另一間房的夏思思卻看得非常緊張。此時她正在用預視術偷窺蘇梓我房間。畢竟她有份撮合兩人，當然要見證兩人的第一次。

「可惡，小娜娜偏偏在這時候發飆了。她越怕羞就越會反抗，真是麻煩的生物。」

只見兩人打情罵俏得幾乎把房子拆掉，整個畫面瞬間一片白煙，夏思思根本看不清房內發生什麼事。直至煙霧消散，蘇梓我熊抱娜瑪將她壓到床上，打鬥聲才停了下來。

「嘿嘿，不過區區使魔，居然敢違抗擁有印戒的我。」

蘇梓我雙手按住娜瑪的手腕，就好像初遇那天他想要了她那樣；唯一差別是娜瑪這次沒有哭，也沒有反抗。

「笨蛋……你是認真的嗎？」

「嗯，還是這方式的契約最有效直接。」

「明白了……放馬過來吧。」雖然也不是第一次與蘇梓我親熱，但今晚是真正的第一次，娜瑪感到害羞，便閉起眼睛把身體交給蘇梓我。

兩人重疊，娜瑪唇上溫暖的感觸，果然是蜜糖般的滋味，甜得會令人上癮；蘇梓我忍不住愛意，撲上去纏綿一番，卻發覺自己褲襠已濕。

娜瑪躺在床上不禁白眼地問：「你又早洩了？」

「……」

「我在問，你又早——」

「不可能！我可是精壯健全的男子漢！」

「該不會是被人魚榨取留下的後遺症吧？」

「不可能！」

隔壁的夏思思不忍看下去。「結果又是這樣，每次蘇哥哥在小娜娜面前都會受不了。不知是阿斯摩太的力量，還是因為蘇哥哥太過喜歡小娜娜呢。」

夏思思沒有結論，之後透過預視術監視了蘇梓我和娜瑪半個小時，卻只看到娜瑪安慰蘇梓我入睡後，再也沒其他事情發生。最後夏思思只好失望地回去睡覺了。

◇

這一刻，整個利家大宅只有雅典娜在正經辦事。

「找到了，殺死娜瑪大人的天使……不，這是……！」雅典娜大驚，但今晚她知道娜瑪不太方便，只能留待明天向主人匯報。

6

翌日早上，蘇梓我睜開眼睛，便看見娜瑪同樣在被窩內盯著自己。

「笨、笨蛋，別突然睡醒——嗚哇。」

娜瑪可愛得看見就想抱著她，蘇梓我輕撫她的頭髮，正當享受著如此美妙的早晨時，卻被手機來電打斷了氣氛。

電話在茶几上嗡嗡作響、不停震動玻璃桌面，娜瑪只好推開蘇梓我，伸手去拿電話來看。

「咦，是雅典娜找我。」

「別管她，居然打擾主人好事。」

「不行啊，雅典娜對我很忠心，一定是有重要事情才會打電話來。」娜瑪又無奈地說：「況且我有阿斯摩太的詛咒，你也無法跟我再進一步呢。」

「嘖……」

娜瑪輕輕親吻蘇梓我，靦腆地說：「別生氣嘛，我先去接一下電話。」她坐到床邊，起初只是閒話家常，但很快神色便凝重起來。

「我明白了……我跟蘇梓我說一下。」

聽見自己名字，蘇梓我問：「怎麼了？」

「雅典娜她推測出是哪位天使殺死阿斯摩太一世，不過那天使身分非常特殊，有必要跟大家商量。」

蘇梓我打了個呵欠。「今天是星期天其他人不用上學，妳去把大家叫到圓桌會議室吧。」接著睡回籠覺。

「又是我嗎……」

娜瑪垂頭嘆氣照著蘇梓我的吩咐去辦。一小時後，所有人齊聚會議室，只見到雅典娜搬出一疊疊古文獻，堆在圓桌上準備演講。

◇

「各位早。」雅典娜戴上一副圓框眼鏡，即使昨夜通宵，雙眼依然明亮有神。她站在白板前宣布：「我發現一個重要的線索，可能對天使和惡魔都影響深遠，希望大家一起研究。」

蘇梓我舉手問：「聽說是關於那個黑布蒙眼的天使，到底是誰這麼大膽，敢傷害我女僕的祖先。」

雅典娜瞄了一眼蘇梓我，嘆氣，別開臉回答：「雖然黑布蒙眼的特徵相當明顯，但天使眾多，就算我身為古神，也沒有見過全部，因此只能從古籍著手調查。」

娜瑪瞧見圓桌上堆積如山的書本，問：「這些都是妳用念寫術抄出來的？」

「還有一些是這裡教會的珍藏，以及利家小姐借給我的文獻。」

蘇梓我追問：「所以有什麼發現？」

「從結果來說，我找不到有文獻提及蒙眼天使……倒是找到一位盲眼的。」

「瞎子用黑布蒙眼也算解釋得通。所以那盲天使是誰？」

「古籍上他有幾個外號，『神的盲目』、『神的毒物』，一般以死亡天使的姿態登場，名曰薩麥爾。」

「薩麥爾……」利雅言說：「根據教會歷史，薩麥爾是其中一位天使長，富有領導才能，曾統領天使掃蕩邪惡。但另一方面，猶太人又有不少偽典記載薩麥爾與『墮天使』有關，不過都沒有直接證據，就連『墮天使』是否存在也是個無法證實的命題。」

「誠如利小姐所說，但即使沒有薩麥爾墮天的證明，在猶太人的古籍中卻有記載薩麥爾墮天原因。」

那是發生在摩西死後的傳說。聖主差遣天使長薩麥爾引導摩西的靈魂，但由於摩西在領受《十誡》時見過聖主真身、分享了聖光，獲得反抗天使的力量；他不但拒絕了薩麥爾的引導，更用刻有神名的權杖打瞎薩麥爾。

「天使原來這麼弱嗎？」

雅典娜回答：「一來是摩西並非等閒之輩，再者，從前的天使也不會輕易傷害人類。總之薩麥爾失敗了，除了獲得『神的盲目』這污名，他也激怒了聖主，被聖主奪去天使羽翼、放逐離開天國。這就是薩麥爾墮天的傳說。」

「那薩麥爾最後被教會封印了嗎？」蘇梓我說：「既然知道他就是傷害娜瑪祖先的凶手，那我們比米迦勒早一步把那混蛋找出來鞭屍吧。」

雅典娜不屑道：「先不說這種非理性的情緒發洩對事情沒有幫助，其實我今天要提的事還沒說完，不然也不用為了這點小事勞煩娜瑪大人前來商量。」

「啊，又把我無視了。」

雅典娜不理會蘇梓我，繼續說：「關於薩麥爾的身分，猶太人還有另一本古籍記載了一個有趣的事。」

偽經《以賽亞升天記》書中所述，薩麥爾是黑暗之王、魔界之王、邪惡的使徒，以及不公正的天使。同時，書中也有用類似字眼描述另一位惡魔，說他是魔界的統治者、無法的天使。

雅典娜說：「古籍把薩麥爾和另一位強大的惡魔連接起來，那位惡魔名曰彼列，為魔界三大公。當然你們更熟識的，應該是他所羅門魔神的身分。」

娜瑪驚道：「妳是說，彼列大公其實是薩麥爾墮天之後的惡魔？」

這樣豈不代表是彼列的先祖殺死了自己？一想到這裡，娜瑪本就對公爵惡魔感到恐懼，現在又加上了天使的身分，更令她顫抖不已。

「沒有證據，只是懷疑罷了。因此我才召集各位一起討論，畢竟惡魔之事娜瑪大人比我更熟悉。」

夏思思喃喃道：「如此一來，彼列公爵跟其他兩位大公對立、挺身反對戰爭，也可能跟他是天使的過去有關喔。」

賽沛女王點頭道：「其他所羅門魔神的力量都比不上他，也許彼列真是墮天使。」

「不對，」蘇梓我搖頭說：「就算薩麥爾和彼列實為同一人物，代表他歸順了蘇萊曼成為七十二柱魔神之一，那為何他在天魔戰爭中，殺死同為所羅門魔神的阿斯摩太呢？墮天後仍站在聖主一方，戰爭結束後他卻返回魔界，到底是哪邊的人啊？」

「重點就在這裡。」雅典娜說：「或許從前也有人發現薩麥爾和彼列的關聯，但只有我們透過娜瑪大人的記憶，知道薩麥爾殺死了阿斯摩太一世，因此這麼多年來都沒有其他惡魔懷疑過彼列的立場。」

娜瑪的嘴唇發抖。「說不定彼列大公直到現在依然效忠聖主……」

「這就是妳們魔界的大問題了。」

7

雅典娜的總結讓全場鴉雀無聲。地上有天使可能會消滅人類，地下又有彼列這狡猾的大魔王，究竟該怎麼辦？

娜瑪小聲打破沉默：「果然只能忘記此事吧，我們根本沒有能力跟彼列大公對抗——」

「不行。」蘇梓我用手指戳著娜瑪額頭。「看妳害怕成這樣子我怎麼能不管。再加上，如果彼列真是聖主派來的奸細，這對我們阻止天使復活更添一層障礙。」

「那你打算怎麼辦？走到撒馬利亞城堡質問彼列大公嗎？他才不會理會你呢。」

「不理會就來硬的。」

「笨蛋！你以人類之姿挑戰魔界三大公，是打算跟整個魔界宣戰嗎？其他惡魔也不可能坐視不理！」

「我不是以人類身分挑戰惡魔，而是以所羅門印戒的繼承者來收服魔神。彼列不過是其中一位所羅門魔神，我收服他天經地義，其他惡魔沒有干涉的理由。」

娜瑪否定說：「即使其他惡魔不插手，要是你跟彼列大公作對，就等於跟整個撒馬利亞為敵、跟魔界三分之一人口為敵。你還沒踏進城堡，就已被守衛軍淹死了！」

夏思思同意娜瑪的話。「之前彼列大公以阻止其他兩位公爵出兵為由，花了大量靈魂招兵買馬，軍備毫不遜於耶路撒冷。此外，魔界跟人類世界不同，所有惡魔都擁有單獨作戰的能力；撒馬利亞城內常備軍是人口的一半，剩餘的居民全是預備軍。」

娜瑪附和：「單是撒馬利亞城內就已坐擁超過六萬兵力，連同城外邊陲地區的聚落，彼列大公要召集十萬惡魔保護自己都不成問題。蘇梓我，你打算如何對付這十萬惡魔大軍？他們可不像紅眼鬼、魁鬼、餓鬼那些小妖，當中還不乏爵位惡魔！」

蘇梓我覺得娜瑪實在嘮叨，便望向賽沛問道：「妳的手下有多少人？」

「本王麾下有四、五萬名士兵，但她們都必須負責守衛魔界邊境，以防止奇異生物入侵，無法隨意調動。」

「不能放棄邊境駐防嗎？」

「不能。假如放棄駐防讓奇異生物入侵魔界，這樣本王和蘇大人便會成為千古罪人，到時我們就成為惡魔族的公敵了。」

「所以那些奇異生物到底是什麼？」

「奇異生物就如其名，就是無法解釋、無法形容的存在。就算人魚一族在魔海與奇異生物戰鬥了數千年，我們都沒有任何同胞見過奇異生物的真面目。那是神出鬼沒、不可名狀，同時又非常可怕的生物，簡直像不屬於這個世界。」

蘇梓我嘆道：「所以不能指望妳們前來助陣了嗎。」

「蘇大人又不用太過失望。再過不久，你的一萬名女兒就要孵化成長，如此一來人魚族又多了一批生力軍，這樣本王或許可以調派一萬兵力前去助陣。」

賽沛又補充說：「但我始終是魔界侯爵，隨意調動邊境士兵勢必招人話柄，假如失敗更會遭秋後算帳。為了族人利益，就算我是蘇大人的使魔也無法貿然犧牲族人利益，除非你有周詳的計畫和勝算。」

「連妳也認為我不是彼列的對手？」

「蘇大人千萬不要誤會。你當然不是彼列的對手，但有本王的定海神針再加上阿斯摩太的閃電火，還有阿斯塔特等使魔助陣，氣勢上絕對不會輸。尤其彼列大公擅使火系魔法，本王的海洋魔法剛好能有效剋住。」

蘇梓我見對方說得自己好像力量殘缺似的，不爽地抱怨：「所以如果能解決兵力懸殊，就沒問題了？」

「但即使大人你向巴別的伊西斯借來獄卒囚犯，頂多也只能湊到一萬名烏合之眾，跟彼列公爵的十萬大軍仍然相距甚遠。」

「那如果我向萬鬼之母借用鬼兵鬼將呢？」

娜瑪馬上阻止：「別拖別人下水啊，鬼族與惡魔族互不干擾三千年，絕不能因為你想收服彼列，而打破兩界間的秩序。」

利雅言說：「同理，人類勢力也不方便介入這場戰爭，以免被誤會是人類一方入侵，繼而引發更嚴重的混亂。」

「勇者大人，利小姐說得對，我們教會也是愛莫能助。」迦蘭低頭道歉。

不過艾因加納得意回應：「迦蘭小姐，是時候把那個成果告訴蘇先生了吧？」

「哦，對啊！」迦蘭精神一振。「剛才你們不是說彼列公爵擅使火系魔法嗎？如果我們有辦法封印他的魔法，這樣也許能增添幾分勝算？」

賽沛女王回答：「就算是定海神針，也無法完全封印火屬魔法，除非……」

「火屬原初神器，梵天神箭。」迦蘭續道：「我和艾因加納不斷收購南太平洋的教會，版圖已延伸至印度大陸，為的就是替勇者大人蒐集原初神器的線索。」

蘇梓我高興地問道：「所以妳們找到吠陀神器的下落了嗎？」

「對。畢竟已經有兩件神器重新出土，埋藏在印度的梵天神箭也產生了共鳴，印度聖教會便探測到神器獨有的波長。」

「做得好！那就等本英雄回收神器，再來射死那個彼列！」

迦蘭提醒：「我相信梵天神箭仍由吠陀古神嚴格看管著，勇者大人必須通過吠陀神明的試煉，方能入手原初神器。」

夏思思說：「地方主神固然厲害，但受到聖主詛咒大多已變得衰弱，強如宙斯仍是被蘇哥哥制伏。我看挑戰吠陀古神會比直接挑戰彼列大公來得輕鬆點。」

賽沛附和：「假如蘇大人取得梵天神箭，本王必定會出兵助陣，助你攻佔撒馬利亞。成功的話，本王可要分封撒馬利亞的領土啊，呵呵呵——」

賽沛掩嘴高聲大笑，但蘇梓我比她笑得更大聲：

「哇哈哈哈，就這樣決定！本英雄要親自去印度一趟，娜瑪當然妳也要跟來。」蘇梓我吩咐眾人：「迦蘭、艾因加納，妳們就替我回覆那金毛千金說我們一起去打天使吧。」

雅典娜則負責監察天使的動向，賽沛就回珍珠堡備戰，並通知巴別城的伊西斯支援。以上是對外事務，對內的一切都交給雅言打理，畢竟名義上蘇梓我已被聖教褫奪了聖品，香港教區是他們強行霸佔的，他們必須為自己正名為香港聖火教；這道路相當漫長，不比與天使之間的戰爭簡單，亦只有曾為聖火聖女的利雅言最合適擔當此任。

所以蘇梓我也只是掛名當個聖火主教，他還是比較擅長單純的打架。當他交代完眾人後，暗自笑道：「吠陀神明嗎？看來還有一對姊弟也能幫上忙。」

8

——砰！

起步槍聲一響，跑道上八個女生同時起跑，很快地，第四線道的女生遠遠超出對手們。

聖火書院的田徑場正上演四百公尺短跑的選拔賽，只見杜夕嵐大幅拉開距離，一路跑過終點線時都沒人能追上她。

「不愧是我的夕嵐，跑步就像風一樣快。」蘇梓我站在終點處拍手讚賞。

「這個嘛，比起跟你到處冒險輕鬆多了。」杜夕嵐調整呼息，沒料到蘇梓我會出現而喜出望外。「話說你怎麼會在這裡？」

「當然是來看望妳啊。」

「真的？」杜夕嵐懷疑地笑著。「以前都沒見你來過。」

「好幾年前我也在那裡看過妳跑步，這肯定是緣分。」

杜夕嵐見蘇梓我指向賽道圈內的草地足球場，回想起來說：「我也有印象見過你踢球呢。原來我們早就在同一個田徑場上各自努力。」

「哈哈，那時候我就把妳的紅線搶到手了。」蘇梓我一副似乎別有所圖，繼續攀談：「話說妳想提早放寒假嗎？」

「欸？可是快要升學考試了。」

「誰管他，拯救世界比考試重要得多吧！學校的事，我跟校長說一下就好。」

杜夕嵐不禁發笑。「是啊，都忘記你現在是蘇主教。」但她始終拿不定主意。「所以你又想做什麼了？」

「雖然希望你們能過回平靜生活，但妳不在身邊又有點不自在，不如我們去旅行吧。」

「可是我還要照顧母親和晞陽……」

「放心，伯母有雅言和教會照顧啦。至於杜小弟，妳想如何照顧他也行，他會跟我們一起——」

「蘇老大！」杜晞陽拖著行李箱，精神奕奕地跑來。「我已經收拾好了，隨時都可以出發。」

杜夕嵐嘆道：「原來你早就計劃好了啊，所以我們要去哪裡？」

蘇梓我大笑回答：「去印度借神器，順便跟印度古神打一、兩場架。」

「……好吧。」杜夕嵐無奈回答，接著問弟弟：「晞陽你不用黏著阿提蜜絲嗎？」

「姊姊妳在說什麼啊？我可是蘇老大的忠實信徒，蘇老大召喚，我赴湯蹈火也在所不辭！」

杜晞陽又道：「而且我也可以透過這次的冒險，讓月亮姊姊見識我的本領呢。」

「冒險……好吧，偶爾跟你們冒險其實也不錯。不過希望可以明天再出發。」她又責備弟弟：「晞陽，我們今晚要先回去向媽媽交代一下，不能說走就走。」

「但蘇老大說事情緊急……」

「無妨，一切聽夕嵐的吩咐，我們做大事無須急於一時半刻。」接著蘇梓我便在杜晞陽面前，與夕嵐擁抱道別。

杜晞陽嘆氣，心想如果自己跟月亮姊姊也能如此親近就好了。

◇

當天晚上，天使亦有所行動——一個巨大黑影浮現土耳其伊斯坦堡的夜空。

伊斯坦堡古稱君士坦丁堡，是正教會少數在歐洲的領地，以及正教的發祥地，在莫斯科正教會興起前更是正教牧首的居住之處。

不過莫斯科牧首為確保自己在正教的領導地位，迫使君士坦丁堡易名為伊斯坦堡；直到現在，普世牧首都是由莫斯科教會選出，伊斯坦堡則演變成為正教在近東地區與聖教角力的重要據點。

然而在這一刻，什麼聖教正教已不再重要，因為天使根本不管這些區別。

「天哪！那是什麼東西？」

「月蝕，不對、整個天空都被遮住了！」

「是大天使，出現在梵蒂岡的大天使！」

米迦勒掠過星空逐漸逼近，龐然身影投射到伊斯坦堡的市區中心，嚇得居民躲進室內，縱然毫無作用。

萬千磷光陸續從房子窗口浮起，或從陽台流出；彷若大群螢火蟲飛向夜空，飛向米迦勒的手上。只見他掌上有加百列的光球幼體懸在半空，漸與磷光同化，更發出哇哇叫聲——她把所有磷光都吃掉了。

加百列就像個巨大吸塵機般，把市內靈魂幾乎逐一抽乾；只有少數在正教教堂避難的信徒，又或者在家中設有結界的居民倖免於難。

◇

翌日，伊斯坦堡數千民眾人間蒸發的新聞傳遍全球，但無阻蘇梓我去旅行的心情。

蘇梓我、娜瑪、杜氏姊弟，他們四人的目的地是阿約提亞，位於印度北部的古城，名字有『不可奪取、不可戰勝』之意。

與西方的兩河文明與東方的黃河文明相同，古印度文明同樣源於河域土地，不過印度河流域的古神信仰起初並不成熟，直至阿利安人入侵、北遷定居後，印度文明才開始發展起來。

當地人感嘆印度古神所造的自然美景，既有高聳入雲的神聖雪山——喜瑪拉雅山，又有從天上銀河流往大地的壯麗河川——恆河；他們寫了許多讚美自然神的詩歌，集結成《梨俱吠陀本集》；有了宗教信仰，吠陀眾神便開始降臨於世。

梵天神箭的主人梵天，他就是吠陀眾神之一。當時梵天並非主神，是由因陀羅領導人民，文明發展一日千里，直至天魔戰爭爆發才突生變化。

吠陀古神並非全都有參與天魔戰爭，但命運跟獨善其身的羅馬古神相同，在魔神戰敗後，所有地方神祇都得到了壽命的詛咒。

見此情況，吠陀兩大神族——提婆族與阿修羅族——聯手攪拌乳海、提煉長生不老的甘露，這便是古印度「乳海攪拌」的傳說。

然而，乳海攪拌的結果以兩大神族反目成仇告終。提婆族與阿修羅族為爭奪甘露大打出手，結果因陀羅的提婆族戰勝，阿修羅族被流放至魔界；因陀羅的信仰文化受到動搖，最終被降格至二等神。

此後，古印度的主神便由梵天、毗濕奴、濕婆三神取代，這亦宣告著吠陀時代的終結，古印度踏入列國時代。而阿約提亞正是十六列國中拘薩羅國的古都，也是印度史詩英雄羅摩的出身地。

9

香港沒有直飛阿約提亞的航班，蘇梓我一行人先飛往新德里，再由當地教會帶路前往阿約提亞，而抵達後，迦蘭自然會有下一步安排。在機上，娜瑪則繼續講解古印度神話的歷史故事。

「在古印度兩大史詩之一的《羅摩衍那》裡，羅摩是《羅摩衍那》的英雄，而羅摩的死敵之子卻是擁有梵天神箭的戰士。」

關於《羅摩衍那》，那是一個講述拘薩羅國王子羅摩為拯救被擄走的妻子悉多，因而與十首魔王羅波那開戰的故事。

「十首魔王……」杜夕嵐好奇地問：「不同文明的魔王和妖怪都喜歡長出一堆頭呢，你們之前在巴別不也討伐了一個七首怪獸？」

娜瑪回道：「但羅波那不僅有十顆頭，還有十對雙手！而且羅波那不甘於此，他想復興自己一族，於是展開苦行，每年都割下一頭獻給天神。就在第十年他正要把最後一顆頭割掉時，梵天被他的苦行打動，因而讓他的九首重生，給他楞伽島作為領地，又賜予他不輸神明的魔力。」

然而對力量的追求是永無止境的。羅波那在第一個兒子出世時，以強大魔力調動宇宙星座、逆天而行，使得長子彌迦那陀天生便能呼風喚雨。

同時彌迦那陀因父親苦行而獲得三把神器：毗濕奴的幻惑之寶、濕婆的獸主之寶，以及梵天的梵天神箭。彌迦那陀可說是人類的最強武士，之後與父親大鬧天庭時，更擊敗了被貶為二等神的因陀羅。從此他自稱因陀羅耆特，意思就是「戰勝因陀羅之人」。

杜夕嵐聽後喃喃道：「十首魔王之子，梵天神箭的擁有者……聽起來很可怕。」

娜瑪說：「一等神的毗濕奴見此情況，為阻止人類力量過於強大，便化身成拘薩羅國的羅摩王子，又借來眾神之力，幾經辛苦才擊敗因陀羅耆特，並一併剷除魔王羅波那。這就是史詩《羅摩衍那》所記載的經過。」

「那我們此行就是要找這位史詩戰士、取回神器嗎？」

娜瑪輕嘆：「雖然不太肯定，但因陀羅耆特是我們唯一的線索了。聽聞梵天神箭與他一同被封印起來。」

「但要怎樣才能跟古人交手？」杜夕嵐不解。

「當地教會好像找到方法，等會兒就聽他們指示吧。反正我們還有其他更需要煩惱的事呢。對手是古印度傳說級的戰士，反觀我們這邊的大英雄……」

娜瑪看著蘇梓背靠椅背仰首大睡，連同他旁邊的杜晞陽也是以相同姿勢睡著，心中不禁無限擔憂。

「難道妳在擔心蘇梓我打不贏因陀羅耆特嗎？」杜夕嵐笑道：「英雄也是各式各樣嘛，蘇梓我大概屬於比較特別的那種。」

「真羨慕妳能全心全意地相信那個笨蛋。」

「不但相信，我也決定了要全力幫助蘇梓我。」杜夕嵐說：「也許我的魔力先天不足，但我想成為他的力量，才會每天練習諸羅剎女的召喚術。」

「這是因為要報答蘇梓我的救命之恩嗎？」

杜夕嵐愣神一下，遂笑道：「差點忘記他對我們杜家有過救命之恩。但我不是為了報恩，只不過是一個愛得無可救藥的少女想幫助自己喜歡的人。」

「真是幸福的傢伙……」娜瑪看著蘇梓我，蘇梓我雖抱著飛機枕頭呼呼大睡，但她總覺得對方不過在裝睡罷了。

◇

經過數小時的航程，四人抵達印度德里機場時已是正午。他們在出境大廳見到一位身穿整套西裝的男士舉起看板，看板上用中文寫了蘇梓我的名字。

「那個男人就是在印度之旅為我們帶路的聖職員嗎？迦蘭真是不懂我的心意。」娜瑪駁道：「迦蘭小姐可是正懷著你這笨蛋的女兒啊，你還打算在這時候拈花惹草嗎？」

「不，只是女導遊的話對妳們也方便些嘛。聽說印度好像很危險，尤其女生最好不要獨自走到街上。」

「呵呵，蘇主教多慮了。」那位西裝筆挺的男士自動走來，用不太標準的中文解釋：「這幾年在印度聖教會的宣導之下，治安已經好了不少。只不過最近中印邊境衝突升溫，你們在香港看到那些誇張失實的報導，很多都是大陸正教會在背後施壓影響。」

蘇梓我上下打量這位說話的中年男士，西方白人的膚色，黑短髮，衣著光鮮整潔。這個人的外表打破了蘇梓我的刻板印象，以為印度人都是黑皮膚、光頭，而且手腳還會伸長、嘴巴會噴火等特技。眼前男人怎麼看都像是個西方人。

「抱歉，忘了自我介紹。」西裝男士客氣地說：「我叫喬布拉，是德里教會的主教，也是迦蘭樞機的朋友。迦蘭樞機交代我帶幾位到阿約提亞調查神器之事，計畫應該沒有變更吧？」

蘇梓我回答：「計畫未變，你的任務就是帶我們到阿約提亞回收神器。」

娜瑪立刻捉住蘇梓我的衣袖。「笨蛋，你也要尊重一下喬布拉先生啊。」

「啊？看他身為主教卻要在這裡接機，肯定也不是什麼大人物。」

「抱歉，真是失禮了。」喬布拉依舊保持笑容回答：「近日德里有點混亂，教會的其他職員都忙得不可開交，只好由本人親自接待。而且久仰蘇主教的威名，雖說聖教有些人視閣下為異端，但我和迦蘭樞機的看法一致，都是支持教會改革的。例如印度聖教會，我想也是時候要改變一下了。」

「我沒空聽你討論教會問題，趕快出發回收神器就好。」蘇梓我大步離開，娜瑪只好拖著兩個行李箱狼狽追隨，兩人卻在機場大堂被一群示威民眾擋住了。

示威民眾約略有上百人，紛紛大聲叫囂著；他們都手持抗議標語佔據在機場門口，場面有些混亂。

「那些人怎麼了？」杜夕嵐聽不懂也看不懂印度文，只好向喬布拉請教。

「這就是印度教會最近遇上的麻煩。」喬布拉苦笑。「說來慚愧，這些抗議的民眾希望廢除聖教會作為國教的地位，並要求恢復傳統印度信仰。」

「原來是這樣嗎？」杜夕嵐感到意外，她以為三大教會早以壟斷全球宗教，想不到在印度反對聖教的市民卻是不少。

「畢竟印度被英國殖民統治只有一百年左右，但印度傳統信仰卻已超過一千年歷史。以往即使印度按照《耶路撒冷公約》奉聖教為國教，但不少印度信眾私底下都有在敬拜印度古神，實難阻止。」

喬布拉續道：「而且近日梵蒂岡失信於世，惡魔混入教會，天使長公然審判罪人。這一切足以使印度民眾大膽走出來，摒棄聖教、要求恢復自己的宗教，便演變成現在這局面。」

蘇梓我喃喃道：「真是一片麻煩的土地，迦蘭和艾因加納要打理這些鬼地方看來也很辛苦。」

「讓蘇主教見笑了。」喬布拉對蘇梓我的負評沒有感到生氣，反而展開手臂友善笑道：「請跟我來吧，教會準備了專車接送閣下前往目的地，明天就能抵達阿約提亞了。」

10

蘇梓我一行人乘坐教會專車離開德里，沿路看見市面秩序比想像中混亂，鐵路癱瘓、馬路壅塞；不過駛上高速公路後，很快便與城市喧繁告別，車窗兩側都是農田草原，空氣也清新許多。

接著他們按照行程在途中城鎮過夜，那裡比德里要安靜些，可以放心休息。不過同一時間，歐洲那邊的居民可又要面對天使出沒和虐殺……當晚，米迦勒橫越地中海來到了北非，在埃及的亞歷山大港用相同手法吸走了數千居民的靈魂。

在天使長面前人類何其渺小，就好比人類用手壓死螞蟻般，不會有任何憐憫。

或許集結所有聖教會的力量能抵禦得住天使，或者正教使役聖父的魔法甚至能趕退天使；然而天使神出鬼沒，平日又隱身於七重天上，根本沒方法追蹤他們的動向。

而聖教會自己也正面臨嚴重問題：教宗選舉當日，全球樞機主教共聚一堂，卻有超過一半的樞機主教被米迦勒殺死；國務樞機卿多瑪斯被蘇梓我討伐，教宗之位一直空懸，全球聖教組織事務幾乎無法運作。

可想而知，印度教會的混亂不過是冰山一角。

◇

「父親大人，真的要這樣做嗎？」

同夜，瑪格麗特一身祭司長袍——雖然她並非祭司，在教會內更無聖品，但教宗之位從來都沒規定只能由聖職者出任。

因此，為了使自己女兒能繼任教宗，安東尼在家中大廳教導著瑪格麗特：

「天使並不可怕，現在他們只能吸食信仰不足和沒有受教會保護的靈魂。因此妳要幫助羅馬人民脫離苦難，傳授他們十字架的祝福，保護信眾不被天使勾魂。只要大家重拾聖教信仰，對付天使便能事半功倍。」

「可是真的交由女兒去辦嗎？」

瑪格麗特不過是位十八歲的少女，雖說之前信誓旦旦答應蘇梓我共同對抗多瑪斯、成為教宗，但現在父親回來了，自然想撒嬌把重任推給安東尼。

「瑪格麗特，我已是聖教的老面孔，注定隨聖教沒落。只有妳才能重新領導聖教走回光榮之路。」

「那父親大人會不會跟女兒一起？」

「當然，我和管家都會在背後見證一切。」

「女兒明白了……」瑪格麗特突然笑了起來：「呵呵，聖瑪格麗特要來拯救世界了！」

之後她便帶著十字架和摩西之杖在羅馬傳道，並傳授封印祕法保護家居安寧。

◇

另一邊廂，經過兩日一夜的旅程，蘇梓我等人終於抵達目的地阿約提亞。

「噢，好厲害！」

表現最興奮的是杜晞陽，他下車看著前所未見的風景大叫：「果然跟老大來是正確的！這裡很厲害耶，其他同學一定沒有見識過！」

都是小孩子的感想。不過阿約提亞的河畔確實風光明媚，周圍盡是古色古香的圓頂建築，與大自然景色融為一體；古城氣候宜人，即使冬天仍清風送爽——不過最令眾人眼前一亮的，是草原上一座座神聖的宗教建築群。

杜夕嵐好奇地問：「圓頂建築也好，還有像番薯站起來的高塔也好，它們看起來都不像是聖教教堂而是異教寺廟，這樣公然供奉異教神不會犯法？」

喬布拉回答：「阿約提亞的建築群全數歸於印度政府名下，並以文化保護的名義保存了下來；這樣就與宗教無關，聖教會無從插手。」

但杜夕嵐仍有疑惑。「可是這裡的民眾有私底下崇拜異教神吧，看來喬布拉主教毫不在意？」

「呵呵，不過我們今天來到此地也是托異教的福喔。正因為阿約提亞有保留完好的古代信仰，我們才有辦法回收吠陀的原初神器。在印度，即使是聖教會也難免要跟傳統信仰合作呢。」

喬布拉與傳統聖教徒不一樣，對異教存在十分寬鬆。

「所以，」蘇梓我問：「在這個和平的河邊小鎮裡，真的有古神和神器存在嗎？」

「呵呵，蘇主教無須著急，在下先帶各位去見一個人。」

蘇梓我眉頭緊皺，無奈地跟隨喬布拉前行；在泥地路走了半小時，他突然眉飛色舞起來。

眼前是一座寬敞廟堂，幽靜非常，只有自然光源說不上十分明亮。但重點是廟堂上鋪了軟墊，軟墊上一排妙齡少女正單腳站立做著瑜伽，而帶領眾人的那位瑜伽導師更是位美貌的少女，還身穿緊身衣，蘇梓我懷疑在印度可以穿成這樣嗎？

那位印度少女瞧見喬布拉等人，便停下課程讓學生先行解散，接著走來跟喬布拉打招呼。近距離看，蘇梓我的眼光果然不會出錯；少女放下棕色鬈髮，膚色和臉型輪廓都像西方人，應該跟蘇梓我差不多年紀，但臉孔卻有一種難以形容的異國風情。

「卡潔兒小姐，幾天沒見，妳依然明艷照人呢。」喬布拉親切地向卡潔兒握手問好。

「這是瑜伽的力量。」卡潔兒掩著緊身上衣向喬布拉鞠躬，並瞄看蘇梓我說：「請問這位就是從香港來的主教大人嗎？」

「對，他是香港的蘇主教，是迦蘭樞機的朋友。」

「你好，我是卡潔兒，很高興認識你。」

卡潔兒笑起來成熟迷人，就像卡通電影裡的埃及公主，看來迦蘭還是很懂得蘇梓我的喜好。

「嘿嘿，我也很高興認識卡潔兒小姐。」蘇梓我也想跟卡潔兒握手，卻被喬布拉打住了。

「現在有點不方便呢。而且卡潔兒小姐還要回去更衣，總不能穿著神聖的瑜伽服做瑜伽以外的事。」

卡潔兒以笑賠罪。「抱歉了蘇主教，我先失陪一會兒，之後我們再到裡面的祭室碰面吧。」

「哦？卡潔兒妳是這間古廟的工作人員？」

但卡潔兒只是報以微笑，接著十分鐘過去，當她再次現身時，已是一身金色長袍、金色頭紗，並重新向眾人自我介紹：

「我是這間廟宇的婆羅門，很高興與你們大駕光臨。」

11

一身金光華麗的卡潔兒自稱是婆羅門，雖然蘇梓我不知道婆羅門是什麼意思。

喬布拉恭敬回答：「婆羅門是印度傳統信仰的祭司，是種姓制度中最高級別的貴族族群。」

杜夕嵐說：「種姓制度……好像聽說過這是印度獨有的封建社會制度，用來確立每個人與生俱來的階級。不過由於帶有歧視意味，引來教會猛烈批評。」

「種姓制度確實會聯想到不平等、種族歧視等負面意思，但用西方角度來看，婆羅門不過像貴族罷了。」喬布拉又解釋：「正因為卡潔兒小姐身為貴族，她還兼負起傳達神諭的責任，並向吠陀古神反應民眾的意願，以保佑信眾平安。」

蘇梓我嘆道：「原來如此，看來印度聖教和婆羅門合作無間呢。」

卡潔兒燦爛笑說：「這間廟宇也是得到喬布拉先生的援助才得以存續。不止我們，喬布拉先生更是整個阿約提亞的恩人，沒有他，此地的信仰恐怕就要消失了。」

「聽起來，這城鎮有發生過什麼大事嗎？」

「是啊，蘇主教有所不知。」卡潔兒略帶憂愁地說：「就在六年前，阿約提亞所有婆羅門的孩子都在一日之內被集體擄走，消失的小孩超過三、四十名。幸好後來喬布拉先生來到阿約提亞，協助尋回失蹤小孩，更捉住了凶手，阿約提亞才恢復和平。」

喬布拉笑道：「卡潔兒太過誇獎了。我一直認為幫助當地居民，還有與地方信仰互相理解、共融，這才是讓聖教和平普及的方法。」

卡潔兒說：「可惜我當時年紀還小，記憶有點模糊，不然我可以作為證人，宣揚聖教與婆羅門的結合。」

「唉，往事微不足道，不足掛齒。」喬布拉又說：「但妳再不解釋接下來的事情，恐怕就怠慢客人了。」

「哎呀，真的不好意思！」卡潔兒躬身道歉，身上垂吊的首飾金光閃閃，奪目耀眼。她續道：「各位客人請隨意坐在地上，我現在要嘗試跟古神接觸。」

蘇梓我問：「跟古神接觸？通靈嗎？」

「可以這樣說。我會進行降神儀式，召喚古神來到現世，讓蘇主教通過古神的試煉、取得神器。」

說畢，卡潔兒忽然揚手，祭室內所有布簾一同落下；現場頓時一片漆黑，整個空間充斥著神祕氛圍。接著，她取出一根紅燭，手掠過蠟燭頂端，在昏暗中燃點起燭光。

「這是要講鬼故事嗎！」杜晞陽莫名興奮起來。

娜瑪有感而發：「好像惡魔召喚的儀式啊。」

卡潔兒聞言神情突變，嚴厲斥道：「不是惡魔！」但她很快冷靜下來解釋：「提婆族一直留守在子民當中守護我們，與逃遁到魔界的阿修羅族不一樣。而且旁邊那位小朋友可以安靜下來，不要拿手機拍攝好嗎？」

「抱歉。」杜夕嵐雖然聽不懂卡潔兒說的當地語言，但從她的語氣和弟弟的行為也略知一二，連忙掩住弟弟的嘴，向卡潔兒道歉。

接著，卡潔兒在祭壇下取出一本古籍，全神貫注，口中念念有詞。此時在場所有人都屏息靜氣，若仔細感受，確實可以感受到無數的靈正聚集於祭室內，就算古神隨時在此出現也不會感到意外。

「因陀羅耆特……」娜瑪十分擔憂，聚精會神監視祭室內靈魂的流動。

儀式持續了五分鐘，卡潔兒卻突然吹熄蠟燭。喬布拉問：「怎麼了，不成功嗎？」

卡潔兒搖頭說：「失敗了，果然我今天無法帶各位與因陀羅耆特見面。」

「什麼回事？」蘇梓我感覺被欺騙了。

「簡單來說，蘇主教你們無法與『梵』結為一體。」

「啊？這哪裡『簡單』了？」蘇梓我追問：「還有，什麼是『梵』？」

卡潔兒回答：「『梵』即是宇宙的靈魂，亦即是我們的靈魂。而這本大奧義書就是『梵我一如』的終極體現。」

娜瑪一聽見大奧義書，馬上站起來問：「我知道吠陀文明有奧義書，但大奧義書又是什麼？」

「我手上是兩大印度史詩之一《羅摩衍那》的完整文書，經歷代婆羅門親自傳承，極具法力。而我說的大奧義書，就是指這部《羅摩衍那》。」

「這樣我明白了！」不枉出發前熟讀了吠陀文明的神話，娜瑪瞬間理解現在發生何事，還有卡潔兒又在準備什麼。

「知道的話就告訴我吧。」蘇梓我命令娜瑪。

「真拿你沒辦法，本小姐就說給你這笨蛋知——嗚哇，別敲頭，我不想變成跟思思一樣矮！」

娜瑪淚目解釋：「『世界』創造眾神，而每位地方神的創世方式都不相同。例如澳洲文明是用

『唱歌』的方式創世，而吠陀文明正如先前說過，是先有讚美自然之美的詩集，之後才漸漸誕生信仰。」

「所以妳想說，吠陀文明是用『詩集』的形式創造世界嗎？」

「對！縱使吠陀古神消失，只要吠陀經典尚在，我們就能重新召喚吠陀古神的靈魂。甚至只要有《羅摩衍那》的全本，婆羅門應該就有方法召喚《羅摩衍那》裡的所有人物呢。」

蘇梓我始終不明白。「那如果我有《西遊記》，就能召喚出鐵扇公主？」

「這是吠陀文明的獨有方式，因為他們用詩集創世嘛。」娜瑪說：「而且吠陀文明的靈魂都是用『梵』的形式保存，換句話說，即使古神已死，他們還是以某種方式存在於『梵』之中。梵即是我、我即是梵，這是所有古印度奧義書所追求的境界。」

「很厲害。」卡潔兒對娜瑪鼓掌道：「雖然我從妳身上感覺到惡魔氣息，但看妳的修為，比較接近提婆而非阿修羅呢。」

娜瑪顯得不好意思。「本小姐是貨真價實的惡魔啦……」

「很可惜，如今蘇主教無法達至『梵我一如』的境界，所以大奧義書無法回應各位的訴求。」

蘇梓我聽得不耐煩。「妳們左一句梵，右一句煩，我都聽不明白。卡潔兒妳不能自己召喚出古神嗎？」

「除非是傳說等級的婆羅門，否則只靠我一人之力，可無法召喚古神降臨。『我』與『梵』的力量相差太遠了。」卡潔兒解說：「正因蘇主教你的靈魂容量比凡人龐大，所以我才想借閣下的力量來召喚古神。」

蘇梓我問：「那現在要怎麼辦？」

「奧義書只給有慧根的有緣人參詳，蘇主教或許未能在書中領悟『梵我一如』的真理，不過我們還有另一套實踐『梵我一如』的方法可嘗試。蘇主教你記得剛剛來廟宇時，我和學生正在做什麼嗎？」

「……瑜伽？」

「沒錯，瑜伽自古以來就是修練身心，以達『梵我一如』境界的方法。這幾天蘇主教方便留下來作客修行嗎？只要領悟到『梵我一如』，我們便能從《羅摩衍那》中召喚出其中的古神。」

蘇梓我考慮一會兒，答道：「好吧，我暫時留在阿約提亞觀察，希望妳真的有辦法給我見到神器。梵天神箭對我來說十分重要，我要用它來打壞人。」雖然他大概是看上卡潔兒的美貌才答應的。

「我會盡力。」卡潔兒展開雙臂歡迎蘇梓我，意外地十分熱情。

12

蘇梓我等人被安排入住市內的旅館，徒步幾分鐘就能到達廟宇區。翌日早晨，他們按照約定去古廟跟卡潔兒修練瑜伽。

「蘇主教早。」

擔任瑜伽導師時的卡潔兒，跟祭司裝扮時華麗的她很不一樣。現在她綁了馬尾，沒有長髮遮擋身材，緊身的瑜伽背心讓人想入非非。

蘇梓我捉住卡潔兒的手輕吻，並道：「其實我小時候就很喜歡做瑜伽，請老師妳一定要親自指導我。」

見蘇梓我如此冒犯婆羅門的卡潔兒，在場婦女都非常不滿，甚至想拿石頭擲向蘇梓我。

「大家等等，這幾位是從香港遠道而來的學生，不懂我們風俗。」卡潔兒向弟子拜託道：「這幾天請你們要好好相處，別失禮於外人。」

十數名弟子只好無奈地向蘇梓我鞠躬打招呼。雖說清一色都是女士，但平庸貨色蘇梓我不感興趣，也懶得理會。

娜瑪在一旁問：「為什麼連我們也要來學？明明卡潔兒只需要你的魔力啊。」

「妳有什麼不滿？」

「超級不滿！瑜伽是宗教儀式，你這笨蛋有聽說過惡魔會做瑜伽的嗎？」

蘇梓我笑道：「別這麼說嘛，娜瑪妳這麼聰明，學什麼都容易上手，所以才想請妳來示範給我看。」

娜瑪臉紅起來。「這個嘛，瑜伽對本小姐當然容——啊！我、我才不會這麼輕易被你哄騙！惡魔有惡魔的尊嚴，我堅決不做異教儀式。」

「妳這個以教堂為家的惡魔還敢說惡魔的尊嚴？別抵抗了，這是主人的命令！」

「我們的惡魔契約已經結束，你才沒有權力命令我呢，笨蛋！」娜瑪對他吐舌做了個鬼臉。

「肅靜！」卡潔兒拍手大聲訓道：「這裡是神聖的瑜伽會堂，不是給你們玩耍的，如果不想學的話就請離開。」

見娜瑪垂頭抱歉，蘇梓我只好收起本來為娜瑪和杜夕嵐準備的性感瑜伽服，嘆氣告訴她：「妳和夕嵐他們去外面逛逛……順便蒐集一下情報吧。」

娜瑪抬頭，一副難以置信地盯著蘇梓我，蘇梓我則對她耳語：「這是英雄的直覺，說不定鎮上有梵天神箭的線索，這裡由我應付就行。」

見蘇梓我認真起來，娜瑪便帶著杜家姊弟先行離去。

蘇梓我目送三人離開後，心道：哼，那蠢材娜瑪開始反抗期了，幸好我懂得變通，索性打發走她，免得阻礙我跟卡潔兒老師學習瑜伽。

就在他想入非非時，本來平靜的廟堂忽然有眾人鼓掌，蘇梓我一頭霧水，只見卡潔兒微笑宣布：「繼昨天蒂帕畢業，今天又有同學完成修行。」便向其中一位少女說：「露比，恭喜妳。」

那個叫露比的女生喜極而泣。「真的嗎？我不是做夢吧？」

卡潔兒輕輕點頭。「露比妳這些年來表現很好，希望以後可以繼續保持平和的心境。」接著她上前擁抱露比，輕吻露比的唇，這畫面讓蘇梓我大感意外。卡潔兒淡然地告訴露比：「明天最後一堂課也記得要準時來囉。」

露比向卡潔兒鞠躬。「感謝老師的教誨，謝謝！」

「那麼大家就繼續修行吧。」

廟堂上眾女繼續交叉雙腿打坐，依照卡潔兒的指示修行瑜伽。

瑜伽課繼續進行，蘇梓我也試著照做卡潔兒的動作；起初還算有趣，尤其是見在場女生模仿猴子時；但這種趣味很快就消失，畢竟傳統瑜伽講究鍛煉身心，蘇梓我心靈早已污濁得無法容忍這種平淡的修行，就連卡潔兒在祭壇上念念有詞也無法淨化他心中的雜念。

「果然很無聊，是時候行動了。」蘇梓我躺臥在軟墊上，忽然大叫：「卡潔兒老師！我感到有一股邪念企圖佔據我的身體，一定是它們想阻止我的瑜伽修行！」

卡潔兒連忙跑來，跪在蘇梓我旁邊關心道：「蘇主教你覺得如何？」

蘇梓我假裝在地上掙扎。「我的心臟好痛，妳可以握住我的手嗎？」

「你的手很冷啊！」卡潔兒見蘇梓我全身冒汗，不禁擔憂起來。

於是蘇梓我嘴角上揚，馬上調整魔力讓自己平復下來，並抓緊卡潔兒的手說：「現在舒服多了。果然卡潔兒老師流著婆羅門的血，惡靈不敢與妳作對。」

卡潔兒鬆一口氣。「沒事就好。」

「不過我在想，也許是阿修羅的邪靈識破我們的行動，不想讓我們搶走梵天神箭。如此一來，它們必定會千方百計阻止我修行瑜伽。」蘇梓我繼續說。

「那怎麼辦呢？唯有蘇主教繼續修行瑜伽，我們才能借助『梵』的力量召喚出古神。」

「看來只能放棄了，除非……」蘇梓我繼續躺臥著說：「此處結界太弱，也許我們換到房間裡一對一修行，這樣邪靈就不會找上門吧？畢竟卡潔兒小姐是偉大的婆羅門。」

「看來也沒其他辦法……」卡潔兒對現場弟子說：「各位，我需要親自指導蘇主教修行，今天課程先到此為止，請大家回到家中也要保持平靜祥和的心靈。」

在場弟子議論紛紛，但最終還是聽從卡潔兒的話回家。蘇梓我總算能單獨親近卡潔兒。

13

「神器？」農夫搖搖頭。「完全不懂妳們在說什麼。」

已經是第四十個人了，鎮上居民都沒聽過阿約提亞有什麼神器，也沒留意到最近有什麼異樣。杜夕嵐與娜瑪低聲商量：「再問下去也沒有結果，一般人不會知道原初神器的存在吧？」

「可是那笨蛋一臉認真地叫我們打探情報，我想他應該有什麼想法才對。」

「對，蘇老大的直覺最準確了。」杜晞陽說。

娜瑪苦惱沉思，假如蘇梓我真的有所發現，才吩咐自己到鎮上調查的話……換言之，他不相信卡潔兒會替自己取得梵天神箭？如此一來，卡潔兒和喬布拉可能有所隱瞞。

於是她換了問題繼續追問農夫，對方回答：「喬布拉先生嗎？他非常熱心助人，每季都用高價收購我們的農產品。」

另一位鎮民附和：「他還資助我們開辦學校呢，我們鎮內每個人都很尊敬喬布拉先生。」

關於卡潔兒，居民說：「六年前失蹤的孩子們，卡潔兒小姐也是其中一位，所以喬布拉除了是她的前輩也是恩人，兩人關係很好。」

娜瑪失望嘆氣，結果打聽半天都沒有收穫，她望著一片農田，正感慨自己徒勞無功之際，卻看見田地裡有人正在用割草機劏平農作物。

「咦？農作物都不要了嗎？」

一位在旁邊的老婦微笑回答：「因為昨晚有人在那裡離開了。」

「離開？」娜瑪不明白。「離開到哪裡？」

「當然是回歸自然，以最自然的姿態回歸。昨晚我還看見她赤裸躺在田裡的模樣，十分美麗。」老婦平靜地分享所見，但娜瑪卻聽得不安。這不就代表有人赤裸死在農田裡？

老婦對娜瑪的反應感到意外。「雖然是這麼說，但沒有妳所想的那樣可怕啦。」

旁邊中年男子笑容滿面地搭話：「就是嘛，只不過是神的旨意讓她離開而已，在這季節很常見，你們夜晚不要外出就沒有問題。」居民們對娜瑪揮揮手後，便陸續回到農田工作，看來一點都不擔心。

「明明有鄰居死了，他們卻好像只是吃早餐時少了一杯鮮奶，完全不在意……」

杜夕嵐同感奇怪，甚至心驚。「這小鎮肯定有什麼祕密……要小心點。」

杜晞陽捉住姊姊的手臂。「這樣不會有危險吧？還是等今晚跟蘇老大商量再做打算。」

「只能這樣了。」

◇

晚上，蘇梓我春風滿面返回旅館，娜瑪則認真報告今天發現的事。

「這是拜託迦蘭從警方獲得的情報，那個死在農田裡的，是個剛滿十八歲的女生，遺體被發現時全身赤裸，有被侵犯過的痕跡；不但受到暴力虐待，全身更是皮開肉綻，像被人用指甲或利爪撕劃全身，死狀恐怖。但最奇怪的是，鎮上居民竟然不以為意。」

蘇梓我放下湯匙，責備娜瑪：「妳沒看見我正在吃飯嗎？不要說這些噁心的話題。」

「笨蛋，是你要我調查鎮上怪事的！」

「不用查了，肯定是那個印度主教做的。平日笑得越多的人就越可疑。」

「你說喬布拉先生嗎？」

「就是他啊！」蘇梓我說：「而且那個男人不是還出錢資助卡潔兒打理異教古廟嗎？卡潔兒長得那麼標緻，長腿叔叔肯定別有用心。」他又質問杜晞陽：「你說你一看到卡潔兒，是想跟她做瑜伽還是跟她上床？」

「當然是兩樣一起做啊，蘇老大。」

「妳們看到了吧？全部男性不論年齡想法都是一樣的。所以那男人會對卡潔兒這麼好，只有兩種可能：一是想賣人情來滿足自己的虛榮心，二是想控制卡潔兒把她據為己有。」

杜夕嵐長嘆一聲無言以對；至於娜瑪，雖然蘇梓我作為過來人說起這話特別具說服力，但她還是覺得奇怪：「喬布拉拯救過婆羅門的孩子，死者蒂帕同樣來自婆羅門的家庭，說不定蒂帕是六年前被喬布拉所救的其中一位女生呢，為什麼要殺她——」

「慢著，」蘇梓我突然打斷娜瑪。「妳說死者叫蒂帕？這跟卡潔兒今早說已經畢業的學生名字相同。」

蘇梓我對女性名字特別敏感，立即想起今早所有學生都為畢業的人感到高興；但就像娜瑪說的，鎮民對蒂帕的死卻是不聞不問。

蘇梓我馬上得出結論。「有個叫露比的女生，跟蒂帕一樣明天就要畢業了。明早你們去跟蹤她，說不定會有什麼發現。」蘇梓我叮囑說：「不過既然蒂帕死在田裡，妳要好好看管夕嵐，別讓她受傷啊。」

娜瑪撇嘴說：「知道了，但你明天要做什麼？」

蘇梓我眼睛色迷迷的。「本英雄自然有要處理的事，嘿嘿。」

14

翌日，娜瑪等人守在廟外許久，終於看到露比換上常服離開，便追上前偷偷跟蹤，轉眼就過了一小時。

「街市、市集、餐館……就算修行完成，那個女生的生活也沒大改變呢。」娜瑪心想，露比態度如常，全然不知自己將要被殺的樣子。

接著又走了一個小時，結果兜了一大圈又回到古廟附近；此處算是郊區，家家戶戶都以務農維生，蟲鳴比人聲還要吵。娜瑪等人與露比相距十數尺，躲在農田另一側偷偷監視。

「娜瑪，妳看看那裡！」杜夕嵐指向前方某處。

原來喬布拉正好來探訪小鎮，他還帶著十幾名女童一起散步。娜瑪喃喃道：「本來這場景也沒什麼特別，但聽過昨天笨蛋那番話後，總覺得喬布拉是個戀童癖呢……」

喬布拉此時與迎面的露比恰好碰上，兩人寒暄了一番，並輕輕擁抱數秒，最後互相鞠躬道別，顯然關係似乎不錯。

「難道真像那笨蛋所說，喬布拉先生不是好人嗎……」

杜夕嵐問：「妳要去跟蹤一下喬布拉先生嗎？再怎麼說，帶著一群女童散步實在有點古怪。」

「可是蘇梓我交代過，要我保護你們啊。」

杜夕嵐充滿信心回答：「別小看我和晞陽，我們懂得操縱羅剎力量，不會這麼容易被欺負。」

「但是……」

「再說現在時間還早，天光化日應該不會有危險啦。一有危險我們馬上撤退就是。」

娜瑪想了一想，只好再三叮囑：「真有危險的話一定要逃啊。」

「嗯，妳也要小心。」

於是娜瑪與杜家姊弟便分途跟蹤喬布拉和露比兩人，雖然很快就知道這是個錯誤的決定。

◇

「姊姊，那女生好像加快了腳步。」

依然相隔幾畝田跟蹤著露比，但見少女忽然左顧右盼、急步前行，為免跟失目標，杜晞陽便追了上去。

「晞陽別單獨行動啊，走失的話姊姊要怎麼找你？」

「但她的行為確實奇怪嘛。」杜晞陽停下腳步遙指前方，發現露比正在脫鞋子，接著竟赤腳從馬路走到田裡去。

又是農田，而且荒廢多時、長滿幾尺高的雜草，姊弟倆不安地聯想起昨天的事……想著同時，露比的身影竟已消失在雜草叢間。

「咦？晞陽，你有看到那個女生嗎？」

杜晞陽搖搖頭。「反正都荒廢了，不如我們也下田看看？」

「嗯，也沒其他辦法了。」

於是杜夕嵐牽著弟弟的手，沿著露比走過的馬路，在下去田裡的地方找到一雙紅鞋。

杜晞陽打趣地說：「是消失的灰姑娘嗎？」

「……紅色鞋子總有不好的預感，我們走吧。」

兩人戰戰兢兢走進田裡，才走了幾步，雜草竟像《傑克與豌豆》中的魔豆豆莖般，一束束猛然伸向天空！雖未高聳入天，但三、四尺的高度足以完全淹沒杜夕嵐頭頂。姊弟倆視線全是一片青綠，接著遠處便傳來女性的叫聲——

「啊——」

◇

「啊——」

一群女孩圍著喬布拉興奮尖叫，因為她們都不想回到學校，在校門前嚷著要跟喬布拉一起玩。

喬布拉見狀只好輕拍女孩們的頭，溫柔道：「要上課啦，妳們今天乖乖聽老師的話、做好功課，明早我再帶妳們參觀教堂，好嗎？」

「好啊好啊！」

之後又是一陣吵吵鬧鬧，這是娜瑪跟蹤了喬布拉大半小時後，在一所小學前看到的情景。

娜瑪心道：看來早上喬布拉只是幫忙學校照顧那群女孩，畢竟看那間鄉村學校的規模，教師人手也許相當不足。

喬布拉滿臉笑容地向那些女童揮手道別，女童們被老師接回學校後，這位印度主教便獨自離開了……根本沒做什麼壞事。

「娜瑪小姐，請問妳是有什麼事要找我嗎？」

「哇！」喬布拉冷不防地出現在娜瑪面前，娜瑪鬱悶自己實在不適合鬼鬼祟祟，只好解釋：「我只是好奇你帶那些女孩去哪裡而已。」

「呵呵，傳福音罷了，希望我們之間沒什麼誤會才好。」喬布拉笑道：「你們不是跟蘇主教一同修行嗎？怎麼只有妳一人呢？」

「惡魔才不會做那種修行。」

「這樣嗎。那妳的兩位同伴呢？要是亂跑會很危險喔，聽說昨晚還有人死在田裡。」

娜瑪仔細打量喬布拉的神情，質問：「原來你也知道？」

「我也只是剛剛聽說，來不及通知你們真是不好意思。」喬布拉笑臉依舊。「總之夜晚別在街上流連，娜瑪小姐還是不要獨自亂跑了，回去跟同伴會合吧。」

娜瑪半信半疑，卻沒時間讓她思考，遠方一道低沉巨響打斷了她的思緒。那是人類無法聽見的音頻，娜瑪凝神感測，發現聲音來自一股不尋常的魔力，約莫一公里之外，差不多是杜氏姊弟跟蹤露比的農田附近——

娜瑪飛快跑著，兩旁農地在她眼前掠過，不消五分鐘便跑到魔力的異常處，但卻突然停下腳步——眼前農田是雜草一片，眼前地上放著一雙紅鞋，氣氛詭異。

「消失了……？」娜瑪一陣茫然，頓時不知所措。幾秒鐘前，她才感到一股令人窒息的魔力從田裡溢出，如今魔力卻消失得無影無蹤。

娜瑪俯身打算拾起那雙鞋子，但一眨眼，鞋子竟憑空消失……

「不是幻覺……這裡的時空被魔力扭曲了……」

15

同一空間裡，杜夕嵐被困在草叢中；正當她撥開高聳的草叢時，卻驚覺頭上掛著一輪紅月，無意間竟已到深夜。

血紅的月光灑在草叢間，暗影深處忽有一陣寒風，吹來女性淒厲的慘叫聲，直刺杜夕嵐腦中，使她毛骨悚然。

杜夕嵐一邊顫抖一邊喊道：「晞陽……晞陽你在附近嗎？」

她不斷撥開草叢開路，然而沒多久，不知為何手掌突然一涼，驀然一看已是滿手鮮血；雜草邊緣太過鋒利，她太過心焦，連手掌被割破了也懵然不知。

——姊姊救命！有妖怪啊！

「是晞陽的聲音！」

杜夕嵐不理手上傷口，連忙跑往聲音方向，任由雜草紛紛劃過臉頰。頓時，眼前一片豁然開朗，農田正中央就像那些神祕的麥田圈般，雜草被全數壓扁。

麥田圈中間躺著兩人，分別是杜晞陽和露比。杜夕嵐連忙上前扶起弟弟，把手放到他鼻前探了一探，這才安心下來。

「有呼吸、有心跳、沒有外傷……只是昏過去而已？」

不過露比就沒杜晞陽那麼幸運。只見躺在田裡的露比衣衫不整，全身被利器劃破，而且七孔流血又雙眼突出，死狀驚駭，嚇得杜夕嵐雙腿一軟跪坐於地。

——嗚嗚嗚。

低沉的嗚嚎聲中，血月如射燈打在怪物身上，一道紅色剪影從前方朝杜夕嵐的腳下延伸而來……

「這、這是什麼啊！」杜夕嵐抱起弟弟拔腿就跑，但才剛踏出兩步，眼前一切景象忽然倒退，同時他們像電影倒帶般被強行拉回麥田圈中央。

「誰都不能離開……」

如五指大力刮著黑板般的刺耳噪音，鬼魅的話語直接釘入杜夕嵐腦中，就算摀耳也無法抵擋那冰冷的聲音和恐懼。

杜夕嵐緩緩回頭一看——那是她一輩子都沒見過、無法形容、超越常識的噁心妖魔。眼前邪靈全身黑色，殺氣騰騰滿口鮮血，剛才正活生生把露比折磨至死，他們若不反抗肯定也會死在這「漆黑之物」手上。

鏘！

一道黑影在她頭頂掠過，千鈞一髮間，杜夕嵐提起長劍砍下「漆黑之物」的「項鍊」——一堆有血有肉的人頭，如滾地葫蘆劈里啪啦掉到她腳下，蔓生亂髮間有十數對死魚眼盯著她。

「啊啊！不要過來！」杜夕嵐害怕得喘不過氣，只是當她想起弟弟和蘇梓我兩個笨男人的臉，便不得不冷靜下來，心想著必須活下去——

「諸羅剎刃！列陣！」

扣除杜夕嵐手上一把，在她面前瞬間築起了七十二把羅剎刃的圍牆——砰砰砰砰！「漆黑之物」在另一邊瘋狂拍打刃壁。

「冷靜、冷靜……跟平常練習一樣就好。」

杜夕嵐催動潛藏的羅剎力量，御劍排陣，從劍隙間刺出十劍——

但見諸羅剎刃七零八落地紛紛掉到田上，根本無法傷害「漆黑之物」分毫。這時杜夕嵐才驚覺，也許眼前邪靈同樣是遠古的神祇。

「嘿嘿！嘰嘰！」

邪靈手舞足蹈，一時猛力踏地，一時誇張叫囂；凶惡魔力充斥黑夜，使杜夕嵐每條血管都感到寒意。

「這是……女神？邪神？」

比起羅剎惡鬼更為噁心，這「漆黑之物」雖是人形，卻擁有四條手臂，各自揮舞著血淋淋的割肉刀和人頭，再加上一雙腿猛地跳躍，活像是擁有六肢的妖魔。「漆黑之物」一身漆黑皮膚，額上眉心輪打開，垂直的白眼目露凶光盯著杜夕嵐。杜夕嵐根本不敢正視眼前「女神」——說是女神，是因為對方露出一對黑色乳房，下半身僅用獸皮遮蔽重要部分。

但無論如何，凡人怎樣都無法對她有所好感。希臘愛神喜歡戴上金腰帶增添魅力，但眼前邪神卻腰纏數十斷掌，只有血肉手指對她興奮晃動，不可能有人對她產生情慾。

反正她不需要別人對自己欲情，她對別人欲情就好——

「真是吸引人……來讓我吞掉吧！」

漆黑女神伸出血紅長舌，露出尖銳獠牙；空氣中的魔力密度以倍數飆升，甚至把杜夕嵐肚內的胃酸都快擠壓出來！杜夕嵐抱著腹部痛苦地跌到地上，四腳猛爬想拾回羅剎刃抵擋，但一切已經太遲——

「妖女別傷害我姊姊！」

一個深藍巨影撲上前，把漆黑女神壓倒田上——杜晞陽及時醒來，馬上召喚羅剎天對抗女神！初時羅剎天因體格龐大佔有優勢，但不消數秒，他的巨靈就被漆黑女神用四手撐到天上舉高，羅剎天只能在半空掙扎。

「原來是羅剎……不堪一擊。」

被高舉的羅剎驚惶道：「妳是迦梨！為什麼還活著……原來如此，妳要殺死我嗎？」

名曰迦梨的漆黑女神張口高笑，笑聲非常刺耳；接著她面容變形，紅唇裂開，嘴巴變大至令人以為空間扭曲，血盆大口到居然能吞下整個羅剎天的尺寸！

杜晞陽在旁大喊：「喂，羅剎天快振作過來啊！不會這麼簡單就被幹掉吧！」

「哼哼……別說羅剎，就算濕婆在此也不是我的對手——嗯？」

忽然迦梨有所猶豫，見機不可失，杜夕嵐便拚上最後一口氣，將羅剎刃拋到羅剎天手上，讓他的巨靈能迴身揮刀劈向迦梨肩膀——

豈料迦梨的黑色皮膚硬如精鋼，竟刀槍不入，「鏘」聲便把羅剎刃反彈開來。

「可惡，這怪物怎樣都劈不死嗎！」

正當杜夕嵐苦惱之際，迦梨的周圍卻不斷有魔力流失，但剛才的攻擊都沒有傷及她才對？

「力量……又消失了……可惡……那個色男……」

迦梨突然蹲下，鑽到地底，化成一攤黑水消失於眾人眼前。

16

當娜瑪找回杜家姊弟、帶他們返回旅館時已日落西山，月亮才剛出來；吃了一些食物並休息了下，不久，蘇梓我春風滿面地回到旅館客房。

「笨蛋！你去哪了，這麼晚才回來！」

蘇梓我剛開門看見娜瑪生氣質問，便答：「當然是瑜伽修行啊，這窮鄉僻壤還有什麼地方可去。」蘇梓我又望向娜瑪身旁的夕嵐。「夕嵐臉色看起來很差，發生什麼事了？娜瑪，我信任妳才把夕嵐交給妳啊。」

娜瑪頓時一慌，確實是自己輕忽才讓杜夕嵐和晞陽險些受傷。

杜夕嵐連忙解釋：「我們確實遇上危險，全靠娜瑪送我們回旅館……你不用擔心，我們沒事，但露比就……」

「是咖哩女神殺死了那位姊姊。」杜晞陽咬著雞腿說：「咖哩女神真的很可怕，血淋淋又張牙舞爪地殺人。」

蘇梓我一時反應不過來。什麼咖哩女神？

杜夕嵐深吸一口氣，便把她跟蹤露比的經過，包括目擊露比在田裡消失，天色突然變暗，最後漆黑女神出現等等，一五一十地告知蘇梓我。

雖然杜夕嵐沒親眼看到，但露比大概也是被那漆黑女神所殺；漆黑女神樣子嚇人，她回憶起來時仍猶有餘悸。

聽完杜夕嵐的口述，娜瑪恍然大悟，喃喃道出「迦梨」二字。

「對！羅剎天就是念這個，迦梨是那恐怖女魔的名字？」

娜瑪說：「迦梨是古印度三位主神之一濕婆的妻子，即是雪山神女的化身。」

杜夕嵐問：「既然是地方主神的妻子，那不是應該為善神嗎？為什麼我看到她會感到恐懼？」

「吠陀古神有個特色，就是他們都擁有多重化身，又或者說擁有不同的『相』。迦梨是雪山神女的『降魔相』，要降魔殺妖，她就只能變得比妖魔更可怕。」

杜夕嵐喃喃道：「與怪物戰鬥的人，應當小心自己不要成為怪物……」

「已經是怪物啦，至少殺死了蒂帕和露比。」蘇梓我問：「其他鎮民有什麼反應？」

娜瑪答：「鎮民只是責備我們打亂神聖的儀式，叫我們趕快離開……這麼說來，難道露比的死和迦梨的出現是儀式的一部分？」

蘇梓我抱怨道：「這整個鎮都瘋了。我就說那聖教的最可疑，身為主教怎麼可能如此放縱異教儀式！」他越說越氣。「而且那是什麼鬼儀式，召喚個醜女神把女生殘忍殺死？想想死的都是那瑜伽課的女學生也很可疑，而且還是那聖教的資助開班……」

娜瑪驚覺。「今天我看見喬布拉帶著一群小學女生，果然有不尋常？」

「那個大淫賊，把這座鎮變成自己的後宮了吧？不可饒恕！」

「我還想起一件事。」娜瑪說：「印度教的『性力派』相信提毗——即女神才是宇宙根本。迦梨在性力派佔有重要地位，傳說中的造型往往腳踩其丈夫濕婆，地位比濕婆要高得多。」

其他宗派的信徒認為迦梨是濕婆的配偶，但性力派則視濕婆為迦梨的配偶罷了。宇宙一切均來自女神的性能量，女神與配偶的結合則能創造萬物。

瑪娜續道：「之前那些什麼詩歌創世的全部都是鬼話，性力派只相信男女交合才是萬物之源，」娜瑪鄙視看著蘇梓我。「你這笨蛋跟他們應該十分投契就是。」

杜夕嵐不禁害怕。「所以這小鎮的居民全是性力派的信徒？他們崇拜迦梨，甚至奉她為土地神，將女性棄置田裡當作祭品，又或是這些女性出於自願……」

「但肯定有獲得喬布拉的包庇才得以這樣，笨蛋說得沒錯，那個人不是好人。」娜瑪嘆道：「唯一未能確認的是，卡潔兒究竟是幫凶還是被利用。」

「總之要先擒下那聖教的敗類。」蘇梓我吩咐娜瑪：「妳立即聯絡迦蘭請人來清理門戶，我會找到那混蛋的犯罪證據。」

「那卡潔兒呢？」

「也是由本英雄親自審問，嘿嘿，反正明天我和卡潔兒老師有場特殊的單獨約會。」

娜瑪想起蘇梓我這兩天修行回來後都是笑淫淫的，不禁狐疑。「性力派的事交給這色狼真的沒問題嗎……」

17

翌晨，蘇梓我隻身前去古廟，但廟堂空蕩蕩的，只有祭司打扮的卡潔兒坐在祭壇上獨自頌經。

「咦，其他學生呢？」

卡潔兒放下經書，金色長袍拖到地上，緩緩走近蘇梓我回答：「為了今天的特別修行，我先讓其他人回家，這裡只有我和蘇主教兩人。」

「哦，今天終於是正式的『那個』修行呢！」

卡潔兒臉紅起來，靦腆地說：「因為蘇主教是我的第一位男學生，所以我也是第一次……請隨我來。」

特殊修行的場所跟平日不同，卡潔兒為蘇梓我引路，並問：「你有聽說過脈輪嗎？」

「好像在漫畫裡看過。」

「我們人體內有七個脈輪，由下至上，第一個脈輪喚作『海底輪』，位於會陰，即是生殖器的附近。」

卡潔兒走在前頭看不到她的表情，只聽她聲音略帶羞澀，繼續解說：「這個海底輪裡住有一條沉睡蜷曲的蛇，稱為『昆達里尼』或『拙火』。拙火是所有生命力的來源，因此身為生育者的女性，女性體內蘊藏的拙火要比男性旺盛得多。

「只是一般情況下，女性的拙火都是潛伏體內，正如之前所說，那是沉睡的、蜷曲的蛇。因此，若要喚醒女體的拙火……就必須依靠男性精壯、伸直的蛇……」

卡潔兒推開禁忌的內殿大門，眼前廟堂風格十分特別，四面金色祭壇均供奉著吠陀女神，像是吉祥天女、辯才天女、雪山神女；牆上掛畫都是提婆（男神）提毗（女神）交合的不同體位，幾十張愉悅的臉望向堂上正中央的軟墊，令此廟堂更像個古代廟妓賣淫的淫窟。

兩人走進裡面後，卡潔兒關上房門，內殿瀰漫著奇怪的薰香。

蘇梓我聞到後皺眉，卡潔兒說明：「這是燃燒精油的芳香治療，與瑜伽同屬阿育吠陀的長生之法，有助我們修行。」

「所謂修行就是指那樣嗎？」蘇梓我指向牆上的春宮畫。

卡潔兒不敢正視蘇梓我，低頭看著地板解釋：「那是『無上瑜伽』，若不是蘇主教急需原初神器對抗天使，我也不會用上這種速成的方式助你修行，畢竟我也不是隨便的女子……蘇主教你明白嗎？」

「什麼？」

蘇梓我冷笑回應：「原來如此，妳們就是不斷重複這種『修行』，為迦梨供給『性力』嗎？」

「哼，不用再隱瞞了。本英雄已看穿這個鎮都是性力派的信徒，連我這外人都知道了，那個聖教的也肯定十分清楚。究竟崇拜迦梨的幕後主使是妳還是他？」

「跟喬布拉先生無關，他是個好人……」

「好人還會養這麼多女孩來進行『儀式』供奉迦梨？」

卡潔兒駁道：「蘇主教不也一樣？你身邊也有很多女性，有的是利用契約迫使她們服從自己，有的是用力量與她們交換好處。但『修行』不是一種壞事，喬布拉先生和蘇主教所做的事都是一樣的。」

「別把我跟那淫邪主教混為一談！我喜歡娜瑪和夕嵐是想讓她們幸福，而喬布拉為了一己私欲操縱無知婦孺，更害死了蒂帕和露比！」

「才不是這樣！蒂帕和露比是修成正果脫離塵世，回歸摩訶提毗的子宮，與宇宙的梵合而為一。她們並非如你所說，被當成活祭品，她們都是帶著希望離開的！」

——好了。

房門被打開，穿著西裝的喬布拉依舊微笑著，心平氣和道：「蘇主教，我知道我們之間有不少誤會。你被鎮上的流言蒙蔽了雙眼，但只要我帶你到一個地方看看，你就會明白我們所做的事是為了誰。」

「主使者也出現了嗎？好，正合我意。」

此刻，蘇梓我已忘記原初神器一事，只一心想解決當地殘忍的神祕儀式，抱著必要時要與迦梨正面對決也在所不惜的決心，跟隨喬布拉與卡潔兒走往鎮上最大的聖教教堂。

原來教堂與後山相連，通往坑洞禁地。據說坑洞是阿約提亞聚集靈氣之地，喬布拉每天都在裡面為鎮民祈福，但當洞口大門打開，這謊言就被戳破。

甫踏進坑洞內，腳下鋪著波斯地毯，頭頂則有萬紫千紅的燈光照射，襯托面前熱鬧非常的景象，簡直是高級酒店的裝潢等集，奢華木製家具一塵不染，更有僕人服侍賓客坐在舞台前，共有好幾十人，台上司儀正為女孩子喊著賣價。

「沒想到居然是人口販賣場……你這禽獸。」

喬布拉笑說：「不用如此生氣，我只是一介凡人，終歸也無法違抗神的意旨。」

蘇梓我質問：「你口中的『神』到底是聖教的神，還是吠陀的神？」

「這個嘛，是哪一邊呢？」喬布拉答道：「哪邊給我好處多，我就侍奉祂。」

「那我也給你一個好處吧……就讓你死得痛快點。」

「呵呵，蘇主教真會說笑，我可不想死呢。」

「說笑的人是你吧？區區一個聖教主教，就算加上這裡守衛都遠不是我的對手。」

喬布拉搖搖頭。「看來我們的誤會真深，別說邀請你來的人不是我，要殺死你的人更不是在下……」

蘇梓我頓感不妙，回頭一看，便見一團黑色混沌已包裹住卡潔兒——劃破空間的刺耳聲，一個皮膚漆黑、全身掛滿人類殘肢的血淋淋邪神竟從卡潔兒的軀體分離出來！

「迦梨！」

蘇梓我不敢置信地看著黑色女神，她的四手分別揮舞四種不同武器——刀、劍、法鈴和三叉戟，隨時都能置他於死地。

迦梨用冰冷刺骨的聲音對蘇梓我說：「沾有撒旦血液的人類，我好想要你，要與你合而為一……」

「真抱歉，SM Play不是我的興趣。」

劇情發展讓人意外，沒想到卡潔兒竟是迦梨的化身，又或者是相反？蘇梓我想先行迴避與娜瑪會合，再一起討伐邪神——

豈料眼前事物紛紛褪成黑白兩色，轉移術也無法使用，什麼地方出錯了？

蘇梓我環看四周，連同喬布拉在內的奴隸販賣場，所有人突然靜止不動，像時間失效了般。

蘇梓我眉頭一皺，想起娜瑪提到迦梨還擁有操縱時間之力，被印度信徒尊奉為「時母」。

「是時母的力量嗎……」

這一刻，正是迦梨切斷了時空，把她和蘇梓我兩人所在的當下與外在完全阻絕。現在，蘇梓我只能靠自己和女神決戰了。

18

蘇梓我聚精會神地盯著迦梨，但迦梨忽然一瞬化成混沌，下一瞬已出現在蘇梓我眼前凝聚——赫然一道閃光襲來，蘇梓我馬上召喚鐮刀在手，驚險地擋下迦梨的長劍。

迦梨另一右手亮出彎刀，從下而上直劈往蘇梓我的脖子；蘇梓我累積了相當的實戰經驗，馬上催動魔力把鐮刀變成大鐮，硬生生將迦梨擊退數步。

「哇哈哈哈！印度的女神也不過如此！」

然而迦梨未受挑釁影響，四隻手臂彎曲在胸前交錯打圈；手掌不時遮住面容，尤如月相般難以捉摸，唯獨額上白眼緊盯獵物，殺氣騰騰，待蘇梓我察覺時已晚了半步。

迦梨倒轉手中的三叉戟、直插入地，引出地下水脈，一條巨大水蛇破地而出撲向蘇梓我。

蘇梓我推測物理攻擊對水蛇無效，便在空中拉出一條魔法繩線，以平常綑綁娜瑪的手法將水蛇綁在半空——

接著洞內氣壓急降，迦梨輕搖手上法鈴，「噹噹」一聲，水蛇竟迅速加熱爆炸；水花四濺，數百電鰻騰空而出，如閃電軌跡般掠遍蘇梓我全身！

蘇梓我被電得全身衣服焦破，彈飛數尺；水蛇化成黑水，在石地上消失。

他按著傷口說：「水屬和雷屬的魔法嗎……可惡，要是有原初神器在手就不會輸給妳這些玩意。」接著又搖頭。「不，就算我只有一人也足夠收拾妳這爛神！」

迦梨不把蘇梓我放在眼內。「愚蠢的人類，豈能拒絕宇宙的意志？」

她展開四臂，整個坑洞隆隆作響，彷彿在呼應黑色女神的魔力、產生共鳴；空間不斷膨脹，黑色魔力在空氣中凝結，一股莫名的壓迫使蘇梓我寸步難移。

蘇梓我突然想到：娜瑪說過吠陀古神應早已死亡，除非迦梨有其他途徑吸取性力……是卡潔兒嗎？

於是蘇梓我在沉重的空氣中重整架勢，一步躍前砍擊，二步脫離迦梨快速環視四周，果然卡潔兒就躲在迦梨的後方，與迦梨一同留在這黑暗空間裡面。然而蘇梓我見卡潔兒雙目無神，像被凌駕於人類的力量支配般，彷彿只是具人偶，蘇梓我內心掙扎是否要傷害她來切斷迦梨的力量。

「——蘇主教，你想殺死我嗎？你不是說過自己與喬布拉不同，不殺女人嗎？」

蘇梓我呆愣半秒，答道：「我不殺妳，也不能讓妳肆意妄為。」

他高舉大鐮準備揮下，豈料突然全身僵直，接著血液逆流全身，身體頓感灼熱刺燙、不受控制；眼前天旋地轉，他被時母強行拉回到十秒前，壓制在迦梨的白眼下——

迦梨用四手牢牢抓住蘇梓我的四肢，將他「大」字形朝天撐起；面對時間的魔法，蘇梓我根本無力反抗。

卡潔兒慢慢走近，仰望蘇梓我說：「你確實和喬布拉先生不同。縱使你們同樣自私自利，但蘇主教在心裡總殘留多餘的仁慈，這也是你的弱點。」

「卡潔兒，妳到底是誰？」

卡潔兒聲音沙啞，夾雜另一道女聲回答：「蘇主教口中的這女孩，還有其他婆羅門的孩子，在六年前已全部死亡。如今你眼前的這女孩只是古神的分身。」

「六年前……是喬布拉救出所有孩子的那時候？」

「那男人不過是碰巧目睹復活古神的生祭儀式罷了。是啊，那是非常殘酷的儀式，把孩子的頭顱一個個砍掉，手掌腳掌一隻隻切斷，然後串成項鍊和腰帶獻給時母、使其復活。」

蘇梓我奮力往下看迦梨身上首飾，換言之，那些全部都是六年前那些孩子的殘肢？

卡潔兒續道：「可能是儀式太過殘暴，負責主侍的祭司在途中發了瘋，變得語無倫次；古神的復活儀式只執行了一半，因此古神的靈魂非常不安定，如風中燭火般脆弱。

「當時喬布拉碰巧來到這坑洞，親眼見證了瘋狂的儀式。於是古神就和喬布拉交換契約，只要他代替原本的祭司完成生祭儀式，就能一生享盡榮華富貴、數之不盡的處女。」

蘇梓我說：「結果喬布拉照做了，將坑洞裡其他婆羅門的小孩全部殺死……那妳為何還會在這裡？其他被救出的小孩又是從何而來？」

卡潔兒回答：「時母復活後，她利用強大的魔力把被砍斷頭顱的小孩重新長出頭，就像梵天替十首魔王羅波那接回十顆頭顱，其他的斷肢亦是如此。」

「這樣說來，那些小孩已經不是原本的小孩了吧。」

「所以我不是說了，蘇主教口中的卡潔兒在六年前已經死亡了。」

「其他人呢？」

「露比也好，其他人也好，全都在六年前死了。」卡潔兒逐一念出死去孩子的名字，語氣冰冷，不帶一絲同情。

「真是感謝妳詳細的告解。」蘇梓我冷笑著，卻把卡潔兒激怒了。

「你什麼時候戴上神父的面具了？死到臨頭，還裝什麼清高。」

「哈哈，妳這淫婦想從我身上吸引性力，我們天生一對，妳哪捨得殺死我呢？」

卡潔兒面色大變，同時迦梨四隻手臂大力拉扯蘇梓我的四肢，企圖把他撕成五塊。蘇梓我立刻念咒召喚出一個燭台掉到地上，燭台忽然照亮整個坑洞，每處被照亮的石土中有死靈鑽了出來——密密麻麻的死靈大都是十歲左右的孩童，他們天真地笑著，一起跑向卡潔兒，像看見玩具般興奮地把卡潔兒撲倒在地。

蘇梓我喝道：「他們全都是六年前被生祭的孩子，還有其他命喪此地的死靈，妳有本事就把他們再殺一遍吧！」

「可惡，放開我！」

「那些死靈不會放開妳，我也不會放開如此親切抓住我的黑色女神！」

說畢，蘇梓我右手猛然變成巨獸之爪，獸爪反過來捉住迦梨的前臂，刺穿她刀槍不入的皮膚，「啪」聲折斷了其手肘！蘇梓我掙脫掉到地上，接著立刻一爪掐住迦梨脖子——迦梨竟瞬化成黑霧在爪間消失。

「居然逃掉了！怎樣，妳這半死不活的古神害怕我十分之一的撒旦之力嗎？」

「閉嘴！少在那裡囂張了！」答話的是卡潔兒，或者該說是披著卡潔兒皮膚的神靈。她已趕走身邊的死靈小孩；同時，剛才迦梨化成的黑霧再次聚集、幻化成光——另一位吠陀女神現身在蘇梓我眼前。

女神全身雪白，騎著老虎，手臂比時母多出了三雙；十隻手臂各執十種神器，據說是從十位神靈借來討伐最強阿修羅的神器，當中更包括了蘇梓我此行最想得到的梵天神箭！

「真是麻煩，印度古神打不過人，就會長多幾對手出來嗎？」蘇梓我笑道：「還真如娜瑪所說，這鎮上的祭祀儀式並非復活迦梨，而是雪山神女。那麼支配著卡潔兒的就是雪山神女？所以在她面前才會出現一個比一個凶殘的降魔相，先是迦梨，現在是難近母……」

蘇梓我心臟越跳越快。「等妳好久了，說到底打架還是比較合符我的本性。就把妳的貞操和神器統統留下來吧！」

19

根據吠陀傳說，阿修羅神族曾經有一個牛魔王名叫摩西娑蘇羅，其厲害之處是他從梵天身上取得了能戰勝所有男性神祇的力量。所以當牛魔王率領一眾阿修羅入侵天界時，提婆神族兵敗如山倒，眾神唯有向另外兩位一等神濕婆和毗濕奴求助。

既然男性神祇無法戰勝牛魔，濕婆的妻子——雪山神女帕爾瓦蒂便請纓出戰。然而雪山神女並不擅長戰鬥，要如何打敗整支阿修羅軍隊？

於是一眾男性神把力量統統分給雪山神女，讓她變出降魔分身杜爾噶——難近母——出來迎戰。不但如此，眾神還把一堆神器拋給難近母，把消滅阿修羅軍隊的責任都交付予她。

濕婆的三叉戟、毗濕奴的善見神輪、因陀羅的召雷法鈴、伐樓拿的喚雨法螺、火神阿耆尼的長槍、死神閻摩的長杖、太陽神蘇利耶的光芒、工匠神毘首羯磨的鎧甲、雪山神喜馬瓦特的母老虎……如今，這單槍匹馬把整支阿修羅軍隊殺個片甲不留的降魔相，難近母就站在蘇梓我面前，正如其名，難以接近。

蘇梓我不免戰戰兢兢，心中咒罵：我收服了七隻魔神，但這女人卻拿著十件神器，太過卑鄙了，法寶居然比我還要多！但不是神器多就能贏的，受死吧！

他猛力踏地、騰空一躍，撒旦的獸爪蓋過難近母頭頂，來勢洶洶；但難近母出手更快，高速向蘇梓我刺出一槍；槍比人快，蘇梓我唯有在半空調整軌道以爪格擋——

「哇啊啊啊！好燙好燙！」

阿耆尼的火神長槍灼熱無比，蘇梓我徒手格擋幾乎燒焦了獸爪。

「可惡，既然如此唯有借助人魚的御海之力！」

蘇梓我想起迦梨曾把地下水脈引到洞中，於是召喚河水企圖淹沒火槍——但難近母雙手拉弓，「嗖」聲射出梵天神箭，神箭竟射破水波把地下水全部蒸發，蒸氣中直飛蘇梓我的心臟！

同時蘇梓我雙眼燃起蒼焰，分毫間避過神箭。只要他把阿斯塔特的魔力凝聚於眼，就算難近母動作再快，也無法超越惡魔的動態視力。

難近母見狀感到驚愕，誇讚道：「想不到一介凡人居然能完全駕馭邪神的力量，而且從容不迫，沒有暴走。」

「妳趕快投降交出梵天神箭，我最多就放過妳的貞操。」

「你無須自作主張。」難近母得意說：「反正我也想跟你合體，我想要撒旦的性力呢。」

「嘖，就看妳有沒有這本事！」

蘇梓我瞪眼觀察難近母的一舉一動，卻突然眼前一白，雙眼灼燙。難近母釋出太陽神蘇利耶的光芒，蘇梓我雙眼如直視太陽，疼痛萬分——

此時，雪山神的神虎從一旁撲出，猛力揮爪把蘇梓我揮倒地上，同時毗濕奴的善見神輪已劈在眼前，幸好蘇梓我感官敏銳、聽到動靜避過一劫，才沒有被鋸齒法輪剃頭。

難近母笑道：「凡人就是凡人，就算吸收了撒旦力量也不過只有十分之一，在偉大的吠陀戰神面前如同螻蟻。」

「妳這卑鄙小人！要不是手上一堆神器，妳哪佔得到便宜。」蘇梓我原地叫罵：「敢不敢跟我徒手搏鬥，只用兩隻手決勝負啊！」

「別浪費氣力了，這種程度的激將法我可不會上當。」

「哈哈哈，笑死我了。妳自以為比凡人厲害，但不過是靠一堆神器狐假虎威，我鄙視妳！」

蘇梓我張開手臂，坦蕩蕩一副不怕死的表情，緩緩走向難近母；難近母則是全副武裝，嚴陣以待地與蘇梓我對峙著，似乎也不敢輕舉妄動。

蘇梓我又向難近母吐口水叫罵：「怎樣？怕我怕得不敢徒手跟我打嗎？看來妳十隻手全部都是廢的，不如插十根廢柴在身上好了！」

難近母的臉從原本的白色變成黑色，不甘受人類侮辱，便放下武器回罵：「狂妄的人類，我就徒手把你撕成人柱！」

語畢，難近母十隻手掌從四方八面襲向蘇梓我，只見蘇梓我偷偷從衣袖變出鐮刀，大笑道：「妳這笨蛋，本大爺才不會跟妳徒手跟妳打，受死吧！」

鐮刃一閃，劃破了難近母的手掌，接著更準備刺穿她的喉嚨——關鍵一刻，蘇梓我又全身僵直動彈不得。

「誰說我們是一個人……呢？」

一道寒澈心脾的笑聲，迦梨在背後的混沌中冒出，抓住蘇梓我四肢把他壓到地上。

「妳、妳們二對一不公平！」

迦梨伸出染血長舌說：「我們是神……你只是凡人……本來就不能相提並論。」

難近母附和：「我們即將合體，到時你就是我們姊妹身體的一部分，就再也沒有不公平了，呵呵呵。」

20

——笨蛋，你記住千萬別讓那些女神逮住你啊。

蘇梓我回想起出發之前，娜瑪在旅館的忠告，當時他反駁：「她們有什麼厲害的，我可是連宙斯也能擊敗啊。」

「確實你跟一等神對決不會佔下風，單挑的話未必會輸給迦梨和難近母。但你也別忘記，她們兩人只不過是雪山神女的分身。光是難近母就有九個分身，迦梨亦是一體十面，與另外九位分身合稱十慧母。」

娜瑪又警告：「這些全都是雪山神女的不同面相，假如她們完全復活過來，那時你就算有三頭六臂也難敵眾女神。」

蘇梓我感到不爽，反問：「我看起來有那麼弱嗎？」

「你連七十三諸羅剎女也無法一次收服，別說是十位一等神了。雪山神女在上輩子還有另一個身分——婚姻女神娑提。娑提正是為了濕婆而殉情，死後身體被分割成五十二份，化成五十二位毗提女神。」

娜瑪數著手指。「一加九加十加五十二，她們那邊好歹超過七十位女神啊，全部都是雪山神女的分身。」

「……而且全部都是濕婆的老婆，好像令人有點羨慕。」

「總之你這笨蛋別讓那些女神制住，否則她們全部復活後，你只有死路一條！」

◇

此時，蘇梓我正被迦梨與難近母纏住，別說要跟七十二女神決鬥，光眼前這對組合便已超出他的能力範圍。

「死路一條嗎……既然都是死，不如死得高興點吧。」

「蘇主教，」卡潔兒，這位被雪山神女附體的少女溫柔地說：「看來你放棄了反抗呢，早知如此何必當初，一開始乖乖與我修行不就好了。」

蘇梓我問：「假如跟妳完成修行，我真的能頓悟真理、覺醒梵的力量嗎？」

「這是當然，男女之間的結合才是梵的本質。梵我一如，只要我們完成修行，蘇主教便能借用梵的力量，而我也能完全復活古神力量，讓其他的提毗女神降臨，兩方皆大歡喜。」

「所以妳才讓喬布拉引導我過來……但為何偏偏選中我？我身上的撒旦之力跟吠陀古神非親非故啊。」

「濕婆不在了，其餘所有男性神都死了。我找過許多凡人嘗試修行，但所有人最終都被我體內的拙火燃燒殆盡而亡。」雪山神女說：「既然蘇主教擁有部分撒旦靈魂，應該能承受住我的拙火，助我一起激發偉大的性力。」

蘇梓我心想：雪山神女根本就是找不到老公的寡婦，現在想尋求外遇……地方的人妻需要我啊，那我還在掙扎什麼呢！

於是他向雪山神女提議：「我不喜歡粗暴，只要妳不用暴力的話，我就答應與妳修行。」

「我一定會對蘇主教很溫柔的。」雪山神女心想：但得到手之後，你這男人就沒利用價值，到時別怪我心狠手辣了。

此時的蘇梓我認為抗爭已毫無意義，唯有愛才能化解干戈；於是下半身奪回了大腦的控制權，血脈沸騰，隨時都可以與對方一起修行「瑜伽」。

「迦梨、難近母，妳們可以回來了。」雪山神女吩咐自己兩個分身回到體內，此刻卡潔兒這個人類肉身的外表開始隱約變化，變得更為妖艷、更為完美。

事實上無論兩個降魔相如何凶惡，作為雪山神女的分身，她們都是擁有完美身軀的女神，是古印度最美麗的象徵。所以當雪山神女收起降魔相時，蘇梓我對對方主動獻身是求之不得的。

——時間完全靜止，坑洞裡只有蘇梓我和神女兩人卿卿我我、翻雲覆雨；不久前兩人才刀光劍影打得你死我活，如今卻在地上纏成一片，水乳交融。

然而，在神女在蘇梓我身上吸取魔力的同時，她體內一股邪惡的怨念亦源源不絕流進他的體內。正是這股邪氣，使喬布拉、其他鎮上的信徒的所有靈魂污穢不堪。

沒有人能與神女體內的邪念對抗，當被邪念佔據身體，那個生命就只能暴走成為污穢之魂，成為性力的一部分。

因為這股怨念太深，就連原本冰清玉潔的雪山神女也抵受不住而變成邪神——只怪當地的居民用錯了方法祭祀古神，更用極度殘忍的方法復活她，雪山神女才會變成如此邪惡的存在。

宗教向來都是如此，人們說信徒是神的代辯者，但其實神才是信徒的代辯者。地方神不過是蒐集了人類的信仰才獲得神力，神祇終歸是信徒的鏡子罷了。

那些假借神之名行惡的人更不用說，如今所謂的神早已被污染；就像蘇梓我眼前的雪山神女，受不住黑暗的邪惡氣息而暴走。

「成為我的一部分吧！」神女將邪念灌注到蘇梓我體內，準備把他污染同化。

然而，蘇梓我的內心早就是黑洞般深不見底，無論她如何利用邪念試圖污染，那些邪念都好像泥牛入海，完全被他吸收掉。

神女大驚。「為什麼區區一個人類，居然能包容所有罪惡仍未受影響？」

蘇梓我沒有理會神女，只是遵從本能與她繼續「修行」、吸收她的邪念——

「不！」神女的邪念被強行吸收，但那些黑色邪氣不但沒有使蘇梓我喪失本性，更被他轉換成為白色的精氣，反過來灌注到她體內——

雪山神女頭腦一片空白，身體恢復原本的純白色，同時感到羞愧。

「我、我怎麼會跟別的男人做這種事！」

蘇梓我大笑道：「看來妳已經回復神性了，但雪山的淨化活動現在才剛剛開始，哇哈哈哈！」

被吸盡邪氣的神女變回善神，不想隨便殺人，最後只能任由蘇梓我擺布了。

21

娜瑪和杜夕嵐等人在鎮上到處搜索，卻始終找不到蘇梓我和卡潔兒，於是擔心起來。

「那笨蛋連念動術也不回話，簡直像消失在另一個空間。」

杜夕嵐驚道：「這代表時空被分隔，蘇梓我很可能有危險啊！無法等迦蘭小姐的支援了。」

杜晞陽也想起被迦梨襲擊的情形，緊張問道：「蘇老大有說過他會去哪裡嗎？」

「什麼教堂的。」娜瑪連忙拿出手機看地圖。「聖教的教堂就在附近，我們走！」

於是他們立即跑往市中心，幾分鐘就來到教堂與主持的祭司對質。起初聖教祭司不願說出蘇梓我所在之處，但見娜瑪等人的陣仗不得不妥協。

「蘇主教和卡潔兒小姐就在後山禁地，但那個坑洞沒有鑰匙無法進去……」

娜瑪激動地捉住聖教祭司追問：「鑰匙在哪裡？」

「在、在喬布拉先生手上，不過他現在人在哪裡我們也不清楚……」

「哼，沒用的傢伙。」娜瑪把大力祭司推到地上，然後跟杜家姊弟說：「我們直接去那什麼禁地找蘇梓我，我就不信一道什麼爛門能擋得住本小姐！」

「娜瑪姊姊超兇呢。」杜晞陽躲在杜夕嵐背後說。

「大概太擔心蘇梓我了吧？」杜夕嵐看著瑟縮地上的祭司，雖然可憐但不值得同情，便未多理會而是隨娜瑪前往後山。

祭司見狀鬆了口氣，緩緩抓著長椅爬起來，卻又看見門口有另一批士兵闖入教堂，嚇得他口齒不清地自言自語：「這服裝、你們是……！」

同一時間，娜瑪等三人來到坑洞的鋼門前，鋼門果然上了鎖，而且不是用蠻力就能推得開。

「區區一道門，看我把你轟個稀巴爛！」

杜夕嵐拉著娜瑪。「妳先冷靜一點啊。這坑洞看起來年久失修，亂用魔法很可能會炸毀整個坑洞，把裡面的人活埋啊。」

「誰管那笨蛋，活埋就怪他不走運。」說畢，娜瑪已作拉弓狀，右手發出藍光——

「娜瑪姊姊真的在擔心蘇老大嗎？」

「應、應該是吧……」

——閃電火！娜瑪掌心放出高壓電流纏繞形成雷霆槍，筆直貫穿鋼門！鋼門中央熔開一大洞，破口邊緣火紅的熔鋼閃閃發亮。雷霆槍也在門後洞壁轟出了個深坑，整條坑道晃了一晃。

「蘇梓我！」娜瑪立刻衝入坑道找人。「蘇梓我你別死在其他女人手上，趕快給我出來！」

事實上娜瑪心情極為焦急，唯有用怒火來宣洩情緒。她每一步都是怒氣沖沖，不久大步跑到坑道盡頭，終於來到山洞廣場找到蘇梓我等人。

「蘇……」娜瑪面色一沉，充滿殺意地抛出剩下兩個字。「……梓我，你這笨蛋在做什麼？」

蘇梓我正好穿回衣服，容光煥發，站起來笑著回答：「嘿嘿，你們來得正好，本英雄已經解決所有問題了。」

「與吠陀古神的決鬥呢？」

「用『愛』把誤會化解了。」

同時雪山神女也微微對娜瑪點頭問好。

娜瑪咬緊牙關，壓抑著怒火問：「所以，你們剛才都是在做那些事情，我沒猜錯吧？」

蘇梓我答道：「雖然不知道妳指的是什麼，但妳最懂我，應該不會猜錯。」

「那樣的話……」娜瑪二話不說便轟出閃電火伺候。

「哇啊！」蘇梓我馬上迴避，結果那道閃電掠過眼前，卻劈在後方的喬布拉。喬布拉當場被轟到牆上，慘叫一聲；好險娜瑪留了些力，不然他應該會立即死亡。

「妳又在生什麼氣啊？這樣不是很好嗎，大團圓結局欸。」蘇梓我說。

「誰管你團不團圓，每次讓人擔心，結果都是在搞別的女人！去死吧！」

「喂喂，妳是來真的啊？」洞內突然雷電交加，蘇梓我見狀連忙打算阻擋。

在場數十人盯著他們兩人，不知如何是好。其中一位紳士察覺情況不對，想偷偷離開坑洞，卻被其他突然出現的聖教騎士攔住。

「騎士大人？」老紳士慌道：「怎麼會……你們是德里教會的？」老紳士望向喬布拉要他給解釋，但另一人搶先回答：「不必問喬布拉先生了，他的一切職務已被暫停，直至調查結束為止。」

說話的人正是艾因加納，當然她也是按照一旁迦蘭樞機的指示行動。

「迦蘭……大人？」喬布拉見大勢已去，立刻負傷走上前賠罪。「大人請聽我的解釋，我也是被異教女神要脅才會做出這愚蠢的行為。請求大人寬大為懷，給我機會贖罪、改過自新吧！」

事實上迦蘭和艾因加納昨天收到娜瑪的通知，便立即連夜趕來，順便帶著當地騎士前來拘捕喬布拉。這一切行程非常倉卒，迦蘭睡眠不足之下，心情也不會好。她問正被娜瑪追殺的蘇梓我：「勇者大人，要怎樣處置喬布拉先生？」

「不可以原諒——啊！」蘇梓我回答的同時，娜瑪亦不斷向他投擲閃電火。

氣氛有點尷尬，這時雪山神女看見杜夕嵐和杜晞陽，便主動上前道歉：「你們是羅剎的主人吧？昨天迦梨差點把你們殺死，請讓我代她賠罪。」

杜夕嵐苦笑道：「事情都過去了，大家最後沒事就好。」

她不知該如何看待眼前這位女神，但對方好像跟蘇梓我親熱過，所以應該化敵為友了？

雪山神女雙手奉上弓箭。「這是你們想要的梵天神箭，不過弓箭只用了梵天其中一頭製造，所以威力大不如前。」

「是喔……聽娜瑪說，這件原初神器的最強型態是『梵天五首神箭』？」

「如果妳們想回收剩下四顆頭顱就只能問梵天了，只不過這樣做等同取他性命……但之後的事情我也管不了，我相信蘇主教會有明智的決定。」

杜夕嵐問：「之後妳打算怎麼辦？」

「我和分身們會離開不再干預世事。經由錯誤方式復活，繼續維持神力只會造成更多悲劇。」

蘇梓我聽到後便衝上前問：「所以妳們要消失了？」

「對。」雪山神女微笑地說：「也不是永遠消失，只要我們的信仰重新確立，總有一天會和其他古神再次回來。」

「對我來說，濕婆不回來也沒關係。」

「這可不行，說到底我也是濕婆的妻子……對了，我們之間的事也請你保守祕密，假如有朝一日見到濕婆也別告訴他。」

「哈哈，我明白的。」蘇梓我笑道：「假如妳覺得我比較棒的話，也歡迎妳回來找我。」

雪山神女笑而不語，接著把一個包裹送到蘇梓我手上。「最後，這是我給你的小禮物，相信日後對你的修行會有幫助。」

——轟隆轟隆。突然洞內劇烈搖晃，看來坑道終於被娜瑪炸得快要倒塌了。蘇梓我對雪山神女說：「這裡要被那笨女僕拆毀了，我們先離開吧。」

但雪山神女搖搖頭。「麻煩蘇主教帶其他人離開，我想再留在洞內多一會兒。」

「妳……好吧，只要恢復善良的信仰，妳就會再次出現，對吧？」

「嗯。」「這是約定喔，我們可是要再來一次啊？」

「嗯。」雪山神女對蘇梓我微笑揮手，同時山洞不斷有碎石掉落，看起來隨時就要崩坍。

蘇梓我爽快大笑，接著吩咐娜瑪等人把洞內其他人押走；半小時後，山洞終於塌陷，和六年來各種邪惡的儀式一同埋沒於山中。

◇

「雪山神女……最後選擇回歸山神的懷抱呢。」眾人返回教堂後，娜瑪嘆息說著。

「她是山的女兒嘛。」蘇梓我邊說邊望著手上包裹。

「所以她送你什麼禮物？」

蘇梓我拆開包裹，裡面是一本經書。蘇梓我看不明白，但娜瑪知道此書。

「這是古印度的《慾經》，是一本性愛教材啊。看來雪山神女對你不太滿意，哈哈。」

「什麼？她哪裡不滿了！」蘇梓我想撕破經書，但又馬上把它收在懷中。

「真是沒用的男人。」

第二章

末日的號角

1

蘇梓我這邊廂與娜瑪在印度回收原初神器準備挑戰薩麥爾，另一邊廂，安東尼與瑪格麗特亦緊鑼密鼓地部署應對天使的策略。

今天，父女倆來到羅馬城內某處偏僻別墅，拜訪榮休教宗①庇護十三世。

「令千金成功阻止了多瑪斯繼任教宗，這點我十分感謝也很欣賞。」寒暄之後，庇護十三世如是說。

安東尼則謹慎回答：「只是沒想到本教已被惡魔蠶食得如此徹底。」

「如今我們的對手已經變成天使了。」庇護十三世問：「安東尼將軍今天登門造訪，想必是希望得到本人的推薦，幫助令千金繼承教宗之位吧。」

「正是如此。畢竟樞機團在選舉當日損失了近半，現在緊急關頭，沒時間再舉辦第二次選舉了。」

「那麼你們準備好要跟天使開戰了嗎？」

安東尼答道：「我一直都有聽閣下的教誨，明白天使是心腹大患；可惜其他樞機自以為能控制天使，結果闖出大禍。不過，只要等瑪格麗特繼承聖座、取得實權，我們便能更有效地組織騎士捕獵天使，一切都還不算太遲。」

瑪格麗特靜靜坐在一旁，聽著父親和庇護十三世對話；她心想看來兩人關係十分密切，就像一對老朋友。

庇護十三世搖搖頭，並不同意安東尼的話。「雖然我告訴了你不少關於天使的事，只是有關加百列的……我還沒對你說過。」

「天使長加百列與其他天使有何不同？」安東尼神色凝重。

「天使是災難的象徵，這於世界圖書館裡的《禁經》有記載。那本《禁經》只有羅馬主教才有資格閱覽，令千金繼任以後，必定可以更清楚當今人類面臨的危機。」

庇護十三世繼續說：「至於加百列的問題，你也知道，七印打開後，七位天使就會得到七支號角；號角用於清理人類，好讓天使和神的國度重臨。」

安東尼恍然大悟。「第一位吹響號角的天使，就是加百列？」

庇護十三世點頭，補充說：「米迦勒大概已復活了好一段日子，但他無法吹響號角審判人類，全因第一號角不在手中；號角必須依著次序奏鳴，所以加百列才如此重要，必須由梵蒂岡嚴加看守。但連我也沒料到，他們居然趁聖座空懸時強行搶走……」

「畢竟事前我們也不知道米迦勒已經復活，完全沒有預警。」

「如今看見加百列的幼靈漸漸長大，離首支號角響起的日子不遠矣……」

「我和瑪格麗特會全力阻止全部七位天使復活。」

瑪格麗特默默聽著，突然覺得自己身負重任，同時又有點憂心。

①指辭職退休後的教宗。

「蘇先生……我該怎麼辦呢？」瑪格麗特喃喃道。

◇

——就是這樣，距離天使吹起號角的日子不遠了。當加百列作為第一位天使吹響世界滅亡的號角，人類就會面臨聖經裡的大災難，屆時生靈塗炭。蘇先生……我該怎麼辦呢？

回到香港，蘇梓我收到來自瑪格麗特的訊息，便回信鼓勵她：不是叫妳對自己多些信心嗎？我是救世主一號，妳就是救世主二號，聖教會交給妳了。

艾因加納問：「是誰聯絡蘇先生？」

「瑪格麗特說天使越來越猖狂了，我們不能坐以待斃。」蘇梓我反問：「在此之前，妳們打算如何處置喬布拉？」

「印度教會早已聲名狼藉，這是個重整的好機會，順便削弱其他反對迦蘭小姐的勢力。」艾因加納微笑道：「反正蘇主教再也不會見到那個人了，不用為如此小人物操心。」

艾因加納辦事手法乾淨俐落，因此才能在短時間內動用所羅門的資金收購如此大量的教會。蘇梓我對她十分有信心，同時有感而發：「雖然那卑鄙小人假借教會名聲作惡，但如果能用正途協調教會信仰和其他傳統信仰就好了。」

「雪山神女帕爾瓦蒂……雖說不上有交情，幾千年前我曾見過她一面。她是位非常善良的女神，實在不應該就此消失。」

「但聖教是一神信仰，不知道能否容納其他地方神祇呢。」

「其實聖教已經著手改革了，就像迦蘭小姐也接受了蘇主教和你的其他使魔。現在我們只希望創造一個和平的樂園，因此眼前最大敵人反而是神的使者，這實在有點諷刺。」

「所以就由最該死的天使開始，娜瑪和思思妳們準備好跟我去魔界一趟了嗎？」

杜夕嵐問：「果然要跟彼列公爵談判了？」

「是啊，妳想跟來？」

「如果能夠幫上忙的話。」

蘇梓我得意笑道：「山間夕日一片橘紅，火屬性的梵天神箭就送給妳了！妳們先回去香港休息，等會兒我去魔界叫那娘娘腔投降，但他十之八九不會答應，之後可能就要妳幫忙啦。」

杜夕嵐接過幾千年歷史的神箭，十分珍惜。蘇梓我叮囑她說：「我知道妳肯定會一個人拚命練習箭術，別累壞自己就是。」

娜瑪搭話：「把所有神器都交給別人，你自己沒問題嗎？」

「我不需要神器也能輕鬆收拾雪山神女，原初神器就用來幫助弱小的妳們，好好替本英雄工作吧！」

2

翌日上午，蘇梓我與兩位子爵使魔前往魔界，以魔空間回歸之術抵達撒馬利亞城外。

魔界依舊充滿瘴氣，天空亮著暗淡紫光，但眼前景色多了些突兀建築，幾乎每隔一公里就豎立一座陸上燈塔，燈塔塔頂是一隻懸空的巨型眼睛，目光浮沉自轉，斷續閃爍暗黃光芒。

根據夏思思的報告，現下撒馬利亞集結了大量雇傭兵，城內龍蛇雜處不得不加強管制、實施宵禁，換句話說，彼列公爵的軍隊規模已超出之前所說僅用來威嚇的程度了。

反而向來主戰的亞巴頓和巴力西卜公爵，他們見到兩大天使復活後都不敢輕舉妄動，再沒提議反攻人間。

「話說回來，我們的一舉一動都被那隻巨眼監視，感覺有點噁心呢。」夏思思抬頭望向其中一塔，巨眼俯瞰著蘇梓我；它眼神混濁，血絲鼓鼓跳動，彷彿有著生命般。

蘇梓我應道：「以前那娘娘腔雖然沒有品味，但至少不像現在如此令人作嘔不快。」

「嗚……」娜瑪感到恐懼，抱著身子低頭避開燈塔的視線，緊靠著蘇梓我的背前行。

——轟隆！突然塔頂眼睛爆炸，晶體四濺；果凍狀的眼球溶化變成黏糊從塔頂緩緩流下，並冒出泡沫和白煙。

「沒有那噁心的眼睛，心情愉快！」蘇梓我輕拍手上不存在的灰塵笑道。

「你這大蠢材，隨便拆掉彼列大公的燈塔，他一定會追究的！」

「但還是活潑的小娜娜比較可愛嘛。」

「你們兩個笨蛋弄得我更害怕了！」

見娜瑪蹲在地上一副想哭的樣子，蘇梓我開懷大笑：「放心啦，只要有我在就不容彼列作惡。什麼燈塔的統統由本英雄拆掉就好。」

「不要啊！我們還是安分一點，先去跟彼列大公打個招呼……」

就在三人吵吵鬧鬧之際，燈塔底部的石牆忽然變形，像橡皮糖般拉開了個洞，從裡面走出幾十隻舉著火炬的單眼惡魔，包圍住蘇梓我等人。

「你們這幾個傢伙，知道自己幹了什麼好事嗎！」

「不好，是撒馬利亞的巡邏隊。」娜瑪抱怨說：「就要你別亂來，現在說不定被彼列大公盯上了。」

但蘇梓我反罵巡邏隊：「哼，那個令人厭惡的視線害本大爺心情不爽已經沒跟你們計較，你們這些嘍囉還想找碴？」

「對喔。」夏思思拍胸附和：「我是子爵惡魔阿斯塔特，別看旁邊快哭出來的那副樣子，她好歹也是大名頂頂的阿斯摩太。至於這位英雄，更是打敗宙斯和雪山神女的人類魔頭！你敢對我們動手嗎？」

巡邏隊長想起剛才一股殺人魔力瞬間就把魔塔的巨眼轟爆，而且精確無誤，心想就算集合巡邏隊眾人之力也未必能擒下。於是他趕緊退後，用通話器向撒馬利亞軍營報告並要求增援——

「……什麼，是彼列大人的口諭？」巡邏隊長大驚。「要我們小隊負責帶這些人進城？」

此時天空泛起暗綠，赫見部分燈塔塔身發出綠光，如飛機跑道的指示燈般指向撒馬利亞城門。

巡邏隊長覺得實在倒楣，說道：「好了，跟我隨綠光進城，這是彼列大人的特別邀請。」

蘇梓我對巡邏隊長說：「啊？這是招呼貴賓的態度嗎？」

「嘖……」巡邏隊長脫下頭盔，無奈地向蘇梓我躬身說：「請幾位跟隨小人來吧。」

就這樣，郊野巡邏隊為蘇梓我引路前往撒馬利亞城。

既然城外已布滿監視的魔塔，可想而知撒馬利亞肯定更加守衛森嚴，生人勿近。事實上來到護城河前，蘇梓我已全身起雞皮疙瘩。他看見河裡長滿拍打出水花的紅色觸手，河岸又用巨龍牙齒交叉築起城牆，約十尺高，就算沒有實際作用，氣勢已相當嚇人。

此時有塊鐵板從城門降下，觸手紛紛潛入河中，轟然一聲便在蘇梓我等人面前搭成一座鐵橋。巡邏隊長上前與守城將軍打了聲招呼，接著為蘇梓我三人開路進城。

進城後沿著凱旋大道上山，該條街道以往供軍隊出征之用相當寬闊，但現在城內宵禁、氣氛緊張，街上幾乎不見行人身影，所有惡魔都躲在屋內。

然而即使街上空無一人，蘇梓我還是感受到無數視線正偷窺自己。此時夏思思說：「城外所有農田都收割了，城內開始搬運物資，這是戰前準備的勢態啊。」

「直接問彼列就知道了。」

蘇梓我握住娜瑪冰涼的手腕安撫她，三人跟隨巡邏隊走上山，最後抵達了陰森詭異的彼列城堡門前。

「那麼小人先行告退了，祝幾位一切順利。」

「哼，本英雄不用嘍囉的祝福。」

蘇梓我毫無懼色，三人身影不久消失在城堡裡。這時巡邏隊長才命令部下準備戰鬥。

「咦？隊長是收到什麼命令嗎？」

「剛才彼列大人交代，要我們把那人類帶到城堡裡……好像是想殺死他。」

◇

蘇梓我等人對此仍毫無所知，三人就這樣來到貴賓廳等待彼列。雖然之前也來過好幾次，但此次娜瑪特別害怕，畢竟彼列或許就是殺死自己先祖的凶手；這種感覺是與生俱來，來自本能反應的驚恐。

「呵呵，不必如此拘謹。」

彼列春風得意地走來，他今天穿上白色貴族長袍，臉上也有化妝，整個人都是白色的。他一伸手，僕人立即奉上紅茶。彼列坐在沙發一邊品茗，一邊微笑問好：

「蘇梓我先生好久不見，本王好想念你們呢。」

「本英雄對你不感興趣。」

「這樣說就太見外了。你還記得與本王的承諾嗎？潛入教會內部，把教會弄得天翻地覆，你看你們不是完美執行了我提出的條件嗎？」

蘇梓我想了一想。「那麼你打算如何報答本英雄？」

「呵呵，不用心急。咱們久別重逢，想說的東西多得很……大概你們想問的事情也不少，魔界的夜晚可是非常漫長呢。」

3

「魔界的夜晚很漫長……」蘇梓我斥道：「你在說廢話啊？魔界根本就是永夜沒有白天。」

彼列優雅地點頭。「天界則剛好相反，沒有黑夜，只有永晝。」

「這樣你會不習慣嗎？」

「不習慣？呵，真是奇怪的問題。」彼列舉杯問：「蘇先生你為何覺得本王會不習慣魔界的生活？」

「誰知道呢，聽說你前身是墮天使嘛。」蘇梓我不諱言。

「你說的大概是薩麥爾。確實有這樣的傳言，說本王的血脈源自薩麥爾……但就算如此，這又有何問題？」彼列說：「墮天使之所以是墮天使，正因為他選擇背棄了天神，自甘墮落到魔界成為惡魔。」

「但那個背棄神的天使，還背叛了蘇萊曼王，殺死阿斯摩太。即使是阿斯摩太一世，傷害王的女人這罪名可大了，你可擔當不起。」

「原來如此。你這趟探訪本王，就是為了幫阿斯摩太出頭？」

「順便也來阻止天使的陰謀，包括那個聖主派到所羅門身邊的奸細，薩麥爾，就是你。」

彼列沉默數秒，緩緩道：「為了轉生成為魔神，薩麥爾只好先死一次；之後又為了偽裝成惡魔的同伴，彼列又死了好幾次。直到現在已經是第九世，究竟彼列九世能否稱為墮天使，就連本王也搞不清了。」

彼列突然站了起來，捧心悲傷道：「啊，身為聖潔的天使，因為主命不得不墮落凡間與愚蠢的人類為伍；明明在天魔戰爭立下大功，卻被迫要跟其他魔神一併逃到魔界，從此跟白晝隔絕……你問本王是否不習慣嗎？沒錯！本王實在不習慣這種烏煙瘴氣的地方，一點都不華麗、一點都襯不起本王高貴的天使身分！」

彼列忽然感懷身世起來，而且非常投入地手舞足蹈，連蘇梓我都一時愣住。

蘇梓我再次追問：「你承認自己是天使嗎？如今你在魔界招兵買馬，是打算再次背叛魔神，就像天魔戰爭那樣？」

彼列沒有理會他的提問，依舊陶醉在自己的世界中，繼續深情告白：「身為天界的天使長，本王的羽翼漸漸被瘴氣和欲望染成黑色，皆因身邊盡是邪惡和罪孽！主啊，為什麼只有我一位天使長遭受如此對待呢？

「暴食、色慾、貪婪、憂鬱、憤怒、怠惰、虛榮、傲慢……惡魔能滿心歡喜地吞噬所有原罪，可是所有原罪對天使來說都是劇毒！主啊，祢卻把我遺棄在無底洞內，使本王每天飽受被毒蟲蠶食的斷腸之苦……」

彼列展開雙臂，仰天嘆道：「本王的身體早已滿目瘡痍，肚裡盡是毒物。難道這就是吾主賜給我『神的毒物』這名字的真意嗎？」

「嗚……」娜瑪頓感噁心，室內霎時充斥公爵級的魔力，使她幾乎喘不過氣來。彼列依然在原地轉圈獨白：

「三千年了，本王已經不曉得自己是天使還是惡魔……所以是時候要來個了斷，現在正是最佳時機。」

蘇梓我嘲笑回應：「確實一個不男不女的人，連性別都弄不清楚，更何況是身分呢。」

「你說得對，這也是吾主把本王弄成現在這樣的！掙扎於天使與惡魔之間，漸漸失去自我……本王原本是一名美麗俊俏的天使，現在卻是不黑不白的惡魔……啊，實在不能忍受下去了。」

娜瑪感到恐懼，小聲說：「彼列大公好像快要失控了……」

夏思思則厭惡嘆道：「嗚哇，是超越想像的變態呢。」

蘇梓我搖搖頭，用憐憫的眼神盯著彼列。「與其在天使與惡魔之間掙扎，倒不如成為本英雄的使魔，跟我一起向聖主討回公道吧。」

「你是要本王完全墮落，把最後一片白色的羽毛都拔掉嗎？」彼列掩嘴大笑：「就憑你這半吊子也敢自稱魔王？你連撒旦大人的一半都比不上，有何資格命令本王。相反的，本王大可把你的頭顱帶回天界當伴手禮，順便驅使我的部下蹂躪人間，這樣就足以讓本王恢復天使長的高貴身分了。」

「慢著！」娜瑪激動站起。「我想起來了，你就是被關進無底洞的天使長……你是『第五位天使』！」

蘇梓我問：「什麼第五位天使？」

「第五位吹響末世號角的天使啊！根據聖經記載，當第五位天使吹號，無底洞就會開啟，無數惡魔從裡面蜂擁來到世上……這就是末世的大災難。所以彼列大公你潛伏在魔界就是為了這一刻嗎？」

夏思思喃喃道：「想不到原來這件事也是聖主的安排……」

蘇梓我說：「既然彼列你是第五位天使，這樣我就更不可能放過你。」

「呵呵，假如你真有如此能耐，本王也可以考慮一下，捨棄天使的身分——」

彼列雙眼著火，同時房內不論油燈、火爐，所有火種都伸出猛烈火舌，吞噬房內一切！連牆壁地板都變成正在燃燒的岩石，整座城堡頓成灼熱煉獄。

火光熊熊，蘇梓我等人馬上用魔力覆蓋身體，蘇梓我質問彼列：「你這是開戰的意思嗎？」

「既然蘇先生親自來訪，不如讓本王見識一下你的撒旦之力吧！」

彼列語音未落，雙眼的火焰已燒至全身，以右拳迅猛轟向蘇梓我——蘇梓我右手發光長出龍鱗，龍掌硬生生接下！高溫把兩人之間的空氣蒸發成白煙，兩人同時相視退後。

蘇梓我冷道：「真是不上不下的問候方式。」

「呵呵，這確實只是本王的問候而已。況且在我家殺死你也太浪費了。」

「這城堡都起火了，這樣你就有藉口調動撒馬利亞的所有軍隊來通輯我們？」

彼列揚手笑道：「骰子已經拋出，我們下次見面應當是在戰場之上了。」

「我一定會把你收服成為所羅門的使魔。」

「那你可要加緊時間囉，因為第一支號角大概已經登場了。」

4

第一位天使吹響號角，就有冰雹與火混著血丟在地上，地的三分之一和樹的三分之一被燒了，一切的青草也被燒了。

——《啟示錄》（8：7）

大約半小時前，歐洲中部地區甫進入凌晨，大部分的人仍在熟睡中，誰都沒料到在這寒冷晚上會迎來一場地獄的浩劫。

半夜四點，義大利南部。幾個名為天使的巨大黑影逐漸逼近海岸，再次散布死亡氣息。但今晚有點不同，加百列已進化為成年形態，他們從地中海往北而上，目標並非羅馬和梵蒂岡，而是羅馬以西二百公里的沿海城市那不勒斯。

事實上那不勒斯是個充滿聖靈的地方，那是羅馬工匠神的家。這位古神雖然跛足，卻娶了最漂亮的維納斯女神為妻，跟希臘的工匠神赫菲斯托斯互相對應。

這位羅馬工匠神名為武爾坎努斯（Vulcanus），其神名正是「火山」一詞的詞源。傳說中所有火山都是他的鐵匠爐，用高溫熔岩為眾神鍛造武器。而坎皮佛萊格瑞是全歐洲大陸最大的超級火山，武爾坎努斯曾用它的熔岩為羅馬眾神之王朱比特鍛造神器，如今正沉睡於那不勒斯灣之中。

——愚蠢的人類，背叛神的人類，為你們所做的罪孽在地獄裡懺悔吧！

莫名的聲音吵醒了海邊居民，他們探頭看向窗外，驚覺月下數千蝙蝠在夜空盤旋，悲鳴慘叫。連在家中飼養的寵物貓狗也在亂蹦狂吠，街道溝渠鑽出一大群老鼠蟑螂，大自然似乎早已預知災難即將降臨。

「我的天……又是天使嗎！」

「天使又來收割靈魂了！大家快躲到結界裡！」

居民陸續發現米迦勒的身影，但米迦勒不是主角，真正的主角是金髮的加百列……還有她手上的第一支號角。

加百列天真無邪地展開白色翅膀，翅膀掠過海面，同時慢慢舉起紅色號角放到嘴前。

嗚噢嗚噢嗚噢——

彷如低頻音叉的共鳴聲持續在天際迴響，整個地中海的海水隨之共振，那不勒斯灣變得波濤洶湧，浪花疊起十尺高，居民還來不及弄清發生何事，突然——砰！猛然巨響震天，天空被火光映成緋紅，同時灣岸地動山搖，赫見無數熔岩從地底噴上雲霄。

不僅到處噴出熔岩，街道亦因地震開始液化；大橋斷成兩截，汽車遭岩漿焚燒爆炸——但遠方的爆炸更響，只見加油站瞬間變成蕈狀雲，紅黃的火龍把住宅區完全吞沒，而大部分的居民還來不及呼救就被爆炸的衝擊波震死。

城鎮變成煉獄火海，然而這只不過是前奏。

沉睡數千年的鍛造神鐵匠爐從海岸冒出，地殼變形，就像神祇用魔法把大地拉高般，就這樣，義大利南部第二大的城市那不勒斯在瞬間變成一座直徑超過一萬尺的超級火山！

該座火山就是坎皮佛萊格瑞，它不僅面積增大好幾百倍，火山口更是高聳入雲；若還有倖存者，他們也看不到火山的盡頭，只會見到無數巨大火球從雲頂隆隆噴出。

當然在這一刻，海岸所有居民都死了，不可能有生還者。他們的屍體連同混凝土和其他瓦礫一同被推到火山頂、進到火山岩漿中。當坎皮佛萊格瑞噴出火球時，那些混著人血的火山粉塵在雲層中化成冰雹，再急速墜下變成流星雨，擊毀歐洲各大城市，造成慘烈的二次傷害。

那些火球如德國納粹的V-2火箭，射程覆蓋整片歐洲大陸和北非地區——甚至有火球墜落在一千多公里外的英國本土，為歐洲文明的衰亡揭開序幕。

不幸中的大幸，也許是因為超級火山噴發的火球呈拋物線墜落，鄰近地區包括羅馬相較之下火球掉落數量較少，讓聖教得以有些許時間應對。

又有數個火球掠過夜空，其中一個更落在羅馬舊城區，街道頓時冒出火焰濃煙，行人慌亂走避，傷亡慘重。

瑪格麗特站在大宅陽台目睹眼前災難，心中感嘆：這就是父親大人所說的世界末日……在大自然和天神的憤怒前，凡人就只能默默接受死亡嗎……我能為大家做到什麼……

「瑪格麗特！」安東尼緊張地跑來對瑪格麗特說：「第一支號角已經響起，義大利南部教會全失去聯絡。但根據他們最後的消息，火焰的大災難已經到來了。」

「我能感應得到……」此刻瑪格麗特全身泛光，她說：「在那不勒斯的巨型火山爆發了，整個歐洲只有北部極地能倖免於火球的摧毀。」

——又有小型火球墜落於羅馬市內，但已沒有消防車的警笛聲，整個城市已經陷入恐慌和癱瘓。

安東尼面有難色。「那是天使的怒火，就算用海水也無法澆熄，天空降雪也不能撲滅。只有聖魔法能抵禦火焰，但聖教已失去信仰力，我們沒有能力阻止這場大災難了。」

「父親大人……那我們怎麼辦？」

安東尼反問瑪格麗特：「妳想拯救其他民眾嗎？」

瑪格麗特點頭。「我不會再逃避了。」

「好。我們立即召喚生還的騎士，一同帶領民眾從歐洲撤退！」

5

「啊，本王聽見地上甜美的呼救聲，人類的身體就像繁花綻放，開滿一片血紅；加百列啊，妳還記得本王嗎？」

彼列公爵城堡裡，娜瑪忽然收到雅典娜傳來的訊息，面色一沉，頹然地說：「剛剛天使在歐洲吹響了第一支號角，大地頓成火海，千年文明恐怕毀於一旦……」

彼列用手帕掩嘴笑說：「你們想阻止天使真是天方夜譚，倒不如主動歸順吾主吧？這樣我就能恢復大天使的身分，你也能免於一死，若肯悔過更能蒙召歸天，到時下等的人類滅絕也跟你無關了。」

天使看人類就像看待螻蟻般，毫無憐憫之心，這更讓蘇梓我不爽天使的做法。

「本英雄從不歸順任何人，我才是最偉大的。」

「這樣真的好嗎？你虛張聲勢的同時天使仍在狩獵人類、使大災難降臨世上喔。只要七支號角依序吹響，人類便正式退下舞台，何苦掙扎？」

彼列一邊說，一邊閉目品嚐紅茶；對彼列來說，也許人類的存在意義連紅茶都比不上。

「哼，娘娘腔你是七位吹奏號角的天使長之一，換言之，只要我收拾你這人妖、搶回號角，看你們這些天使還能對人類做什麼？聖主什麼的也休想復活搗亂，這世界是屬於我的！」

彼列淺笑。「即使世界末日也不願屈服於任何人嗎？不愧是繼承所羅門印戒的人類，就這一點本王感到佩服。不過……」

窗外泛起赤光，不對，整個撒馬利亞城都被緋紅氣場包圍，就連城外的單眼燈塔也變成鮮紅色，街上氣氛變得異常沉重——

「隊長！」此時在城堡外留守的巡邏小隊看見紅色警告燈閃爍不停，便緊張追問：「果然如隊長所說，這是戰爭的訊號！」

「立即支援城堡確保公爵大人安全，並捉拿入侵者！」

撒馬利亞城牆的烽火點燃，一時間城中盡是士兵備戰的叫囂聲；數之不盡的惡魔士兵紛紛入城，城內守軍也手執火把跑到山上包圍城堡，等著衝入堡內追捕蘇梓我。

蘇梓我感到不妙，走近窗戶拉開窗簾察看，看來不得不撤退了。

「蘇先生，這是我給你最後的機會。」彼列氣定神閒地坐在沙發上。「與本王一起加入聖主的軍隊吧，我們將會創造新的世界、新的秩序。」

蘇梓我反駁：「你這人妖忘記最重要的事吧？薩麥爾殺死阿斯摩太的罪。我願意讓你成為本英雄的使魔已是對你的最大恩賜，你給我好好記住。」

接著他拿出能瞬間移動的乾坤球，卻感到魔力被外力封印住。

「蘇哥哥，那是結界的力量！我們既不能用轉移術，亦不能從這裡返回現世。」

彼列優雅笑道：「畢竟逆賊的名字已記錄在撒馬利亞的罪人名冊內，這是你們對本王宣的戰，本王確實地收下了。」

娜瑪連忙展張翅膀說：「先撤退吧！就算城內布滿結界，城外也不可能擋得住我們。」

娜瑪猛地往窗戶轟出一道雷，炸開一個大洞，拉著蘇梓我和夏思思拍翼離開——

殊不知堡外地面已有數千惡魔嚴陣以待，他們當中還有排成新月形的箭陣瞄準蘇梓我等人，並同時發射出魔箭！

密集箭雨幾乎覆蓋夜空，箭聲就像上千妖怪尖叫般襲向蘇梓我。而惡魔的箭更在空中變成褐色毒蛇，張口伸舌朝四周噴灑毒液，使蘇梓我等人難以迴避——

「給你們見識思思的厲害吧！」

夏思思旋即召喚出烏洛波羅斯，吞下了所有箭蛇——箭蛇帶有劇毒，但烏洛波羅斯是吞過虹蛇的魔獸，那些毒對牠來說根本微不足道。

——砰！烏洛波羅斯張開血盆大口吞下箭雨後，巨大身軀從空中掉下，「轟隆」一聲在地上撞出巨坑，揚起沙塵滾滾；地動山搖，就連惡魔方陣也被巨蟒壓垮。

但撒馬利亞的守軍豈只有這點本事？大小街道突然有身穿銀色盔甲的惡魔一擁而上，包圍烏洛波羅斯並撒下「鎖魔網」，從四方八面把巨蟒捉住。

鎖魔網是用吸食魔力的蜘蛛絲織成，只見烏洛波羅斯在網中滾地掙扎，蛇尾把周圍房屋統統掃毀，卻始終無法逃離鎖魔網的禁錮；牠的蛇身流出紫色汁液，更不斷痛苦哀鳴，看得夏思思十分痛心。

「可惡，竟敢傷害思思的朋友！」

「笨蛋當心啊——」

夏思思不顧娜瑪勸阻，奮不顧身地降落在烏洛波羅斯身上，用手輕撫牠頭頂的蛇鱗，將牠變成手環收回手中——

「是逆賊阿斯塔特，大夥兒一起上！將軍說過殺死阿斯塔特的重重有賞！」

地上十面埋伏、一呼百應，夏思思就像陷入流沙之中，剎時就被惡魔兵海淹沒消失。

「怎、怎麼辦？」上空的娜瑪驚惶失措，而蘇梓我捉著娜瑪的右手喝道：

「快用閃電火全力一擊！」

「欸？但這樣夏思思也會遭殃啊！」

蘇梓我依然緊捉她的手腕命令：「相信我，快照我的話去做！」

「明白了！」

於是娜瑪右手握著宙斯親授的雷霆標槍，同時其手腕亦被蘇梓我牢牢握著；兩人同時舉手，一起往惡魔兵海投下雷電——

灼熱落雷使空氣爆炸，靛青閃電火筆直轟在大地！只見地上一眾魔兵如漣漪般紛紛倒下，雷電從地面流往金屬盔甲，瞬間使數百魔兵心臟痲痺而亡。

「哇……小娜娜發狠時還真可怕呢。」夏思思在倒地的兵海中帶著手環，狼狽不堪飛了回來，但至少是安然無恙。

「哼，本小姐的閃電火沒有打中妳嗎？」娜瑪裝冷漠地問候。

「嘻嘻，蘇哥哥和思思心靈相通，又怎會捨得讓思思受傷呢。」

「別說廢話了，妳們看，前面又有蝙蝠翼的惡魔。」

如蘇梓我所言，天空很快又有一批翼魔增援。這次蘇梓我用撒旦的右爪擲出魔球，魔球在翼魔群中爆炸，炸出一條退路。

娜瑪低聲說：「現在追捕我們的都是低階惡魔，彼列大公完全沒把我們放在眼裡……」

夏思思催促道：「別管那麼多了，我們先離開這裡吧！」

撒馬利亞上空戰火連天，但既然蘇梓我勇敢地親自前來宣戰，彼列大公的尊嚴亦絕不容許自己乘人之危。

他舉杯走近剛剛被娜瑪炸出的破洞，目送蘇梓我等人離開，笑道：「下次見面時可是生死決戰了，我等著收下你的人頭。」

6

猶如過五關斬六將，娜瑪不斷投擲閃電火擲得手腕都麻了，而夏思思的蛇寵也身負重傷，就連蘇梓我體內魔力亦消耗了一大半。彼列大公只是祭出打招呼程度的追捕，便足以讓他們吃盡苦頭，幾經辛苦才逃離撒馬利亞的包圍網，在郊外回歸現世——

一顆大光球浮現在聖火教堂祭壇上，蘇梓我和兩位使魔從裡面爬了出來，累得直接躺在地板動也不動。

「總算沒有追兵了吧……」蘇梓我喘氣地說。

娜瑪趴地回應：「這裡是香港的教堂，應該沒有彼利的爪牙……希望是這樣。」

但夏思思有點擔憂，抱著受了傷的烏洛波羅斯說：「思思先回去休息，蘇哥哥和小娜娜等會兒再聊。」接著她便急步走出了教堂。

這時現世已過了一天，如今是夜深時分；他們幾個人回來的吵雜聲吵醒了教堂職員，職員很快就通知了利雅言等人前來。

「蘇主教你們沒事吧？」

穿著睡衣的利雅言十分緊張地衝進教堂，問道：「夏同學呢？你們不是三個人一起去魔界見彼列公爵？」

蘇梓我緩緩坐起來。「不用擔心，思思沒有受傷，只是她的蛇寵需要休息罷了。」

——娜瑪大人！

——蘇梓我！

接著跑來的是兩位希臘女神和兩位姊弟。雅典娜和阿提蜜絲心急地跑向娜瑪，至於杜夕嵐則上前抱著蘇梓我確認他的安全。

「我就說蘇老大天下無敵，才不會敗給魔界的惡魔啦。」

杜晞陽大聲叫嚷，旁邊的雅典娜則冷靜得多，恭敬地向娜瑪問安：「娜瑪大人這麼久都沒聯絡，我們還以為妳發生意外，正想到魔界營救。」

「妳們都是古神，魔界瘴氣可能對妳們會有害，還是小心一點啦。」娜瑪微笑說：「也感謝妳們好意，失去聯絡是因為彼列大公在撒馬利亞布置封印結界。」

「結界嗎……就像歐洲大陸那樣。」

娜瑪連忙追問：「對了！雅典娜妳在手機裡說歐洲大陸變成火海，是這真的嗎？到底發生什麼事？」

雅典娜面色凝重地回答：「坎皮佛萊格瑞火山爆發了，那是歐洲最大的超級火山，一但爆發便無法停止，與世界末日無異。」

「是古神武爾坎努斯的鐵匠爐。」娜瑪喃喃道。

「不只那樣，聽說附近其他火山也變得活躍起來，一夜之間整個歐洲都在燃燒。坦白說，當地實際情況如何我們也不清楚；就算歐洲沒有結界阻隔，如今也無異於與世隔絕。」

根據雅典娜所言，歐洲昨晚多處火山爆發，整片大陸上空盡是火山灰塵，連監視衛星也無法拍攝地上影像。再加上火山灰的影響，飛機無法降落，其他地方也不能派出救援隊前往。

雅典娜繼續說：「陸路的話，因火山爆發導致的大地震也把鐵路全部摧毀了，主要幹道則都有液化跡象，車輛都無法駛入。」

娜瑪追問：「那海路如何？」

「海上受火山灰的影響，能見度也近乎是零。還有火山爆發伴隨的地殼變動，傳聞不但海岸線改變，就連海中央也突然冒出一座火山島。所以要從海路前往歐洲其實也相當危險……雖然有不少歐洲船隊嘗試南下逃往非洲，畢竟這是他們目前最好的選擇了。」

「逃走……聽起來歐洲已經不能住人了。」娜瑪自言自語：「不知道身處羅馬的大小姐狀況如何？他們也會搭船逃走嗎？」

「不清楚。」雅典娜搖頭說：「大災難使歐洲大部分城市幾近癱瘓，發電廠故障的話，通訊衛星無法運作也不意外。因此迦蘭樞機無法聯絡上瑪格麗特小姐他們，教會內部完全失去聯繫，真令人擔心。」

「音訊全無了嗎……」娜瑪偷看蘇梓我的表情，但他看來沒怎麼擔憂，反而得意洋洋。

「妳們都忘記那金毛大小姐有她父親保護嗎？那男人可是被太平洋活吞也不會死的傢伙，他和他的女兒也一定不會出事。這是本英雄的直覺，肯定不會錯的。」

「那你現在打算怎麼辦？」娜瑪問：「第一支滅世號角已經響起，恐怕離第二號角的日子也不遠了。」

蘇梓我問：「第二支號角會是怎麼樣？」

利雅言引用原文回應：「當第二位天使吹響號角，就有彷彿火燒著的大山扔在海中，海的三分之一變成血，海中的活物死了三分之一，船隻也壞了三分之一……」

「第一個是『火』的災難，第二個是『海』的災難……海上、船隻……」雅典娜說到一半，娜瑪便整個人彈了起來。「這樣那些從海路逃亡的人不就危險了！還有瑪格麗特和安東尼將軍不會有事……吧？」

「本英雄說了沒事就沒事，妳們這些凡人還是專心替我收拾那娘娘腔。」蘇梓我吩咐雅典娜：「人妖魔王比想像中更加棘手，很可能需要妳和阿提蜜絲的幫忙，就算妳們如今已沒有神力。」

雅典娜嘆了口氣。「這也關乎到古神的存亡，現在的氣氛簡直像第二次的天魔大戰一樣。」

「第二次天魔大戰嗎。」蘇梓我嘴角揚起。「這樣也對，第二次天魔大戰的前夕本英雄要替蘇萊曼報仇，先滅掉奸細的天使。雅言，地上世界就交給妳和迦蘭處理，其他人準備好之後，我們要再回魔界找他算帳，而且是全軍出征！哇哈哈哈，感覺將會非常刺激呢！」

見蘇梓我又充滿信心，利雅言也感到欣慰。不過她心裡其實還有另一個不安元素不敢告訴蘇梓我，不希望他增添煩惱——既然歐洲聖教淪陷，他們收藏起來的「聖子」又會是什麼下場？

7

末日號角吹響的第三個早晨，羅馬市內卻如同黑夜般昏暗；陽光被厚重火山灰遮蔽，人們無法分辨晝夜，連呼吸也感到困難。幸好今天總算傳來了一個好消息，羅馬終於迎來火山爆發後的第一場雨，市內火災逐漸熄滅，總算不再是人間煉獄。

「下雨了，孩子們快出來幫忙！」

一名少婦從外牆被燻黑的七層公寓冒著大雨跑了出來，親眼看見街上頹垣敗瓦、熟悉的房屋只剩下焚燬的殘跡，她當場有股想哭的衝動。

然而為了生存，婦人沒有時間去悲傷，她身後還帶著兩個十歲左右的男孩，她自己抱著大水桶，兩個男孩也各自帶著塑膠瓶跑到街上。

他們打算用這些水桶水瓶盛裝雨水，畢竟已超過一天沒喝水了，這場雨對他們來說簡直是一場及時雨。

「別亂喝雨水喔。」一位身穿警察制服的男人叮囑說：「南方有火山爆炸，看見滿天的灰塵吧？就算雨水不受污染，但火山噴出來的物質也帶有強酸，你們裝來的可是酸雨呢，喝了酸雨會損害身體。」

這幾天羅馬遭逢劇變，街道屍橫滿地，而那些屍體大多都是準備要逃離城市的人；像少婦和她兩名孩子這幾天留在屋內反而大難不死，勉強活到今天。

可是活著的她，這幾天看到的盡是可怕的畫面——暴徒跑到街上搶掠食物，有的甚至帶著大刀鐵棍成群結黨四處打劫，早就是無政府狀態。直至昨日天空降下「火球雨」燒死不少街上暴民，如今城市內才稍微平靜些。

此時在少婦面前的警察，更是象徵社會秩序還未崩潰，讓她感到安全。她帶著兩個孩子對警察說：「謝謝，不過我們屋內已沒有飲用水，自來水管也故障了。警察先生你知道我們在哪裡可以找到飲水嗎？」

年輕警察知道附近商店已被洗劫一空，聞言面有難色。「這個……我們警察局雖還有點飲水，但也要留給其他平民直到救援物資抵達……」

然而所有倖存者心裡都明白，就連首都的羅馬都自顧不暇了，他們還能期待誰前來救援？若是要離開羅馬，但少婦帶著兩個孩子，也不知能逃去哪裡。

少婦低聲問：「其實我們家中還有一點食物，不知道能否用來交換？」

「當然可以，現在食物比金錢更加珍貴，快帶我去妳家看看吧。」

「可是警察先生，你能先帶飲水來交換嗎？」少婦連忙補充說：「我不是不相信警察先生，只是我的孩子已經很久沒喝到乾淨的水了。」

「既然妳相信我，就先帶我去妳家吧，不會花妳很多時間。」

「不過……」

年輕警察忽然拔槍指向少婦喝道：「快帶我去拿食物，如果不想孩子沒命的話。」

——住手！

忽然一位金髮少女誇張地踩著雨水、撐傘登場，神情囂張地說：「竟敢在聖瑪格麗特面前作惡，你這行為簡直是犯了七罪裡的……裡面的……」

老管家在身後躬身提醒，少女續道：「對，是貪婪！貪婪別人的財產，甚至謀害他人，這些全都是墮落的壞事！」

「妳這丫頭不怕槍嗎？」警察馬上把槍指向瑪格麗特，嚇得她舉手投降。

這時，她身後出現了一支為數幾十人的小型軍隊，所有士兵舉槍包圍那年輕警察，情勢立刻逆轉。

警察慌道：「妳剛才說什麼聖瑪格麗特，你們是教會的人？」

瑪格麗特轉著傘得意道：「沒錯！而本小姐身後是有名的瑞士近衛隊，看你敢不敢作亂！」

瑞士近衛隊——十六世紀時，他們曾以數百人之力抵禦兩萬敵軍，用性命換取教宗安全逃走，因此瑞士近衛隊可說是專責保護教宗的軍隊，忠心耿耿甚至能為教宗而死，羅馬居民人人都知道。

年輕警察自知肯定逃不掉，打算來個玉石俱焚，一邊顫抖一邊舉槍指向瑪格麗特——

突然，雨中一道火流星掠過長空，在天空劃出一條拋物線直墜在那警察頭頂，警察頓成火球，不消一秒竟全身燒焦變成灰燼。

「小姐，火山又再次活躍起來，我們盡快回去避難吧。」老管家說。

「還不行！父親大人告訴我要來召集其他倖存者……在這危難關頭，團結才是最大的力量！」其實瑪格麗特見眼前燒焦的屍體也不禁害怕，但還是振作起來，對少婦和兩個孩子說：「你們帶著食物跟我一起來梵蒂岡避難吧！只要大家分享食物，一定能共度難關。」

少婦卻感不安，質問瑪格麗特：「我們還要避難避到什麼時候？現在天空一直有火球掉落，而且還會瞬間燒死人！還有天使又不斷在殺人，這些都是你們教會惹出來的禍，教會打算如何負責？」

瑪格麗特深吸一口氣，對婦人說：「這些我們都明白，但請再給我們機會吧！聖教正在全力彌補犯下的過錯，如今最重要是拯救其他生還者，畢竟附近可能還有其他被困在家沒有飲水的人啊，聖教不會放棄任何一個生命的。」

瑪格麗特又說：「我們不是絕望地一味避難，也清楚羅馬市區已不適合人類居住了……不對，是整個歐洲都不適合居住了，這是天使滅絕人類的計畫，我們不能讓天使得逞。」

少婦繼續問：「所以教會有什麼打算？」

「在召集生還者後，聖教就會率領民眾離開義大利，前往安全的地方。」

「安全的地方？剛剛妳才說過整個歐洲都不適合居住？」

瑪格麗特說：「非洲，只要我們抵達非洲，就不會再受火山的威脅。」

少婦難以置信，猛地搖頭喊道：「真可笑，忽然要逃難到非洲什麼的，中間還隔了一片大海……」

「我聖瑪格麗特一定會讓奇蹟出現，請來梵蒂岡跟我們一起努力吧！聖教需要大量人手，『大撤退』才能成功。」

瑪格麗特堅定地向婦人許下承諾，而婦人也發洩完這幾天累積的不安情緒，冷靜過後也無其他辦法，只好接受瑪格麗特的邀請，隨她到梵蒂岡避難。瑪格麗特又吩咐瑞士近衛隊員繼續搜索市內其餘倖存者，呼籲眾人前去梵蒂岡集合。

在蘇梓我即將跟彼列開戰的同時，瑪格麗特努力地展開人類史上最大規模的撤退行動。

8

十二月二十一日，晚上，香港。

一架銀白鹿車從聖火山上空掠過，車上射出一枝黃金箭，百尺穿楊，箭矢瞬間精準射在聖火書院運動場地上，用粉筆畫成的箭靶紅心。

鹿車繼續盤旋，這次「嗖」聲射出的是一枝火焰箭，黑夜中好比一道火流星直擊地面，同樣擊中箭靶紅心，更炸出一團小火球。

「哦，準確命中呢。」

同樣在運動場上，躺在長椅的蘇梓我拍手讚賞，同時旁邊的娜瑪說：「要從天上那個距離射中箭靶實在不簡單了，更何況是在高速移動的月亮鹿車上呢。看來阿提蜜絲的箭術就算失去神力也沒有退步，她真的喜歡狩獵吧。」

娜瑪和蘇梓我旁邊還有另一位女神，雅典娜說：「杜小姐的箭術也是進步神速，沒想到把梵天神箭交給她確實是正確的選擇……」

雅典娜望著蘇梓我沉思，心想此人實在難以捉摸，究竟只是超級幸運還是大智若愚，她完全猜不透。

蘇梓我則得意大笑：「本英雄早就預見到夕嵐的潛力，所以才放心把原初神器交給她。」

「但就算杜小姐流著羅剎血脈，也不過是比凡人強一點的女生，要她上戰場與惡魔對抗好像有點殘忍。」

「這就看妳啦，阿提蜜絲沒有神力也會用她的銀弓金箭掩護夕嵐，雅典娜妳也有神器可以保護她們吧？」

「神盾埃癸斯，那是父神賜給我的神器，我確實能用神盾保護杜小姐她們。」然而雅典娜對此話題不感興趣，她戴上眼鏡，取出平板電腦說：「在此之前，我還是報告一下現在魔界的動靜。」

蘇梓我交叉手臂，點頭示意雅典娜繼續。

「其實也不是什麼祕密了，彼列公爵本來就在監視我們的一舉一動，東方援軍已經出發自然瞞不過他。」

東方援軍是東部魔海的一萬名人魚兵，還有來自極東巴別城的一萬名罪囚兵，總共兩萬大兵，這在魔界算是數一數二的規模，甚至比一些侯爵握有的兵還多。不過一萬人魚兵摻雜不少新人，罪囚兵更是缺乏軍事訓練的烏合之眾，與彼列公爵的十萬正規軍相比，依然有很大差距。

「至少聽起來都是按照妳的計畫進行。」蘇梓我說：「兩日後，賽沛和伊西斯的軍隊就會分別進攻撒馬利亞東部的城鎮米底巴，以該處作為進攻撒馬利亞的主據點吧？」

「正確，米底巴目前由疫疾魔王米利凱侯爵管理，不過那裡長年受瘟疫影響，人口不多，士兵也少，就連彼列也不太重視，賽沛女王等人要佔領米底巴應該輕而易舉，又或者說，如果連這樣都無法拿下的話，根本無法繼續與彼列對決。」

「瘟疫之城，一聽就知道是個鬼地方……但地理位置優越，守備薄弱，這是妳精挑出來作為進攻撒馬利亞的據點，我也沒有異議。」蘇梓我無奈說著，但雅典娜很快糾正了他。

「那只是賽沛女王和伊西斯小姐的據點，不是我們的。我們還有其他目標。」

「咦？妳之前告訴我的計畫不是這樣啊？」蘇梓我感到疑惑。

「之前只是隨便敷衍蘇大人你而已。經我再三考慮，直接與彼列決戰還是太冒險，我們需要一些策略才行。」

「不能就直接去狠打彼列一頓嗎？」

娜瑪教訓蘇梓我：「笨蛋，我們不久前才從撒馬利亞落荒而逃，你又想重蹈覆轍嗎？還是聽從有智慧的雅典娜比較好。」

雅典娜微笑道：「還是娜瑪大人英明，那我就建議另一個入侵撒馬利亞的據點吧。」

接著她滑著平板，螢幕上是魔界地圖，地圖中央正顯示一個城鎮名字——夏瑣。

雅典娜續道：「夏瑣位於撒瑪利亞北方，假如我們佔領該地，就能聯合東方的軍隊兩面夾擊撒馬利亞，勝算大增。我們兵力本來就比不上彼列公爵，他大概也想不到我們會冒險分散兵力進攻吧。」

娜瑪雖然聽不太懂，但仍點頭稱好。雅典娜又補充說：「而佔領夏瑣最關鍵的地方是其領主，埃力格侯爵。」

這句話娜瑪聽懂了。「埃力格侯爵是第十五位所羅門魔神，擅長預謀術。」

「正是如此。埃力格雖不是七十二魔神裡魔力最強的，但論指揮軍隊，無人能出其右。」雅典娜說：「埃力格能預知戰場上三十分鐘後的軍勢，就像下棋一樣，只要有先知能力，自然能出奇制勝。」

蘇梓我插嘴：「這能力怎麼聽起來有點像思思的預視術？」

娜瑪代答：「不一樣喔，思思那傢伙就算能夠預視未來，也不過是局部而已，太過狹窄無法綜觀大局；反觀埃力格專精於軍事策略，能洞悉未來三十分鐘的所有戰局形勢，做出最好的判斷，因此戰無不勝呢！」

雅典娜做出總結：「假如蘇大人能收服埃力格為使魔，對於之後進攻撒馬利亞會有相當大的幫助。」

「但是妳們這不是互相矛盾嗎？戰場上最強的惡魔，妳們打算如何收服他？」

「埃力格領地的士兵數目不及彼列公爵，這次蘇大人只須潛入城內打他一頓就好，反正是你的得意本領。」

——嗖、嗖！

月夜下，金箭和火箭又各自命中運動場上的箭靶，蘇梓我想著他也不能輸給自己的女人。

「沒有問題，而且所羅門魔神都是我的！雖然時間不多，但既然是撒馬利亞決戰的一部分，當作暖身運動也不錯。」

雅典娜淡然道：「蘇大人同意的話，那就事不宜遲，召集其他人明天突襲夏瑣城。」

9

翌日早上，羅馬。

酸雨持續下了好幾天，昨日更開始下起了「火雨」；無數火星如螢火蟲般從天而降，倖存的民眾已不敢走到街上。

然而瑪格麗特卻風雨無阻地在羅馬市內傳福音，尤如茫茫大海中的火炬，給予人希望。有越來越多的生還者響應瑪格麗特的號召，帶著僅存的糧食來到梵蒂岡避難。

不見天日的羅馬街上依舊是漆黑一片，反倒是梵蒂岡燈火通明，如希望的象徵。

如今梵蒂岡聚集了十二萬信眾，然而這數目與羅馬原本的人口相比，銳減了九成人口。自從第一支末日號角響起後，單是羅馬就已超過一百萬人罹難，他們有的被活埋在大地震的瓦礫中，有的則死於無謂的暴動裡；當然也有人被火流星直擊化成了灰燼，又或者因為重傷而亡。

超過一百萬具遺體被棄置於羅馬市內，受盡風吹雨打，完全是瘟疫的前奏；假如真的爆發疫病，人口如此密集的梵蒂岡將首當其衝，再留在城內只有死路一條，這點就連瑪格麗特也很清楚。

與故鄉訣別的時刻到來，聖伯多祿廣場上點起遍地燭光──雖然在物資緊絀的情況下，此舉有點浪費，但既然已是最後一天，也帶不走多餘的物資，不如全部點亮吧。

今天梵蒂岡還有一場重要的葬禮……榮休主教庇護十三世的遺體今早被發現在家中，說是蒙主寵召還真有點諷刺。雖然庇護十三世名副其實是被聖主的天使殺死，這也是如今聖教信仰的爭議之處。

聖伯多祿廣場上揚起聖樂，數萬信眾擠滿廣場一同肅立默禱。在祥和的管樂聲中，六位身穿紅衣的聖殿騎士從協和大道抬著棺木走進廣場，並將棺木下葬於廣場中央的深坑裡。

深坑內除了庇護十三世的棺木，左右還分別並排三具棺木，象徵著這次災難的無數罹難者；今天除了是庇護十三世的葬禮，也是整個羅馬市的喪禮。

在場有些失去親人的信眾忍不住哭了起來，悲哀和絕望就像傳染病般蔓延；管樂團演奏的是哀愁樂章，燭光為逝去的靈魂送別，從此陰陽兩隔。

就在悲傷的氣氛下，安東尼將軍帶著瑪格麗特走到臨時搭建的高台上，對底下數萬信眾說：

「聖主已死。」

台下譁然，廣場上舉著燭光的信徒們從沒想過會從聖教口中聽見這句話。

安東尼再次說道：「聖主已經死亡了，祂是被我們殺死的——」

此番話彷彿觸怒了天神般，布滿火山灰的上空突然傳出爆炸巨響，同時滿天火雹如流星雨般散落在聖伯多祿廣場上！眾人連忙抬頭，只見火雹在半空中分解，像煙花般飄零散落，有一道無形結界把火雹統統擋了下來。

「嗯……」台上的瑪格麗特忽然臉色蒼白、全身無力，老管家在背後連忙扶著，她才不至於跌倒在地。

「瑪格麗特，妳還撐得下去嗎？」

「不用擔心……父親大人，請繼續。」

安東尼面容維持平靜，繼續對信眾演說：「各位剛才看見火雹雨了吧？那是聖主的憤怒，祂甚至差遣天使要消滅人類，作為『最後審判』的準備。但我們應當反思，如此嗜血的行為真的是來自我們一直所信仰的聖主嗎？不，聖主早已被我們殺死，而我們聖教更是難辭其咎。

「惡魔蠶食了聖教內部，神聖的信仰早已腐至極；可惜聖教為了名聲，竟試圖包庇像多瑪斯那樣的惡魔，讓大罪在信仰深處蘊釀、發酵，最終連聖主也被邪惡染指。憤怒原是七大罪之一，本不是聖主的一部分，如今卻成為聖主報復的情緒，這一切都是聖教的錯。」

面對安東尼突然的懺悔，在場數萬信徒顯得手足無措，只是愕然地站著聆聽。

「大家對聖教感到失望甚至憤恨是理所當然的，而殺死聖主的罪名就由我們來贖償吧——」

語音未落，新一波火雹雨再次墜落，打斷了安東尼的演說。火雹狠狠擊擊梵蒂岡的結界，在信徒頭頂上爆炸，所有人都害怕得瑟縮禱告，祈求聖主的原諒。

但保護信眾的不是聖主，而是瑪格麗特。只見瑪格麗特緊閉雙眼，表情十分痛苦，原來她正在用自己的靈魂築起梵蒂岡的結界，因此每當火球打在結界上，就等同落在她身上，使她全身灼痛苦不堪言。

廣場上開始有人竊竊私語：

「那女孩看起來快要撐不下去了，我們還是回到地底避難吧？」

「但這是神聖的葬禮，中途離場說不過去……」

「而且我們要拋下那保護我們的女孩嗎？」

咚！突然，瑪格麗特用摩西之杖敲擊地板，高聲說：「儀式會繼續進行，就算天降災難無阻我們悼念往生者！這是重要的訣別儀式，今天之後我們就要跟故鄉暫別；為求生存，我們必須前往非洲的聖教會，拯救被我們殺死的聖主！」

現場又是一片譁然，在近乎失去信仰的這些信眾心中，他們已分不清楚聖主是敵是友。

難道人類還有機會讓聖主回復善良仁愛，結束這場殘酷的試煉嗎？

安東尼對台下信眾說：「我們已經找到拯救聖主的方法，只要大家願意追隨我們，我們必定會讓各位見證奇蹟誕生，這也是死去的庇護十三世的遺願。」

聖教的儀仗團轉為演奏幽淡的曲韻，安東尼主持儀式的最後一環。「請各位為這次災難的受害者，以及庇護十三世獻上燭火，點燃我們的新希望。」

在場數萬信徒半信半疑地列隊，逐一把手上燭火丟進墓地——這場葬禮並非土葬，而是盛大的火葬。

數分鐘後，一位婦人帶著她的兩個孩子也走上前，由於孩子年紀尚小，她代為把燭火丟進墓地，棺木已熊熊燃燒著。

這位婦人就是數日前被瑪格麗特救回來的少婦馬里諾夫人，連同她兩個孩子，現在都已對瑪格麗特深信不疑。今天她看到瑪格麗特以肉身作結界保護信眾，更加確信聖瑪格麗特是人類的最後希望。

這時大火越燒越旺盛，這是由數萬燭光集結而成，在數尺深的土坑中燃起沖天大火，像是要告訴在天上看戲的天使，這就是人類的決心。

10

十二月二十三日。

蘇梓我小隊潛伏到魔界北部夏瑣城外的地底溶洞中。那裡是比夫龍男爵經常留連之地，也是喜歡旅行的系爾子爵其中一處藏身點。

此地結合了兩人喜好：陰森狹隘、難以闖入，更有一堆惡魔白骨堆積如山，可以猜想這溶洞曾用來埋葬大量惡魔。

蘇梓我當然不滿意這地方，但為了與彼列公爵決戰，就不能顧及個人喜惡，他甚至難得地帶男使魔上路，也強制兩位失去神力的希臘女神前來魔界作戰。

然而純潔的古神對魔界瘴氣非常敏感，尤其溶洞魔瘴比外面更加濃厚，娜瑪不禁擔心：「妳們在魔界真的沒問題嗎？沒有呼吸困難之類的？假如身體不適還是回去現世吧，魔界本來就不適合神族聚居，住久了也會被瘴氣入侵變成惡魔。」

阿提蜜絲回答：「真的沒問題，感謝娜瑪大人關心。」

雅典娜說：「大概由於我們失去神力，所以對魔界瘴氣沒想像中那麼抗拒吧。」

又或者她們早就被蘇梓我污染過，所以對邪惡的免疫力也有所提升。

「月亮姊姊，如果妳感到不舒服要告訴我喔。」杜晞陽也同樣關心著阿提蜜絲，女神微笑輕拍男孩的頭正要回話，卻被狂妄的男人笑聲打斷。

——哈哈，人都到齊了吧？

蘇梓我從鐘乳石後走來，娜瑪抱怨他來得太慢，接著喃喃自語開始點人數：「我、笨蛋、思思、杜家姊弟、雅典娜和阿提蜜絲……最後就是比夫龍和系爾，一共九人。」

系爾爵位高於比夫龍，於是他代為招待眾人。「蘇大人，還有其他夥伴，歡迎來到本人的家。」

蘇梓我隨意回答：「這裡還真寒酸呢，全部都是石頭，連個像樣的家具都沒有，反而比不上旁邊石室附送墓碑百枚。」

但系爾始終保持貴族美少年的形象，禮貌地向蘇梓我道歉：「讓大人見笑了，只是此地最接近夏瑣，對於明天偷襲一事最為有利。」

比夫龍亦幫系爾講話：「其實那個石室也是我以前練習死靈術的地方，墓碑下的死靈都是在下的舊友，他們能守衛此地保護蘇大人。」

蘇梓我聽後不以為然，反而雅典娜眼睛突然變得明亮有神，望向系爾問道：「閣下是繼承系爾名號的子爵惡魔，排名七十的所羅門魔神嗎？」

系爾點頭笑道：「能被雅典娜閣下認識是我的榮幸。」

蘇梓我看著兩人寒喧，跟娜瑪小聲說：「那個系爾的性格是如此有禮的嗎？太久沒見我都忘了。」

「系爾閣下雖然性格孤僻，但也不至於目中無人，有什麼好奇怪的。」

這時雅典娜繼續對系爾說：「原來如此，那麼負責偵查夏瑣的，一定是旁邊這位雙面惡魔比夫龍吧？」

「正是在下。」比夫龍回答：「但是偵查過程並不順利，夏瑣城不知為何突然警備力增加，進出城門都要登記，出乎我意料之外。」

雅典娜想了一想，猜道：「畢竟埃力格隸屬彼列勢力，就算不是主戰場，理論上都要加強警戒。而且賽沛女王和伊西斯她們的軍隊此時也正在逼近米底巴才對。」

「幸好夏瑣城的領主埃力格喜歡打仗殺戮，所以夏瑣附近有很多死靈徘徊讓我使用，希望沒有打草驚蛇才好。」

比夫龍把夏瑣城的地圖攤在石桌上，以磷光鬼火照明，繼續解說：「這是以幾位英靈交換得來的情報，夏瑣城擁有堅固的城牆，十四尺高；城牆設計十分獨特，它不只包圍在外，就連城內也有城牆，把夏瑣如九宮格那樣分成九等份。」

雅典娜感嘆說：「不愧是『黑騎士』埃力格，城堡位於九宮格正中央，如此一來不但固若金湯，四通八達的城牆方便守城軍隊相互聯絡……真想快點跟他交手呢。」

比夫龍接著望向娜瑪。「既然能借助系爾的轉移術，城牆應該擋不住你們吧？」

娜瑪答：「如果要安全轉移到城堡裡，我們需要更仔細的地圖，所以還要麻煩比夫龍你了。」

「嗯……我會盡力的，偷襲的時間是明天吧？我會在明早前把更詳細的地圖交給大家。」

娜瑪向比夫龍道謝並要他小心，畢竟有著同期的情誼。最後，蘇梓我總結道：

「明天的突襲時間，會跟賽沛和伊西斯那邊配合，待她們攻進米底巴時，我們也要入侵埃力格的城堡收服他。這是進攻撒馬利亞的第一步，只許成功不許失敗！」

作戰會議結束後，九個人類、惡魔和神族便紛紛散去。阿提蜜絲與杜氏姊弟有說有笑地離開，思思拉著蘇梓我一起睡覺卻被娜瑪阻止；比夫龍默默回去工作，到最後雅典娜也離開了會議室，於是室內只剩下了系爾。

他偷偷在一張字條上寫下什麼，接著往字條一抹，字條便憑空消失。

11

翌日早晨，比夫龍果然遵守約定，把夏瑣城的詳細配置繪製作圖，加上夏思思用預視術得出的資料，雅典娜總算擬定好制伏埃力格的計畫。

眾人再次聚集地底溶洞的大廳商討戰略。首先是雅典娜發言，她問蘇梓我：「如果是單挑的話，你有信心可以完全壓制埃力格嗎？」

「真是愚蠢的問題，區區一個侯爵豈會難倒本英雄。」

「確實是犯蠢了，我不該問你的。」雅典娜轉而對娜瑪說：「娜瑪大人擁有父神的閃電火，請好好協助收服埃力格。」

娜瑪指著自己說：「只有我和蘇梓我？其他人呢？」

「這次偷襲需要動用轉移術，太多人潛入只會消耗蘇大人的魔力。」雅典娜說：「三個人為限，我也跟你們一起走。」

難怪今天雅典娜全副盔甲上陣，娜瑪問：「但妳不是因為失去處女神的身分，連同神力一併消失了嗎？親自上陣不怕有危險？」

「娜瑪大人，可以的話請不要再提處女神的事。縱使失去神力，擁有神盾的我，多少還是能保護自己，絕不會拖累兩位。」

「既然妳這麼說我就沒意見了。蘇梓我也不會有意見吧？反正你說過作戰內容全權交由雅典娜負責。」

蘇梓我交叉雙手、神氣地點頭表示同意。

雅典娜答：「感謝兩位。身為奧林帕斯的戰爭女神，我也很期待跟所羅門魔神裡最擅長戰爭的惡魔一較高下。」

此時坐在一角的夏思思抱著蛇寵抱怨：「真令人羨慕喔，大娜娜和小娜娜都能跟蘇哥哥一起冒險，那思思留下來要做什麼？」

「烏洛波羅斯的傷還沒痊癒，所以我留了其他任務給阿斯塔特小姐。」雅典娜把一個金色盒子交給夏思思，叮囑道：「任務內容的字條就放在裡面，但千萬不要隨便打開，否則這一切便會前功盡棄。」

夏思思反問：「那要什麼時候打開它？」

「時機到來，妳自然會知道。」

「啊？大娜娜和小娜娜一樣喜歡欺負思思喔。」夏思思接過盒子後，便繼續坐在一旁和蛇寵玩耍，不理雅典娜了。

此時雅典娜的平板電腦收到來自賽沛女王的訊息，報告她們的軍隊已兵臨城下，隨時都可以進攻米底巴。

於是雅典娜站起來宣布：「時機到了，娜瑪大人，我們也出發吧。」

娜瑪問：「咦？不是先等另一邊打得如火如荼，我們再趁亂潛入夏瑣嗎？」

「別忘記埃力格能預知三十分鐘後的戰局。如果我們相信賽沛和伊西斯的話，三十分鐘後米底巴就會被成功拿下，到時埃力格應該早已通知了彼列公爵。」

娜瑪數著手指自言自語。「什麼三十分鐘前後的真讓人混亂……總之現在我們入侵夏瑣把埃力格綁起來就好？」

「是的，惡魔是一個弱肉強食的世界，就算是從屬關係也並不長久；每個爵位惡魔都是獨立個體，要堂堂惡魔貴族臣服他人實在困難。」

「唉……妳又在說什麼令人摸不著頭緒的事了。」娜瑪掩著頭十分頭痛。

「我的意思是，要打敗埃力格也許不困難，但要他心悅誠服又是另一回事。當然我們也可以將他五花大綁，脅迫他簽下契約效忠蘇大人，只不過要背叛一個人有太多方式了，就算是契約，也是會有漏洞的。」

就像當初娜瑪也曾想借其他惡魔殺死蘇梓我，甚至彼列也出賣過蘇萊曼。不過蘇梓我聞言卻嗤之以鼻：

「要支配他人，到頭來還是要講求力量吧，要讓對方感到絕望、放棄反抗，自然就會替本英雄辦事，哇哈哈哈！」

蘇梓我大聲笑著，笑聲在溶洞內迴響。但雅典娜無視了他，取出夏瑣城的構造圖，放到石桌上解說：「入侵口是城堡三樓的大殿，那裡最空曠，蘇大人擁有預視和死靈的視覺，應該能安全傳送。接著我們去到四樓的餐廳，埃力格每天早上都在那裡用膳，我們可以把他逮個正著。」

「嘿嘿，聽起來很容易啊！」蘇梓我左手牽起娜瑪，右手牽著雅典娜，接著以乾坤球之力消失於昏暗的溶洞之中。

12

城堡大殿空間一陣扭曲，兩名衛兵察覺異樣，但眨眼間就被一鐮一槍封喉殺死。蘇梓我與娜瑪的攻擊如夫妻般合拍，力量遠遠凌駕於其他惡魔，加上城內守衛比預期中少，零星衝突無阻三人直線前進，直往埃力格所在之地——

砰！蘇梓我踢開木製大門，餐廳正中央擺放著一張二十人座的長形餐桌，最遠一端一道黑影正坐著享用早點。

那個黑影是個全身穿著黑金盔甲的巨漢，即使坐著仍跟娜瑪站起來差不多高。對方的頭盔完全遮蓋住臉，蘇梓我看不到這位黑騎士的真正容貌。

娜瑪呆愣地問：「他這樣子要怎麼吃東西——」

「受死吧！」

然而蘇梓我二話不說就躍到桌上，餐具震落一地。他舉大鐮直衝向另一端的埃力格，埃力格馬上在桌下取出一把三尺長槍，大力一劈就把長形餐桌垂直劈斷。

「太慢了！」

雖然埃力格氣勢驚人，但蘇梓我完全看穿了他的招數；蘇梓我雙眼燃起蒼焰，先是一個橫衝避槍，緊接一虎步直衝對方。蘇梓我身後甚至仍留有蒼藍殘影，同時刃光已砍在埃力格的頭上——「砰」一聲把頭盔劈開！

劈開後，裡面是個滿面黑毛的獸族惡魔，樣子看上去沒有穿起盔甲時得威風，引來蘇梓我高聲嘲笑：「所以這樣才要穿盔甲，還自稱什麼黑騎士？原來本尊這麼遜。」

「等等，」雅典娜說：「蘇大人，你先看看印戒。」

蘇梓我舉起印戒，卻對眼前這位黑騎士沒有反應。

「這黑騎士是假的，是替身而已。」

「什麼？竟敢欺騙本英雄！」蘇梓我舉起鎌刀想找那替身出氣，豈料那獸族惡魔在蘇梓我出手前，突然大叫一聲接著自盡——

「埃力格王萬歲！」不知名的獸族惡魔拿出匕首，往自己頸項劃了一刀——血如泉湧，兩尺巨軀應聲倒地，驚得娜瑪和蘇梓我一時愣住。

「蘇大人當心。這裡的守備異常薄弱，埃力格的主力部隊還沒有出現。」

娜瑪緊張追問：「埃力格早就料到我們會來偷襲，所以預先設下陷阱了嗎？這樣要不要撤退？」

「哈！我說過，區區一個侯爵不可能是本英雄的對手，這是與彼列戰爭的第一步，豈能說撤就撤！」蘇梓我衝到牆角，用鎌柄鎖著一名守衛喉嚨質問：「你們城主在哪，快從實招來！」

「就、就算殺了我，我也不會說的！埃力格王萬歲！」

守衛不停掙扎，糾纏間竟又取出匕首切腹自盡；自殺行徑就像病毒般傳染開來，餐廳內十數位守衛相繼刎頸倒下，不久餐廳躺滿了數具屍體。

蘇梓我環看四周，但他看的不是餐廳裡，而是城堡外的靈魂動向。

「可惡！外面天空聚集了上千士兵，那惡魔早有預謀，用奸計埋伏本英雄！」

雅典娜點頭說：「確實是預料一切才能在如此短的時間調動軍隊包圍我們……黑騎士的預謀術果然名不虛傳。」

「妳還稱讚他！妳這智慧女神的名聲快保不住了，不想辦法的話我先在床上教訓妳！」

「蘇大人請息怒，畢竟對手能預知三十分鐘後戰場上的一切，我們唯有見機行事。」雅典娜續道：「既然對方已調動軍隊，我們也要有應對的軍隊與他對抗，用死靈術吧。」

蘇梓我苦惱。「但室內效果不佳，最好找個能照亮一切的地方。」

「那就到城堡的鐘塔頂端吧，我已經記下路線，跟我走。」雅典娜提盾帶頭，同時娜瑪在雅典娜的身旁護航，三人就這樣朝著城堡的最高處跑去。

不久，三人順利跑到了一座圓塔，裡面有旋轉樓梯，一行人沿階而上繞了五圈，終於碰上四個同樣身穿黑金重鎧的高大惡魔，橫槍擋路。

娜瑪伸開雙臂，攔住蘇梓我和雅典娜。「這四位都是男爵惡魔，不再是雜兵了！」

男爵在所有爵位中排名最低，也是爵位惡魔佔比最多的存在，因此他們要想晉升爵位，競爭非常大，通常都選擇寄居在高階惡魔家中當僕人，正如這四個重鎧男爵。

「我們是夏瑣四天王！」四魔各自擺出長槍陣式，對蘇梓我威嚇道：「人類，你的所有計畫早被埃力格王識破，休想爬到塔頂使出死靈魔法！」

但娜瑪覺得可笑。「什麼四天王真老土！」接著她在手中召喚閃電火，大叫一聲往四天王轟了過去——

四天王左右散開避過閃電火，結果紫雷劈在他們身後炸出一個大洞。蘇梓我見到洞外魔界天空，忽然靈機一動。

「對了，就算不跑上塔頂，從這裡也可以吧！」

於是他展開黑翼飛到塔外，此時天空已有一隊翼騎兵包圍住城堡，而領頭的將軍也是身穿黑金盔甲，也許他就是埃力格本人？蘇梓我事不宜遲，馬上高舉死靈燭台照亮夏瑣城——

「沉睡在夏瑣的英靈們，全部聽命於本英雄！」

不消半分鐘，夏瑣城裡連同城堡內被燭台照亮之處都爬出死靈士兵，數目之多，竟與翼騎兵隊不相上下。

蘇梓我大喜，正想號令死靈兵團圍攻之際，卻看見四方死靈全部舉弓瞄準自己。

「你們想怎——哇！」

亂箭齊射，蘇梓我見狀只好狼狽逃回塔內，而雅典娜沒管他，正自言自語地分析現況：「難怪今天城堡的兵力比平日少，大概是埃力格在前一天讓部分士兵埋伏在外，其餘留下來的則命令他們自殺，就像剛才餐廳那些守衛一樣。」

死靈被召喚出來本應沒有自我意識，但因夏瑣的死靈才死去不久，魂魄還殘存記憶，所以現下被復活過來也依然聽命於埃力格，轉而攻擊蘇梓我，連雅典娜亦始料未及。

娜瑪嘆道：「為了設下陷阱而先殺害自己低階的守軍，再用精銳兵在外包抄嗎，也太恐怖了……」

「娜瑪大人所言甚是，領地的士兵對領主來說是最重要的資產，按照常理應該留下精銳，犧牲弱兵。但剛才追擊我們的士兵沒有想像中老練，我想埃力格是為了公平，而用抽籤的方式選出死士，他的婦人之仁可能會意外地成為他的弱點。」

13

夏瑣城上空布有兩千翼騎，每匹翼馬相隔一尺排列成長形方陣；整支騎兵隊有如波浪般在夜空載浮載沉，步伐整齊，訓練有素。

領頭的黑馬跟其他翼馬有些不同，牠兩旁長有蝙蝠翼，那是惡魔的標誌，是帶有魔力的翼馬之王。

只有惡魔馬王，才足以成為「黑騎士」埃力格王的座騎。

蘇梓我猜得沒錯，率領翼騎兵隊的正是埃力格王。貴為魔界二十一侯之一，地位和權力雖及不上賽沛女王，但也絕非泛泛之輩；尤其在戰場上開外掛般的預視能力，使他的翼騎兵隊戰無不勝，對手無不聞風喪膽。

「埃力格大人——」

一名副官在空中策馬而來，報告戰況：「天空的包圍網已經完成，地上死靈部隊也調轉槍頭對準那人類，連同四天王所率的部隊已控制了城堡，在堡內搜索敵人。」

佔領制高點，在傳統戰爭中非常重要，此刻埃力格在空中俯視夏瑣街道，戰局盡在他掌控中。他見蘇梓我等人被困城堡內無處可逃，於是下令副官帶著精銳翼騎兵進攻城堡，圍剿蘇梓我。

但副官感到意外。「雖然單靠死靈部隊的確無法捉拿那人類，但一次派遣大量翼騎兵，不怕反而嚇跑他們嗎？畢竟那人類懂得瞬間移動之法。」

「無須擔心，那人類要逃走早就逃了。本王下令大軍圍剿，是要打消耗戰，把他困在城堡內消耗其魔力，直至他沒足夠魔力帶走所有同伴。」埃力格又說：「那人類非常自大，絕對不會拋下同伴自己一人離開，這可不是英雄所為。」

副官恍然大悟。「原來如此，那末將就吩咐四天王把入侵者趕到城堡地窖，保證他們無處可逃！」

正當副官動身之際，埃力格似乎察覺到了什麼，揚手叫住副官。

「怎麼了？難道大人又預見三十分鐘後戰局出現變化？」

「沒錯……不愧是智慧女神，看來她還留有後著。」埃力格命令道：「留下二百名親衛騎士保護本王，我要親自與阿斯塔特子爵交手。」

「連阿斯塔特子爵也來參一腳嗎？聽說她最近進步神速已超越子爵等級，若大人預見她的行蹤，不如先讓屬下伏擊敵人如何？」

「不，我能預視她親臨夏瑣，卻無法預視她為何胸有成竹。此人確實棘手，你們不必浪費兵力，反而只須先一步殺死那人類，就是我們的勝利。我相信那些使魔也沒理由為了一個死人跟本王作對。」

副官鞠躬道：「末將明白，一切照大人吩咐執行。」接著他高舉進攻的軍旗，率領上千翼騎兵浩浩蕩蕩地從天空俯衝往城堡而去。

◇

同一時間，依然留在地底溶洞的夏思思滿是好奇地望著金色盒子，對蛇寵說：「烏洛波羅斯，你覺得雅典娜留下這個盒子，裡面裝著什麼呢？」

夏思思又模仿蛇寵自問自答：「一定是驚天動地的祕策，能讓主人大顯身手的妙計吧。」

「嗯嗯，思思也是這樣認為。但雅典娜壞心眼的，都不告訴思思什麼時候才能打開盒子，讓思思心癢癢。」

「──那就打開它吧。」烏洛波羅斯用沙啞聲音回答，嚇了旁邊的杜夕嵐一跳。

「原來真是小夏的蛇……不過雅典娜說不能隨便打開盒子，不然會前功盡棄。」杜夕嵐嚴厲說道。

「真是死板。」夏思思輕佻地問：「當有人告訴妳不能打開那盒子的時候，妳不會更想打開看看嗎？」

「我勸妳還是放棄這想法比較好。」阿提蜜絲說：「夏小姐妳知道嗎，雅典娜雖然是處女神，但還是有親生孩子的。」

「思思不是小娜娜，對其他地方神的故事認識不多，妳可以儘管說。」

阿提蜜絲憶起往事。「那孩子的父親是奧林帕斯最醜的神，工匠神赫菲斯托斯。赫菲斯托斯雖然娶了最美麗的阿芙蘿黛蒂，但依舊到處拈花惹草，雅典娜就是他其中一個追求對象。」

某次赫菲斯托斯向雅典娜求婚，雅典娜不想被糾纏就跑掉了。於是赫菲斯托斯一直追，奈何他是個跛子，根本追不上雅典娜，最後居然惱羞成怒，掏出性器往雅典娜射出。

結果液體沾到雅典娜腿上，她用羊毛拭去並丟到地上，那沾有精液的羊毛竟變成半人半蛇的小孩。那小孩看起來像怪物，又不是出於自願誕下，但雅典娜始終不忍心拋棄，只好偷偷照顧這蛇孩子。

但如果被奧林帕斯其他神祇知道自己有了孩子，勢必會破壞她處女神的名聲。因此雅典娜有時會把孩子關在盒內交給三位婢女保管，並叮囑她們不要打開盒子。

「最後結局大概妳也猜到了吧？」阿提蜜絲說：「人類終究會被好奇心殺死，就像潘朵拉一樣。如果不想讓雅典娜的作戰計畫功虧一簣，我勸妳還是不要隨便打開盒子。」

夏思思一臉不滿。「但思思又不是人類。」接著她心想：只要不打開就可以了吧？誰教我能預視一切呢，就稍微看一下囉。

她舉起盒子以魔力偷看，裡面一如雅典娜所說，放有字條：

阿斯塔特閣下，想必妳一定會用預視術偷看盒內字條。先不要驚訝，請盡量保持自然，別讓其他人察覺妳正在偷看。

我之所以把字條藏在盒內，目的就是只能給妳一人閱覽。最重要的是，絕不能讓系爾子爵看見，他可能會對蘇大人不利，影響全盤計畫。

長話短說，先將系爾用鎖魔網綁起來。鎖魔網同樣在盒子裡，這就不用我提醒了吧。

夏思思喃喃道：「大娜娜果然喜歡指使人呢。」

14

另一邊廂，比夫龍正獨自嘆氣，一旁的杜夕嵐見了便走過去關心。

「沒什麼，只是蘇先生的戰況並不樂觀。」比夫龍續道：「根據我派出去的死靈匯報，蘇先生在夏瑣城內遭死靈叛變，這本是不可能發生的事，除非……」

夏思思插話：「除非那些死靈是剛死去不久，依然效忠埃力格侯，思思沒說錯吧？」

「嗯，大概才死了一到兩天吧……等等，阿斯塔特閣下怎麼會知道？」

「思思也懂得一點預視術喔。」夏思思又舉起盒子說：「既然情況不妙，不如我們打開它看看？」

在場其他人面面相覷，沒有表態。夏思思便打開盒子宣讀裡面的字條留言，並故作驚訝：「什麼！原來我們有人背叛了蘇哥哥，暗中協助埃力格侯爵，使敵人著著先機，破解蘇哥哥和大娜娜的戰略部署！」

杜夕嵐驚惶地問：「可是誰會這樣做？」

「我視蘇老大為偶像，不可能出賣老大。」杜晞陽氣憤否認。

阿提蜜絲平淡說：「雖然我不喜歡蘇大人，但我跟那個叫埃力格的惡魔素未謀面，也不可能跟他串謀行動。」

「沒錯，」夏思思說：「所以會串通埃力格的，就只可能是跟埃力格相熟的惡魔，便是住在夏瑣附近的……」

「慢著，」系爾打岔道：「為什麼阿斯塔特閣下如此肯定我們之間有內鬼？埃力格本來就能預視三十分鐘後的戰局，能破解蘇大人的策略並不奇怪。」

「但他在一天前就設下陷阱等蘇哥哥上當呢！這不是靠三十分鐘的預知能力可以辦到。」夏思思說：「而且我們這幾天都住在溶洞內，只有系爾你能用轉移術不留痕跡地跟外界聯絡，我想埃力格的內應就是你呢。」

系爾不滿地反駁道：「比夫龍男爵也有用死靈跟外面聯繫，為何阿斯塔特閣下只針對在下一人？」

「嘻嘻，可能你有所不知，比夫龍他一直暗戀小娜娜，才不會做出傷害小娜娜的事喔。」

「阿斯塔特閣下！」比夫龍咳了幾聲，冷靜說著：「我確實不會傷害阿斯摩太閣下，但也沒有對她存有非分之想。而且我的命是蘇先生救回來的，我同樣也不會陷害自己的恩人。」

「多說無益，就由我代蘇哥哥收拾你吧！」

夏思思突然魔勁爆發，猛地向系爾擲出黃金盒子——系爾本能反應把盒子用拳打破，豈料裡面藏有鎖魔網，隨著盒破、網子張開蓋住了系爾！系爾想逃走，但擁有預視術的夏思思已經命令巨蟒在身後夾擊；同時夏思思解除了魔力壓制，爆發力驚人，系爾最終被鎖魔網封印住。

系爾在繩網中發狂笑道：「原來這也是雅典娜的計謀嗎？哈哈，沒錯，就是我把進攻夏瑣的消息事先通知給埃力格王。這不是背叛，而是惡魔的尊嚴，我沒理由要歸順於一個人類！」

「這已經不是說什麼尊嚴的時候。」夏思思變回大人身材，語氣也成熟了些，更教訓起來：「聖主即將復活，魔界需要有王者來把所有惡魔團結起來，否則就會再次被聖主和天使全部殺死。蘇哥哥是帶領惡魔族的最佳人選，你為何就是不明白？」

「哼，假如他是王者，就不會連埃力格王也打不過。」

「誰說蘇哥哥會輸的。」

系爾嘲諷道：「埃力格王能預知三十分鐘後的戰局，任何策略都對他起不了作用；就算現在趕去支援也來不及，因為你們的行動早在三十分鐘前被埃加格識破了！」

夏思思一時語塞，內心確實有點動搖。就好像下棋一樣，如果對手能準備預知接下來的三十著，那自己真的有辦法打敗對方嗎？

◇

——轟隆！

同一時間，夏瑣城堡的一室被轟出一個大洞，雖然雅典娜在門口用神盾擋住，但也受不了夏瑣四天王的四屬魔法連環轟炸，被彈飛到房內牆上。幸好她有穿上親自編織的盔甲才不至於受太重的傷。

蘇梓我亦忙著應付其他穿牆而來的死靈士兵，那些鬼魅雖非常弱，但神出鬼沒讓人應接不暇；雅典娜擋不了門口的夏瑣士兵，娜瑪不知已是第幾次用閃電火補上擊退敵人了。

閃電火威力過於強大，在狹窄室內作戰不但無法佔有優勢，反而更加速魔力消耗——太過依賴閃電火成為了娜瑪的弱點。

「娜瑪大人，這裡快守不住了，我們撤退到地窖吧。」

「但那裡不是死胡同嗎？退到地窖就真的沒有退路了啊！我們真能殺死城堡內所有敵人？」

娜瑪說著的同時又擊退了數十敵兵，但敵人數量有增無減，讓她不禁氣餒。雅典娜卻胸有成竹地回答：「不用擔心，這是埃力格想要見到的未來，我們就替他實現好了。」

「咦？」娜瑪小聲問：「難道這也是計畫的一部分嗎？」

「要解決預知三十手棋的對手，只要布下需要三十一回合才能識破的陷阱。」雅典娜冷靜道：「埃力格仰賴技能所預知的未來只有三十分鐘，但我用智慧預見的未來是無窮遠！」

15

「奇怪……為何本王依然看不見勝利的未來？」埃力格策馬在空中自言自語：「難道我軍再花半小時也無法擒下那人類？」

埃力格閉上眼睛預視未來：半小時後，翼騎兵隊和死靈士兵仍堵在城堡裡，與蘇梓我等人膠著混戰；另一邊廂，阿斯塔特的增援應該會被他打得落花流水才對——

才說到阿斯塔特，本尊就立刻來到；夏瑣城西門外忽然冒起煙塵，巨蟒的黑影越來越近，在牠頭頂亦有數十道身影緊緊跟著。

「果然跟預期一樣，但敵方的主將只不過是阿斯塔特子爵，其餘都是位階更低的惡魔或濫竽充數的死靈。」埃力格拉韁鞭策翼馬大喝：「眾將領左右散開，以飛翼陣準備迎戰西門敵人！」

站在巨蟒頭上的夏思思見面前翼兵軍隊整齊如浪散開，內心不得不佩服敵軍質素，萬一打起持久戰，自己大概必敗無疑吧，唯有相信雅典娜的計謀能奏效。

當烏洛波羅斯抵達夏瑣城牆外時，夏思思與埃力格僅相距百尺，開始叫陣：「我們奉蘇主教之命前來，收服閣下成為所羅門王的使魔，你的同謀系爾已被制伏，識趣的話，你也及早投降歸順吧！」

「可笑。」埃力格隔著黑鋼頭盔，在隙縫中斥道：「那個人類的未來是死亡！阿斯塔特，假若妳還有惡魔的自尊，妳才應該放棄侍奉那低賤的人類！」

「嘶嘶嘶……」夏思思氣得七竅生煙。「竟然罵蘇哥哥低賤，我要你馬上閉嘴！」

夏思思揚手畫出魔法陣，夏瑣城頓時風起雲湧；她的裙子在風中搖擺，同時背後凝聚了一百枝魔箭，瞬間齊發、掠過自己襲向埃力格的翼騎兵隊——

漆黑翼騎訓練有素，本應無須懼怕，豈料箭矢在途中化成小蛇彎曲撲來，軌道根本難以預測；那是夏思思從彼列的箭陣中死裡逃生、親身習得的經驗，並把招數吸收化為己用，果然大奏奇效，蛇雨一下就打亂了埃力格軍的陣形。

「喝！」只見埃力格手持長槍指天，夏思思所召喚出來的黑色小蛇竟瞬間化為烏有！埃力格厲聲道：「區區子爵竟敢以下犯上，實在不知死活！」

埃力格令副將揮舞軍旗整頓軍勢，黑騎士翼騎隊續以飛翼之陣高速逼近夏思思等人。

「別小看人類的力量！」

在巨蟒左上方忽然有月亮升起，眾魔皆是匪夷所思，因為魔界根本就沒有月亮——那是阿提蜜絲的月亮鹿車，同時一枝紅蓮火箭隨月光射出，直奔埃力格頸項，迫使他不得不橫槍擋下。

鏘！埃力格手腕一痠，雖然火箭被他成功擋去，但手中黑鋼槍竟被燒紅變形；只見槍頭彎曲，他不敢想像，假如剛才被直接命中會有什麼後果。

「那就是傳聞的原初神器嗎？」埃力格暗地抹一把汗，但仍未有動搖，喝道：「任何暗箭休想傷害本王一根汗毛，此役勝利在望，眾將士給我上！」

此刻月亮鹿車上載有三人，阿提蜜絲對杜夕嵐說：「剛才差一點就成功了，現在就換我掩護大家。」

於是杜夕嵐吩咐車夫：「晞陽，你讓鹿車水平移動，好讓阿提蜜絲大顯身手。」

「好！」

天上月亮平移，無數月光箭從車廂射向黑色大軍，空中馬蹄聲和箭矢刀劍聲此起彼落，兩軍隔空過招戰況激烈。

但月光箭仍無法有效阻止翼騎兵隊前進，夏思思察知兩軍快要接觸，旋即下令身旁待命的數十死靈舉盾而上；又使烏洛波羅斯張開血盆大口，噴出能毀滅萬物的毒霧，企圖逼退敵軍。

只見埃力格奮力鼓舞軍隊：「對方擅長遠距離作戰，一但近戰，我軍就能用黑馬蹂躪他們的屍體！」

埃力格作為表率，說完立刻抽鞭飛躍上前——

「什麼？」埃力格突然在馬背上大叫，腦海中忽然看到自己敗仗的未來。

「不、不，不！」他頓時改變主意。「眾將領趕快歸來，城堡有難！」

一名小將趕緊策馬回到埃力格身邊，戰戰兢兢地說：「埃力格王請下令……」

「讓堡內的士兵立即撤退！再留在城堡會全軍覆沒，那是雅典娜的詭計！」

「但、但是……城堡的守軍在開戰不久已全數自盡……傳令兵也下落不明……」

「那麼就直接進去城堡替本王傳令——」

語音未落，惡魔小將就被阿斯塔特放出的毒蛇咬頸噬死。

「誰說近戰思思會輸的？」

「阿斯塔特……我沒空跟妳糾纏！」埃力格雙腿夾著馬背，力從腰來，猛力揮槍劈向夏思思——但夏思思身體嬌小，輕易就避開了他的重擊，繼續在他四周盤旋。

「反正你知道未來，思思也不妨告訴你了。思思的任務只是要拖延住你，要你眼睜睜看著自己的軍隊被蘇哥哥滅掉。這個世上，沒有比知道未來卻不能扭轉更加氣憤的吧？」

「嘖……」埃力格咬牙切齒。「從一開始讓雅典娜等人潛入城堡就已經中計了嗎？那人類召喚死靈士兵也是將計就計，本王預知的能力反過來被利用了？」

夏思思得意洋洋地教訓埃力格：「你只不過擁有預視三十分鐘的能力，卻不好好運用，反而過度依賴、本末倒置，最終看不清三十分鐘後的未來。這跟思思的預視術差遠了，受死吧！」

夏思思使出珍藏的魔力，猛地往埃力格轟下黑色大魔球——

「妳罵得對，本王確實太過依賴自己的特殊技能，忘了初心。」埃力格催動侯爵魔力，硬生生彈開黑色魔球。夏思思驚見他黑騎士的鎧甲多了一層漆黑火焰，滿滿壓迫感。「未來本都是未知數，那就由本王一人改寫！」

黑蝠翼馬也全身燃燒，此刻埃力格的侯爵魔力爆發，氣勢反倒壓過了夏思思，但他卻拉韁衝往夏瑣城堡，目的只為了拯救自己的軍隊——

「哇哇哇！」夏思思自知得意忘形闖了禍，立即追了上去。「當思思什麼都沒說，你不用突然覺醒啊！被蘇哥哥知道思思闖禍的話，不知道會怎樣教訓我啊……」

她想到一半又臉紅起來。「雖然也很期待蘇哥哥的調教……不對，總之埃力格你別亂走啊！」

16

天空中翼馬四蹄踏火俯衝向城堡，緊隨其後的夏思思亦猛地拍翼追了上去；兩道流星在半空過招互拚，但夏思思始終無法阻止埃力格硬闖城堡，她前方的黑騎士已逼近城堡的鐘塔。

「他想從塔頂缺口闖入城堡！」夏思思拚盡最後一口氣加速衝去，豈料一道銀光迎面砍來——

「得罪了！」

埃力格一記回馬槍正中夏思思的要害，再加上魔力正盛，夏思思勉強擋下之餘卻被轟到護城河上，「轟」一聲濺起數尺高的浪花。當她奮力爬回河岸，抬頭只見到埃力格的坐騎在空中待命，黑騎士已然闖入堡內。

「魔力凝聚已達極限，不知道能否趕上……」此時埃力格十分悔恨自己未能識破雅典娜的計謀，這樣一來，全軍覆沒的未來隨時都會發生；一旦堡內炸藥引爆，除了蘇梓我，全部士兵都將非死即傷；保不住抽籤活下來的部下，哪有顏面見那些為了夏瑣而赴死的戰士？

雖是事後諸葛，但雅典娜的計算，最關鍵的就在於那些死靈士兵——

從埃力格派遣死靈士兵與其他夏瑣士兵在城堡圍剿蘇梓我那一刻開始，他就已中了雅典娜的計；堡內混戰超過三十分鐘，埃力格太過依賴他的特殊能力以致無法判斷風險，中了陷阱也懵然不知。

又或者他應該注意到比夫龍並沒有出現這件怪事。理論上比夫龍應該跟隨阿斯塔特助陣，但剛才交手並沒有出現他的蹤跡；現在回想起來，比夫龍此刻必定在城堡外某一暗處，偷偷地施放死靈術，進行「雙重召喚」。

最基本的死靈召喚是賦予死靈魔力，讓它們再次得以活動。但給予的魔力若超過極限，死靈這微小的容器無法容納大量魔力，就會產生魔力爆炸——縱使沒有先例，但理論上是這樣沒錯。而雙重召喚，就是對同一死靈召喚兩次，注入雙倍的魔力。

換言之，夏瑣的兩千名死靈反過來被比夫龍利用，變成兩千個不穩定的炸彈，就算威力普通，在封閉空間引爆的後果可想而知，大概只有躲進地窖的蘇梓我等人才能平安無事。

「是我決定讓軍隊聯合死靈士兵行動，我不能讓他們因為本王的愚蠢而白白送死。」

埃力格跑到城堡大殿，一見夏瑣士兵，旋即大聲疾呼命令軍隊撤退。眾將士看見埃力格親自傳令，起初感到驚訝，接著陣形潰散開始爭相逃亡。只是埃力格已經不在乎勝負，他只想阻止軍隊白白犧牲，再混亂也是要撤退。

「你們聽好，用任何方法都要盡快離開這城堡！那些死靈體內魔力已超越臨界點，隨時都會魔力反噬！」

然而埃力格如此警告，但他卻仍往逃生的相反方向一直跑去。其中一位忠心士兵見狀，便苦苦勸阻：

「既然這裡有危險，請閣下先行撤退！。」

「別反過來指揮我做事，叫你們撤退這是命令！」埃力格皺眉心想：而且我還要親自跟蘇梓我談判，這是唯一能阻止全軍覆沒的辦法。

◇

——原來如此。

在地窖盡頭，雅典娜坐在一角休息，並將計畫原原本本地解說給娜瑪聽。娜瑪聽完後安下心來，回應：「只要死靈士兵的魔力爆炸，夏瑣的軍隊也將同歸於盡。」娜瑪指著擋在門口的蘇梓我問雅典娜：「爆炸的時候，那笨蛋站在門口會不會被炸死？」

「是啊，蘇大人也差不多該退回來避難了。」

二女一同望向蘇梓我，只見他一夫當關地在地窖門前揮舞大鐮，還高聲笑道：「雜碎再多也只是雜碎，看本英雄的神乎其技如何大發神威，把你們這些嘍囉統統收拾！」

娜瑪雙手掩著耳朵。「真煩人，倒不如讓那笨蛋被炸死算了。」

「哇哈哈哈！再來啊，蘇梓我是所向無敵的——咦？」蘇梓我察覺戰場有異。「怎麼都停下來了，難道是害怕本英雄了嗎？」

眼前士兵不論惡魔還是死靈都紛紛讓路，散開迴避。此刻一位身穿黑鋼盔甲的人物登場，蘇梓我繼續叫囂：「難道夏瑣四天王還有第五個人？別裝模作樣，我才不會怕你！」

娜瑪在背後彈跳起來，大叫：「那是真正的黑騎士埃力格啊！趕快關門炸死他！」

「娜瑪大人，我們此行目的不是要殺死埃力格。」

「啊……對喔。」娜瑪不好意思地說。

蘇梓我面對埃力格顯得相當不爽，用大鐮指向對方厲聲斥喝：「你不是一直躲在一旁偷看半小時後的未來嗎？怎麼紆尊降貴親自上陣了。」

埃力格沉默半秒，突然脫下頭盔，向蘇梓我說：「這一仗是我們輸了，我知道就算現在撤退也來不及，只希望蘇主教能收手，不再為死靈灌注魔力……」

三人目瞪口呆，這完全是意料之外的投降。娜瑪在背後看著，還以為埃力格是個為求目的不擇手段，甚至強迫自己部下自殺的惡魔頭領，但現在看來又非如此。

雅典娜小聲回應：「不愧是魔界二十一侯之一，埃力格也算是個稱職的將帥，為求勝利雖有殘忍一面，但若是必敗之仗，他亦懂得減少無謂傷亡的道理。」她補充道：「如果在這裡賣埃力格一個恩情，也許能更容易控制他也說不定──」

「哇哈哈！」蘇梓我單手撐腰大笑。「你終於知道本英雄的厲害了嗎？不過已經太遲了，不教訓一下你們是不會害怕的。」

砰砰！語音未落，堡內到處均連環傳出巨響，如爆竹般震耳欲聾；魔力在城堡內瞬間膨脹、爆炸，就連地窖外的死靈士兵也不例外──

埃力格立刻蹲下雙手掩頭。不知為何，爆炸的威力比預期中弱，埃力格雖然沒有受傷，其他被炸飛的士兵最嚴重也不過被衝擊波擊昏罷了，其他被炸飛的士兵最後也陸續腳步不穩地爬了起來。

「原來如此，」雅典娜在一旁嘆道：「剛才蘇大人殺退大量死靈，在死靈爆炸前拆彈，換言之炸彈的數量少了，威力自然大減，就算爆炸也殺不死夏瑣守軍。這就是蘇大人說的『教訓』程度嗎……只是如此一來，我的計畫被蘇大人改寫了，埃力格不知是否會出爾反爾？」

蘇梓我豪邁大笑：「埃力格，這就是英雄和部下的差距！你不適合當將軍，只配當我的使魔，這是我給你的最後機會。」

埃力格閉上雙眼，感嘆此人實在難以預料，自己更無力對抗，唯有命令全軍放下武器，歸順蘇梓我。

17

夏瑣被攻陷的二十分鐘前，彼列的另一要塞城市米底巴亦同樣遭受蘇梓我的同黨襲擊。

米底巴是彼列麾下米利凱的領地，該侯爵惡魔擁有「赤色死亡」的外號，全身鎧甲都淌著鮮血，十分駭人。

米利凱王嗜血成性，走過的路都留有血腥足印和病菌，因此亦被稱為「瘟疫魔王」、「疫病的擴散者」。

被如此可怕的魔王統治，米底巴素來只有生命力頑強的惡魔能夠生存，其他惡魔均不願來此地，所以就算守備薄弱，也不會有外來者能撼動米利凱王的統治地位……直至今天。

「伊西斯閣下，作業已經完成了。」

城外六百尺，一位赤黃筋肉惡魔稟報道。佛拉斯雖然是所羅門魔神，但他始終比較喜歡追隨自己的恩人伊西斯，替這位年幼的巴別城主辦事。

至於伊西斯則依然故我，曲膝翻著書本，微微點頭。這時兩頭黃金獅子也回來報告，兄長巴巴斯伏身說：

「伊西斯大人，戰爭就快開始了，請妳坐上來觀戰吧。」

「嗯。」伊西斯目不轉睛地一邊盯著故事書，一邊騎到巴巴斯背上；那故事書是在說東方水淹七軍的故事，她的囚人部隊也在做差不多的事。

所謂囚人部隊，是她以大巴比倫之名，在巴別城臨時徵召的一萬名囚犯。這些如假包換的烏合之眾，要他們上戰場可能還會幫倒忙，但開挖河道、築堤等體力活卻是他們的看家本領，不消一星期就開挖了十多公里的河道。

這條人造河道對人魚族來說，就如字面那樣：如魚得水。

只見賽沛女王站在水道旁的山丘，高舉定海神針，洪水從魔海沿水道引來，巨浪滔滔、疊起千層波瀾壯闊。蛟龍衝到水道的盡頭赫然撲出，從四面八方直奔窪地的米底巴要塞，瞬間席捲護城河，更猛地拍打城牆──城牆西邊原先有一道裂縫，被沖擊數次便支撐不住，「砰」一聲竟整座場陷。

洪水連同瓦礫統統湧進要塞，米底巴水位急升，頓時變成一座水都。不少士兵走避不及被巨浪捲走，城內一片混亂。

「機會來了。」賽沛女王對忒爾女王（自稱）說：「妳也是水屬性的海妖，不如我給妳機會立功可好？」

忒爾女王猛地搖頭。「不用了，謝謝。我陪在女王陛下身邊就可以……」

「是嗎？」於是賽沛女王對山丘下的一萬人魚士兵下令：「大海之靈已為我們打開道路，妳們將要為蘇大人，或者為妳們的親生爸爸拿下米底巴要塞，明白嗎？」

「是！」山下人魚士兵皆舉起弓箭及三叉戟，大聲回應。

賽沛女王同樣高舉定海神針，直指米底巴：「全軍突擊，取下要塞！」

接著人魚軍隊便從高地乘風破浪，順利突襲米底巴，最終生擒米利凱，以洪水淨化了米底巴的病菌。

◇

當米底巴被人魚軍團征服的同時，另一邊的夏瑣城打開了城門，正式向蘇梓我投降。

「全體肅立！」黑騎士埃力格一聲令下，數百名漆黑盔甲的士兵從城門大道兩側排開，夾道迎接蘇梓我與其同伴入城。

「向蘇大人敬禮！」

大道兩旁的士兵鞠躬敬禮，蘇梓我意氣風發地大步走進城內，大笑地說：「這就是本英雄在魔界的第一個城池，感覺真好。」

娜瑪在背後吐槽：「剛剛雅典娜收到消息，在幾分鐘前米底巴的米利凱已向賽沛女王投降了。所以夏瑣是第二個攻陷的城鎮，不是第一個——哎呀！」

蘇梓我敲打娜瑪頭頂。「我說第一個就是第一個！」

「蘇哥哥別只欺負小娜娜啦，」回復嬌小身材的夏思思鑽到兩人中間，抱著蘇梓我手臂嚷道：「思思剛才差點闖了禍，蘇哥哥快來教訓思思吧。你喜歡打屁股也可以喔。」

於是蘇梓我大力拍打夏思思的屁股。「這次就放過妳啦，哇哈哈哈。」

夏思思想起埃力格的事，便向蘇梓我告狀：「剛才那黑色的傢伙有咒罵蘇哥哥呢，還有背叛我們的系爾，蘇哥哥打算如何處置他們？」

「確實要那兩人付出代價。」蘇梓我摸著下巴，揚手招來埃力格，問：「這個城鎮已經歸我所有了吧？」

埃力格誠懇點頭，蘇梓我續道：

「從今天起，此地就叫做『蘇梓我城』，用來紀念偉大的蘇梓我從這裡開始統一魔界！」蘇梓我又指向城鎮廣場。「還要豎立本英雄的銅像，至少要有十層樓高。這樣對你們也有好處，將來必定會有無數惡魔前來『蘇梓我像廣場』朝聖，假以時日就會比耶路撒冷更加熱鬧。」

娜瑪不滿地插話：「明明就不是你一人的功勞，我、雅典娜和其他人也有幫上忙啊。」

蘇梓我笑道：「妳也想擁有銅像嗎？那就在偉大的蘇梓我銅像旁打造一個娜瑪蹲下被欺負的銅像吧。還要露出內褲的，哈哈！」

「不要造這種惡作劇的銅像！我不想被後世的惡魔以為阿斯摩太只是個笨蛋——」

蘇梓我推開娜瑪，繼續吩咐埃力格：「還有在城裡找十個最漂亮的惡魔今晚來服侍我，以上四件事辦妥的話，你和系爾的事我就既往不咎。」

「就這樣？」埃力格回答：「我明白了，我們會照蘇大人的意思去辦。」

「不要造我的銅像啊！」娜瑪拚命叫嚷，但似乎改變不了她將永遠被蘇梓我欺負的未來。

18

米底巴和夏瑣陷落的消息，很快就傳到撒馬利亞的彼列公爵耳邊。只見傳令官膽戰心驚，報告後急忙退下，生怕彼列大公會找他出氣。

然而彼列只是優雅地放下茶杯，望著窗外冷笑。「終於取得魔界的入場券呢，但是蘇梓我啊，你再不快點，第二支號角就要吹響囉。」

彼列的眼界不只看見魔界燃起戰火，就連現世人類同樣身處水深火熱也難逃他的法眼。此刻羅馬陸續有災民放棄家園、出走避難，其中有權有勢的富商政要，他們大多選擇直接上船離開義大利，而留下來的平民、信眾，則追隨瑪格麗特往南走。

安東尼必須讓瑪格麗特帶領信眾前往非洲，以拯救聖教的未來。

◇

十二月二十五日，除了是蘇梓我在魔界旗開得勝的翌日，當然也是聖教曾最重視的節慶。如今瑪格麗特卻為了聖教未來而離開家園，率領信徒沿著滿目瘡痍的高速公路一直走，日行三十公里，最終在聖誕節的晚上抵達郊外一座農村。

農村裡空無一人，農田已全部枯萎，草地也是一片焦黑，但環境已比羅馬市內要好太多。

安東尼將軍告訴瑪格麗特：「這裡至少有房屋、有水源，視野空曠，易於整頓，今晚我們就在此地過夜吧。」

「好的，女兒現在就畫魔法陣、張開結界。」

「辛苦妳了。」

安東尼指揮部分聖殿騎士護送瑪格麗特離開，同時又調派軍隊通知信徒休息並維持秩序。事實上，要管理十萬人徒步逃難確實不輕鬆，尤其是信徒當中有老人、小孩，每人腳程不一，要他們日行三十公里路不免苛刻。

一些信徒坐到農田上休息，議論起來。

「啊……累死了，我們還要一直走到南部為止嗎？那究竟要走多久啊？」

其中一位年輕人攤開殘破的地圖說：「徒步走的話至少也要一個月吧？但我不明白聖瑪格麗特閣下打算如何走到北非？中間可是隔了個地中海。」

「果然我還是應該跟表哥他們坐船離開……」

「重點是我們無法一直走這麼遠的路啊，我的腳已經瘦到快沒知覺了。」

信徒紛紛唉聲嘆氣，慨嘆自己就像冬天的露宿者，現在只能圍著裡頭燃燒木材的垃圾桶取暖，不知這種生活什麼時候才會結束。這不過是遠行的第三天，信徒出發時的鬥志就已被消磨了大半。

「大家不要灰心。」瑪格麗特腳踏翼靴升到夜空中，腰間的金腰帶使她閃閃生輝如同一顆明星，同時她高舉摩西之杖，在方圓百里布下穹頂結界，吸引住農田上數萬人的視線。

瑪格麗特在空中說著：「只要大家充滿信心，我們就能通過任何險阻，因為我是聖瑪格麗特。」

穹頂結界忽然降下繁星般的光點，又好像發光的蒲公英；它們飄浮落在信徒中間、融化，信徒們全身的疲勞竟一掃而空，連一些跌破擦損的傷口也馬上癒合，身體變得溫暖起來。

再沒有人質疑瑪格麗特的大能。只要瑪格麗特的信仰越強，她所展示的神蹟也越厲害；這幾天她帶領十萬信徒遠行，沿途還有不少倖存者被她的魅力吸引加入，三天內就增加了好幾千人，如此正面循環下，瑪格麗特的聖力便越來越強大。

金腰帶使瑪格麗特如仙女般緩緩降下，馬上有兩個男孩跑到她面前說：「姊姊聖誕快樂！」兩個男孩各自拿著一束白色鮮花送給瑪格麗特，換作從前，瑪格麗特大概會對這些平民的禮物不屑一顧吧。然而她知道第一支號角吹響之後，世上三分之一的花草樹木都被燒燬，這朵生於世界末日的鮮花非常罕有，也是孩子們對自己真誠的道謝。於是瑪格麗特彎腰接過鮮花，摸著兩個孩子的頭微笑祝福。

「聖瑪格麗特小姐真是感謝妳。」兩個男孩的母親亦向瑪格麗特鞠躬感謝。

「馬里諾夫人，照顧信徒是我們的職責，不用客氣。」

「妳記得我的名字？」

「當然，每位信徒對我都有特別意義，尤其馬里諾夫人還是我親自說服去梵蒂岡的呢。」

在警察手中拯救這位單親媽媽和孩子的記憶依然歷歷在目，能幫助別人的感覺真好。

「聖瑪格麗特小姐……不，是教宗大人，加油喔。」馬里諾夫人說：「雖然妳還未正式受封教宗，但在我心目中，妳已經是聖教的教宗了。」

「謝謝妳。」瑪格麗特報以微笑。這樣終於不負安東尼家族的名聲了吧，她心想。

馬里諾夫人抓著兩個孩子的手。「跟教宗姊姊說再見。」

「姊姊再見！」

「聖誕快樂！」

瑪格麗特仰看灰暗的天空，世界末日也不盡是壞事嘛。

19

自從瑪格麗特學會利用聖魔法祝福信眾後，遠行團的前進速度便快了起來。數萬信眾在數十公里的距離外，繞過坎皮佛萊格瑞火山群。山頂依舊噴著岩漿和火焰，如黑霧中晃動著的太陽，但信眾得到瑪格麗特的鼓勵，總算穿越拉塔里山脈①，走過山路來到一座名叫薩雷諾的港口城市。

薩雷諾北靠山脈沒有受火山灰正面吹襲，而南面的港灣堤壩風平浪靜，天然資源豐富。然而最令瑪格麗特意想不到的是，經過附近無數死城之後，竟然能在薩雷諾遇到另一批掙扎求存的生還者。

「喂，你們是誰！」幾個身材健碩的男人走在高速公路上，攔住了瑪格麗特的遠行團，看樣子不是消防員就是軍人，他們語氣略帶威嚇，厲聲質問：「我們有人見到你們翻山走來，而且人數眾多，有好幾萬人。你們究竟是哪裡的人，來薩雷諾有什麼目的，快從實招來！」

安東尼踏前一步，代為回答：「我們是從羅馬來的，目的是往南方避離，剛巧路經薩雷諾。我們絕無惡意，也不是什麼神祕集團；這位是羅馬聖教的聖瑪格麗特小姐，身後面全都是聖教信

---

①拉塔里山脈（Lattari Mountains）是義大利南部坎帕尼亞的一處山群。

徒，有老人家有小孩子，不相信的話，你大可以親自看看。」

「原來傳聞中的遠行團就是你們，想不到還真有人蠢得想徒步走到南方避難……我叫阿萊西，是這裡的代表，恕我冒昧，但希望你們沒其他打算的話，就盡快離開薩雷諾。」

瑪格麗特對阿萊西的冷淡感到不解。「在這危難關頭，我們不是應該守望相助嗎？假如有什麼地方可以幫上——」

「不用了。」阿萊西冷冷回絕：「我們不需要外人幫助，你們這些教會的人還是先管好自己的事。」

瑪格麗特被如此冷淡拒絕，顯得有點無奈。不過安東尼大概心裡有數，沒有糾纏下去，只是禮貌地請教阿萊西：「可惜天色已晚，假如我們想在薩雷諾過夜的話，請問有沒有什麼地方會比較方便？」

阿萊西隨意指向北邊。「總之離港口越遠越好，還請你們配合。」

「好的，感謝指教。」安東尼點頭道別，率領軍隊指揮眾人，走到市中心外的湖邊休息。

◇

當晚，經歷了接近一個星期的旅程，遠行團的信徒又開始出現疲態；不是身體上，而是心靈上的。尤其小孩子長期在混濁空氣下遠行，馬里諾夫人的長子哮喘病發作，藥物也用得差不多了。

「咳咳咳！」

孩子跪在枯草地上大力吸氣，好不容住才穩住呼吸，馬里諾夫人非常擔心，心道：不如找聖瑪格麗特大人為孩子祈福，說不定她能行神蹟治好孩子的病……」

於是她拜託旁人幫忙照顧孩子，自己就在深夜裡靜靜走到瑪格麗特位在湖畔的帳篷處，並在帳篷外看見瑪格麗特和安東尼正在談話。

「父親大人，剛才那位先生好像對我們很反感？」

兩人都背對著馬里諾夫人，所以並沒有發現她。馬里諾夫人聽見安東尼回答：

「這裡是港口城市，我猜他們正在準備船隻逃離薩雷諾吧。薩雷諾人口不多，生還者頂多只有數千名。我們一次擁進了十萬人，他肯定會害怕我們搶走船隻。」

「所以才不想讓我們接近港口……」瑪格麗特嘆道：「當然我也希望他們能順利離開這片災難之地就是。」

馬里諾夫人聽見兩人對話後，內心難免開始動搖。「也許我應該請求那些人，就算只是孩子也好，必須要上船盡早離開義大利……」

翌日早晨，馬里諾夫人和她的兩個孩子就消失無蹤了。

20

「將軍閣下，有些事需要跟大人報告。」

在安東尼的領導下，遠行團雖然超過十萬人，但紀律相當嚴明；團內所有百姓都有出入紀錄，就算是一位單親婦人帶同兩名兒子離開也必須紀錄在案。

負責管理馬里諾夫人的小隊長於早上向安東尼和瑪格麗特匯報：「馬里諾夫人今早只留下一張字條就離開了，說很抱歉辜負了聖瑪格麗特閣下的關心。但她孩子氣喘病越來越嚴重，別無選擇之下，只能離開遠行團懇求薩雷諾的村民收留，讓他們乘船離開。」

瑪格麗特接過紙條，低頭說：「偏偏離開的是他們，我卻沒有察覺……」

瑪格麗特的口袋還放著孩子們送給自己的白花——那是她第一次感受到幫助他人的喜悅，也是第一次有信徒送自己禮物答謝。這次離別，大概很難有機會再次相見，一想到這裡瑪格麗特便十分難受。

「為什麼馬里諾夫人不親自跟我說再見呢？我知道的話也會體諒她、祝福她啊，而不像現在這樣連說再見的機會都沒有。」

老管家打岔說：「我猜馬里諾夫人害怕自己見到小姐，會同樣不捨得跟小姐道別吧。但她為了孩子，必須盡快離開火山區。

「但是小姐，妳現在去送他們也不遲啊。」老管家指著遠方說：「那邊有個小山丘，空氣比較乾淨，視野開闊，能盡覽港灣，說不定還可以看到遠洋船隊。」

「那我現在就去看看——」

「且慢！」但安東尼大喝道：「今天的行程很趕，不能為了幾個人而有所延誤。再說，妳現在去也只能目送他們離開，他們也無法見到妳去送行，何必呢。」

「就算這樣，我也想去！」瑪格麗特不顧父親反對，提起裙襬跑掉了。

看近日表現，還以為瑪格麗特終於變得成熟，豈料還是不懂事情輕重。安東尼因而嘆息，但老管家語重心長地說：

「小姐年紀尚輕，所背負的壓力卻比同齡人重得多。她一直在老爺面前裝作堅強，扮演老爺心目中理想的孩子，但小姐也有少女的一面啊……加上她自小困在家中，沒有機會交朋友，難得與幾個人變熟，卻連再見也說不到就分開，心裡一定很難過吧。」

安東尼閉上眼睛，輕聲吩咐幾名騎士去護送瑪格麗特，自己便回去指揮軍隊準備接下來的安排事宜。

◇

瑪格麗特氣喘吁吁地跑上山丘，遠望早晨霧茫茫的大海，看見有一艘遠洋郵輪正離港出航。馬里諾夫人和她兩個孩子大概也在裡面吧。即使他們不會知道，但瑪格麗特還是一個勁地對大海揮手，不停地大力揮著。

「再見了，要一路順風啊！我們安全抵達後要再聯絡啊！」

瑪格麗特忍不住大聲叫喊，直至海上郵輪的影子越來越模糊，自己的聲音也越來越沙啞——

然而，現實都是殘酷的。

「小姐，快回來！」老管家突然出現而且神色慌張，旁邊更有幾個聖殿騎士跑來，左右拉著瑪格麗特強行帶走她。

「欸？發生什麼——」

頃刻間，世界被黑暗籠罩，就連從滿布火山灰的天空透出的陽光，也被巨大身影擋住，大地被一道黑影覆蓋。

「那是……天使？」

瑪格麗特不敢相信自己的眼睛，就算親眼見過大天使米迦勒和聖德芬，她也不願相信自己的記憶；她希望有人告訴自己，眼前所見的一切都是假的，不然這實在太殘酷了……

——還在苟且殘存的人類，你們還不醒覺，還不懺悔嗎？

海灣之上憑空出現兩位大天使，以神力把聲音傳到地中海沿岸的所有人類腦內。

僅穿白布的米迦勒張開手臂宣告：「為了迎接我主降臨，世上所有污濁之物必須淨化。尤其是背棄主、追隨撒旦與神為敵的人類，你們必須付出代價！」

此刻一臉稚氣又天真無邪的聖德芬雙手高舉號角，就像嬰兒捉緊奶瓶般，昂首吹號——

第二位天使吹響號角，就有彷彿火燒著的大山扔在海中，海的三分之一變成血，海中的活物死了三分之一，船隻也壞了三分之一。

——《啟示錄》（8：8-9）

號角聲在海上迴響，天空忽然開出一個洞，同時一個直徑數十公里的巨大岩石竟從天而降。巨岩上流滿鮮血，彷若巨人的心臟直墜地中海，捲起滔天巨浪。

大海彷彿穿了個洞，瑪格麗特的心也是如此；眼見海水染紅，血腥臭味熏天，但這不過是災難的開始而已。

聖德芬天使長喜歡海水，雀躍地降落到薩雷諾的海灣；她站起來比起大海還要深，地中海對她來說不過是個浴缸，遠洋郵輪也是玩具船罷了。

「不要……不要……不要……」瑪格麗特不斷反覆念著相同字詞，老管家連忙指示騎士強行帶走她。

「住手！住手啊！」不久少女變得歇斯底里。「求求你！不要傷害他們！不要！」

但聖德芬也只是依照聖經所示執行其責。第二支號角是海的災難，聖芬德的任務是要殺死海上的生命。

「目標發現……」聖芬德還不懂控制聖力，右手所握的力量遠超世界的負荷，甚至有扭曲空間之勢，眼前空間變形，眨眼間她就把薩雷諾的郵輪轟到海底。

「啊啊啊——」啪！瑪格麗特暈了過去。

「得罪了……小姐。」老管家不忍見瑪格麗特發狂，只好打暈她，讓聖殿騎士抱她回到營地。

安東尼他們現在什麼都不能做，只能靜待聖德芬和米迦勒消失。

第三章

決戰撒馬利亞

1

自從在魔界首戰大捷後，蘇梓我的勢力不但沒有累積優勢，反倒陷入危機。一大清早，雅典娜就在城堡召集眾人商議。

「一星期前，我們一口氣攻佔了撒馬利亞周邊的兩個城鎮，包括撒馬利亞以東約一百公里的米底巴，和北方八十公里的夏瑣城——」

「是『蘇梓我城』！簡稱『蘇城』。」蘇梓我立即糾正雅典娜的說法，雅典娜聞言後不滿。

「就是因為蘇大人太過執著這地方才破壞了部署，使我們陷入危機。」

蘇梓我交叉雙手盯著雅典娜，打算待她解釋時見機反駁。

雅典娜續道：「撒馬利亞駐軍超過十萬，米底巴約兩萬，夏瑣這裡只有兩千。因此由賽沛與伊西斯正面進攻撒馬利亞，我們這邊利用埃力格摩下的黑翼騎兵隊擾敵後方，迫使彼列腹背受敵，這才是最好的做法。」

蘇梓我無法反駁，只好閉嘴乖乖聽訓。

「可是蘇大人偏說要紀念這座城池，又要鑄造銅像。消息傳到彼列公爵那裡，他便煽動附近惡魔包圍夏瑣。」

「不是那娘娘腔親自出馬？」

「彼列作風謹慎，他認為只需派駐重兵待命不動，便能立於不敗之地，所以沒有派兵進攻。

但夏瑣附近以刻耳柏洛斯為首，集結了幾千惡魔，同樣難纏，彼列就是想利用他們來削弱夏瑣的兵力。」

「但明明本大爺打敗了埃力格，怎麼其他的惡魔還是要造反，不聽我的命令？」

娜瑪答：「魔界弱肉強食，現在撒馬利亞最強的還是彼列大公，其他惡魔自然不把你放在眼裡啊。」

「可惡的刻耳柏洛什麼……」蘇梓我忽然記起。「那名字不就是很有名的地獄三頭犬？他是妳們希臘神的同伴吧，妳快去降伏他啊。」

雅典娜搖頭。「刻耳柏洛斯早就失去理智，如今只是一頭失控的怪物，聽不進我的話。」

娜瑪也附和：「況且刻耳柏洛斯也跟笨蛋你有淵源，蘇萊曼後來收服了他，給了他新的魔名和生命，叫納貝流士，是排名二十四的所羅門魔神。」

「既然他是蘇大人的魔神，那你快去收服他，比起鑄造無謂的銅像有用。」雅典娜冷冷地說。

雅典娜的批評非常銳利，蘇梓我額頭冒汗，試圖反駁：「本英雄下令鑄造銅像是有目的的。」

「例如？」

「蒐集信仰。」

雅典娜搖頭否定。「蒐集信仰的對象是人類，魔界裡你能找到幾個？」

「哼，總之就是有用！」蘇梓我大笑說：「但我偏不告訴妳，什麼都被妳知道的話，我怎麼能當你們的首領。」

雅典娜嘆氣。「總之這幾天再不鎮壓刻耳柏洛斯的話，我們就肯定趕不及在七支號角吹響前收服彼列公爵了。」

娜瑪出來緩頰：「至少我們能讓彼列分神，讓伊西斯她們繼續往撒馬利亞挖掘河道。只要想到辦法擊退刻耳柏洛斯，這樣形勢還是對我們有利！雅典娜妳這麼聰明，一定難不倒妳的。」

「我每想每一個辦法都是絞盡腦汁，沒有天掉下來的餡餅。」

娜瑪接不下去，幸好這時夏思思推門大叫，打斷了會議。

「蘇哥哥，快出來看看！超神奇的，我在魔界活了這麼多年都沒見過！」

見夏思思十分非常雀躍，眾人只好暫停會議，跟著她走到屋外一探究竟。

「那、那是什麼？」

蘇梓我在城堡陽台抬頭一看，竟見一艘冒煙的郵輪在天空飄浮！別說魔界沒見過，蘇梓我當然也沒見過空中郵輪。仔細一看，郵輪不僅煙囪噴煙，所有窗戶也都在冒煙，似乎是失控下墜，衝撞著魔瘴滑向夏瑣城外的森林。

娜瑪說：「感覺到人類的靈魂……船內有好多人類！」

蘇梓我大喜。「莫非是雅言或迦蘭派來的援軍？總之我們出去看看。」

◇

幾個人飛出城堡追逐墜落地面的郵輪，見它像出軌列車不受控地衝進林中，撞倒幾千棵樹才緩緩停下。

在船身刺耳的摩擦巨響下，蘇梓我等人終於來到墜落處，船腹奇蹟般只是陷入泥土，沒有翻倒或爆炸，這時船上亦開始有些動靜。

有乘客從房間探向窗外呼救，或半掀窗簾偷看蘇梓我，或跑到甲板上揮毛巾求救。

蘇梓我看到乘客大多是西方人，想著應該不是雅言或迦蘭的援兵，頓感失望，便對娜瑪說：

「妳去負責疏散船上的人，把他們帶回蘇城。」接著吩咐埃力格：「你的騎兵隊把這艘船拖回城內，也許會有用處。」

娜瑪插話：「會有什麼用？」

蘇梓我笑答：「雖然不是援兵，但妳不覺得這很像吉祥的預兆，像特洛伊木馬那樣？」

「你這笨蛋別說些不吉利的話啊！」

2

「這裡是……魔界？不是死後的世界嗎？」馬里諾夫人愁眉不展，以為自己見鬼了。

郵輪的乘客被救出後，身體不適的人都被送往病院，其他人則留在城內廣場，由埃力格的手下審問盤查。馬里諾夫人也是其中一人，但是由蘇梓我親自審問。根據蘇梓我說法：此女子外表年輕，怎樣都不像是兩子之母，必有不可告人的祕密。

「就算是魔界也沒什麼大不了吧？」蘇梓我坐在空地上與她閒聊：「天使、惡魔已經不是祕密，螞蟻有螞蟻窩，惡魔也總得有個家嘛。」

「所以你是惡魔？」

「怎麼可能，難道妳看不出我是人類的大英雄？」蘇梓我撐著腰，馬里諾夫人只是默默點頭。

蘇梓我續問：「妳猜猜那個正在照顧妳兩個孩子的女僕，她是人類還是惡魔？」

馬里諾夫人看到穿起圍裙的娜瑪，又為孩子盛熱湯，又哄他們乖乖坐下喝湯，非常善良的模樣。

「這麼善良應該也是人類？」

「她是惡名昭彰的大罪惡魔，只不過被我馴服了。惡魔不可貌相，這年頭連天使也打家劫舍，妳又何必在意這地方是魔界還是天堂。」

「但如果這裡不是地獄，便代表我們還沒死？」

「哈哈，雖然不知你們為什麼在充滿瘴氣的魔界也能生存，但妳看，我既然摸得到妳的臉，有肉體至少不是幽靈，當然沒有死。」蘇梓我趁機輕撫她的臉龐，突如其來的動作讓馬里諾夫人感到尷尬。

她接著又一臉無奈。「那我們是怎麼來到魔界的？我明明記得之前還在薩雷諾……薩雷諾你知道是哪裡嗎？」

蘇梓我沒有頭緒，於是她從第一支號角開始講起，從追隨聖教逃難，到最後被第二支號角的天使擊沉之事，都如實告訴蘇梓我。

第二支號角對蘇梓我來說是新情報，原來世界末日的進展已在加速，甚至近乎失控；尤其第二個是「海」的災難，海水流遍世界各地，換句話說災難已不限於歐洲，迦蘭和雅言那邊早晚也會受到威脅。

不過，當務之急還是要解決這突然從天而降的少婦，以及另外兩千名不明來歷的人類。

「總之，你們被那超大天使狠狠轟到海底、失去知覺，醒來後就身處魔界了……嗯，真神奇，難道有物理方法能穿越魔界？」蘇梓我暗暗挪動到馬里諾夫人身旁。「其實天使的攻擊並非普通人可以承受，不如妳讓我仔細檢查一下身體，我怕會有什麼後遺症。」

見蘇梓我異常親切，馬里諾夫人不知如何應對，也不知此人是否值得信任。

「那個……如果可以的話，你幫忙檢查我的孩子就好……」

「嘖，我對孩子沒有興趣。」

「什麼？」馬里諾夫人不明所以，這時夏思思剛好回來報告情況。少婦聽見她喊著「蘇哥哥」，突然想起一件事。

「說回來，聖瑪格麗特大人也有一位她經常提起的東方友人，好像也姓蘇……」

「聖瑪格麗特……是瑪格麗特姊姊？」

「咦？你們果然是聖瑪格麗特大人的朋友嗎！」

蘇梓我以為自己聽錯。「聖瑪格麗特？不過嘛，本英雄一直對她循循善誘，她有這成就也是我的功勞吧。」

「聖瑪格麗特大人常說蘇先生是她最仰慕的英雄，沒想到居然會在魔界遇上先生。」

「她還有說過什麼關於我的事？」

「聖瑪格麗特大人說蘇先生英雄蓋世、為人正直、樂於助人、才華洋溢又一表人才。我當時聽完後，有懷疑她是不是太過誇張……」

「咳咳！」蘇梓我清一清喉嚨，挺直腰身正坐，一本正經地回答：「瑪格麗特女士實在太過獎了，在下只不過略盡綿力拯救眾生，實不足為外人道。」

他又整理了下衣領，站起來有禮地說：「這座小城也是在下為救濟在魔界迷失的人類而建立，當然也並非我一人的功勞，背後還有很多支持我的人類和惡魔。」

馬里諾夫人好奇地指向後方。「那麼那對銅像是？」

「那、那銅像絕不是個人崇拜，是對付壞蛋惡魔的祕密武器。不過你們想參拜一下我也不反對，當然是站起來威風凜凜的那個英雄銅像，不是抱頭蹲下的笨惡魔銅像——」

蘇梓我說到一半忽然靈機一動，大叫：「反擊的時候到了！這不就是一舉殲滅怪物大家族的好機會嗎。」

娜瑪被說成是笨惡魔，心有不甘。「你才是笨蛋，又在說什麼鬼話。」

然而蘇梓我興奮異常，跑到銅像前大聲宣布：「所有人給我記住，本英雄可是你們的救命恩人，你們要像崇拜恩人一樣參拜本英雄的銅像！每小時誠心敬拜一次，否則今晚沒飯吃！」

蘇梓我如惡魔般的笑聲響徹廣場，倖存的民眾和馬里諾夫人一時面面相覷。但如今他們寄人籬下，是人類難民，除了聽從對方也別無選擇。

娜瑪小聲說：「剛才不是裝正經，怎麼一轉頭就露出狐狸尾巴了。」

「妳真是夏蟲不可語冰，趕快把其他人都召集過來，不能錯過今晚的機會。」

又是緊急召集，當時娜瑪只以為他又在發瘋而已。

3

夜深人靜，就連群魔都在熟睡的時候，一眾人類難民卻低頭靜坐在廣場上，雙手合十，一同敬拜蘇梓我的銅像。

蘇梓我銅像——仿照古代世界七大奇觀①之一的羅德島太陽神銅像鑄造而成。人像左手扠腰而立，右手高舉象徵勝利的拳頭，臉上展露自信冷笑，外觀比起真人更具威嚴。銅像高超過四十尺，巍然兀立在廣場正前方，俯瞰城門，就像是蘇梓我城的守護神。

不過這些都不是重點，銅像還有其他更神奇的用途。

轟轟、轟轟。銅像雙腿突然緩緩分開，下胯露出魔法巨棒，黑光一閃射出一柱強大魔力！暗黑魔柱越過娜瑪銅像的頭頂直飛天際，天空頓時傳來鬼哭神嚎，如邪惡意念的集合體般；然而魔柱力量極度不穩、互相排斥，當飛往最高處後，魔柱立時爆炸，煙霧中散成數百顆魔法球，以拋物線直墜數公里外那些被刻耳柏洛斯陣營佔據的村莊——

「哇哈哈哈，見識到本英雄的祕密武器了嗎！」

「還真的成功了……雖然不知威力如何，但你這笨蛋別在人家銅像的頭頂小便啊！」

蘇梓我站在城樓用預視術偵測前方，並糾正身邊娜瑪用詞：「妳這人真沒有美感，那個怎麼看都是彈道導彈吧？竟然說出如此不雅的比喻。」

「明明是尿尿小童像，從大小去判斷的話——哇啊！」

「妳敢再說一遍，本英雄哪裡是小童！」

就在兩人在城牆上追逐同時，混沌魔彈如雨落入敵陣，把正在熟睡的敵兵炸到飛天。這場攻擊毫無先兆，村落頓成火海，而他們仍是搞不清楚攻擊來源。

蘇梓我嘆道：「這威力有點弱，完全比不上原初神器。」

論威力當然不及原初神器，不過這枚「蘇梓我銅像大砲」主要用來掃蕩嘍囉，而且能在敵人的視距外發動砲擊，一面倒地轟炸對方；現在用來打擊千尺之外的惡魔也不過是小試牛刀，日後加以改裝，說不定能直接轟炸撒馬利亞呢。

「利用信仰力量轉化為慾望的負能量，這是借用撒旦的力量才能完成的魔法陣吧。」雅典娜如此評價。

「別將撒旦大人的力量用在奇怪的地方上！」娜瑪說。

但無論如何，蘇梓我銅像大砲不斷砲轟刻耳柏洛斯的陣地，已讓對手感到恐懼。

「那些嘍囉陷入混亂，現在是一舉殲滅怪物大家族的最佳時機！」

蘇梓我站到空地的司令高台上演說，此刻全軍已準備就緒，他又召來系爾，並將乾坤球交還給對方。「你配合我的行動進行轉移魔法，把黑翼騎兵隊傳送到敵人陣地。」

但娜瑪見蘇梓我左手牽著自己，右手牽著杜夕嵐，驚道：「咦？連我們也——」

語未畢，他們三人和翼騎兵隊已被傳送到叛軍陣營上空；埃力格揮舞軍旗，率領黑翼騎兵掠

---

①西元前二世紀到前一世紀，位於地中海域的七座偉大建築；現今只剩「古夫金字塔」，其他六個已消失。

過地面大肆掃蕩。

這是領兵的藝術，只見黑翼騎兵隊變成手法熟練的肉販，精準地將敵軍如豬牛般分解、逐一擊破，不愧是所羅門魔神當中最擅長戰爭的惡魔。

「埃力格那邊大概不用擔心吧，現在就由本英雄親手收拾那隻三頭狗！」

杜夕嵐說：「我還是沒有心理準備……」

「笨蛋，總是擅作主張把其他人都拉進來！」

「這是熱身運動啦！」蘇梓我搭著夕嵐的肩。「我們最終目標是那娘娘腔，因此我需要所有人的力量，包括妳。」

杜夕嵐點頭。「我明白了，我會盡力。」

這時一匹全身由赤焰包圍的巨犬大步跑向三人面前，牠的腳印全是焦土，三顆頭吐舌呼吸著火光氣息，只是存在便已令周圍空間灼燙非常。

「控制魔力保護身體！」蘇梓我指導夕嵐如何狩獵惡魔，夕嵐照樣做了，皮膚的灼熱感一掃而空——卻有另一股戰慄感突襲全身。

眼前刻耳柏洛斯猛地燒起數丈的地獄焰，三顆頭分別對杜夕嵐等三人噴火！三人腳下大地瞬間變成焦炭，若然稍有分神閃避不及，變成焦炭的就是杜夕嵐了。

「不行，我不能拖大家後腿。」杜夕嵐連退三步，立即半蹲拉弓，瞄準火焰後面的犬頭引箭——

嗖一聲，梵天神箭吸收下刻耳柏洛斯的地獄火，化作箭尾火花，一箭射斷刻耳柏洛斯中間的頭顱！

被射斷的犬頭滾到地上，還殘留著火焰灰燼；刻耳柏洛斯只能痛苦掙扎，慘從三頭犬變成兩頭犬。不過杜夕嵐射完一箭幾乎耗盡魔力，畢竟她只是個比凡人特別一點的人類，還無法完全駕馭手上的神器。

刻耳柏洛斯的野獸直覺似乎嗅到杜夕嵐的力量逐漸變弱，遂伏下身體，準備再次衝上前與她決一生死！

娜瑪看得緊張，拿起閃電火正想助陣之際，卻被蘇梓我制止了。

「妳看。」

那個滾在地上的狗頭突然火化，磷光更被吸收到杜夕嵐手上梵天神箭的弓內；同時刻耳柏洛斯已經躍到半空，杜夕嵐拚命再射一箭——

梵天神火直撲向地獄火，雙焰相撞便猛烈爆炸！接著地獄犬的第二顆頭同樣被吸到梵天神箭之中。

娜瑪嘆道：「梵天神箭是用梵天的頭來製造，但現時只有一顆頭顱因而威力減弱，力量亦不穩定……但神箭剛才把地獄犬的頭吸收，莫非只要是跟火有關的頭都可以？」

蘇梓我說：「無論如何，梵天神箭好像進化了，夕嵐也射得更順手。」

只見杜夕嵐再提弓瞄準刻耳柏洛斯最後一顆頭，將其射爆，再次將地獄火納為己用，戰場又再稍微回復平靜。畢竟叛軍只是以刻耳柏洛斯為首的烏合之眾，要平定其他惡魔已不是難事。

4

「聖瑪格麗特大人，假如妳再努力一點，帶領我們離開這個人間煉獄的話，我就不用帶孩子登船離開薩雷諾，孩子也不用被天使淹死……」

眼前伸手不見五指，唯獨馬里諾夫人蒼白的臉龐在黑霧中晃動，嘴唇詭譎地張闔。反觀瑪格麗特則是如何叫喊也發不出聲，只能眼睜睜看著對方繼續說：

「我不是在責怪大人，但既然妳是教宗的實質繼任人，妳不是應該再努力一點嗎？」

「是啊，瑪格麗特姊姊，我還以為妳是救世主呢，結果只不過是比我們兄弟倆年長一點的女生，真有點失望。」

「別這樣責怪姊姊嘛，我們的命本來就是她撿回來的，能活到現在已經很感激了。」

越來越多的人臉從四面八方的黑暗中湧出、包圍住瑪格麗特；他們七嘴八舌，責備和鼓勵聲交錯迴盪。

——聖瑪格麗特。

——主教閣下。

——瑪格麗特姊姊。

——教宗大人。

儘管瑪格麗特喊得聲嘶力竭，她依舊發不出半點聲響；她索性跑向馬里諾夫人的一對兒子，想抱走他們、不讓他們被天使殺死，甚至用自己的性命交換——

「瑪格麗特姊姊，妳還是來晚了。」

男孩的五官漸漸扭成一團，血液從眼簾滲出，接著變成一灘血水把瑪格麗特的雙手染成血紅——

「不要……！」

瑪格麗特猛地睜開雙眼，天空仍是灰濛一片，她從惡夢中解放醒來，發現自己躺在枯草地上。不知是否值得高興，但至少夢中還能見到馬里諾夫人和她的孩子。

她大力呼吸，抹去額頭冷汗，這時她想起夢中雙手沾滿馬里諾家的鮮血，連忙張開手掌確認，卻看見可怕的畫面——

「血！」

瑪格麗特第一眼看見的是自己手上的血，她的手正在淌著鮮血。怎麼可能？剛才只是在做夢，一定有什麼其他原因。

瑪格麗特刻意放緩呼吸，再仔細檢查手掌，並見到地上枯草上的血跡，終於找到理由說服自己——只不過是抓到鋒利的雜草邊緣罷了。

還好，這不是馬里諾家的血。

「瑪格麗特小姐，有什麼地方不舒服嗎？」

老管家一直在她身邊照顧著，見瑪格麗特醒來後便為她斟水，並道：「小姐流了很多汗，請補充一下水分吧。」

老管家不敢說瑪格麗特其實在睡夢中哭了很久，他不想讓她勾起不愉快的回憶。

瑪格麗特喝完水，呆坐一會兒後，開始喃喃問道：「大家還好吧？」

「災難暫時過去了，不過大夥兒士氣不好，所以暫時安頓在海岸公園休息。」老管家說：「小姐妳也盡量抓緊時間休息吧，身體要緊。」

「我沒有感覺不舒服。」瑪格麗特揚手示意老管家退下，老管家無奈地離去。

剩瑪格麗特獨自一人，她取出馬里諾家兩個孩子送給自己的聖誕禮物，她將白花製成乾燥花，並掛在項鍊上。她答應過馬里諾夫人要平安帶他們離開，至少希望能以這種方式完成自己的承諾。

◇

同日晚上，遠行團的營地傳出了民眾不滿的聲音。

瑪格麗特走到海岸營地，只見父親安東尼憂心忡忡，追問之下，才知道大家正因晚上的糧食飲水不足而躁動著。

老管家說：「昨日天使發難，火災燒掉了一些糧食，再加上海水一片血紅、腥臭異常，要過去搶救也十分困難。」

畢竟這是十萬人的遠行團，他們不可能準備得齊如此多人的食物飲水，總要在野外蒐集。

瑪格麗特摸一摸項鍊，似乎下定了決心，二話不說跑回帳篷拿起水杯，直直跑到海岸邊。

正在海岸紮營的民眾看見瑪格麗特跑到海灘，先是感到好奇，之後再見她把紅色海水盛滿杯中，皆紛紛難以理解。

「大家聽我說！」瑪格麗特向民眾展示水杯。「這杯子裡盛載的不是血，而是葡萄酒。如果你們不相信，我可以喝給大家看！」

語畢，瑪格麗特舉杯一乾而盡，嚇得眾人目瞪口呆、一片譁然。

安東尼同樣走到海邊盛滿一杯紅色液體，淺啜一口，難以置信那確實是甜美的葡萄酒，半點血腥都沒有。

民眾皆是半信半疑，有人走近海邊蹲下，果然嗅到果實的香氣。那些原本充斥血腥味的海水，在瑪格麗特面前變成了葡萄酒嗎？

「只要你們有勇氣，就可以品嚐到美酒。」瑪格麗特如此宣告，並對其他信徒說：「想吃晚飯的人，把繩網放到海灘上，過不久，你們就會看見大漁。」

當中有幾個人剛剛喝過瑪格麗特的葡萄酒，對她說的話深信不疑，便在海灘上布置了數個長寬各快五尺的繩網充當漁網。過了十分鐘，一條條鱈魚猛地躍到岸上繩網中，數分鐘後，繩網居然全部盛滿，蒐集了好幾千斤的漁獲！

這就是「葡萄酒的神蹟」和「大漁的神蹟」，跟在四福音書裡記載聖子所行的神蹟互相呼應。不僅如此，那幾千斤的魚原本不太可能依數分配給在場的十萬信徒，但瑪格麗特讓他們把漁獲放滿一艘小船上，命令每個人排隊領魚；結果全場信徒每人都獲得了一條魚，而且還有剩。

之後瑪格麗特又把葡萄酒變回海水，提取鹽分，命人將剩餘的魚醃製保存。加工過後，信徒把鹹魚儲存在小船上，竟發現原本的小船無法把醃魚裝滿，最後他們得用上四艘小船才勉強裝下所有醃魚。

當時安東尼看見了，瑪格麗特的掌心有著象徵聖子的聖痕。

5

蘇梓我把夏瑣周邊惡魔全數鎮壓後的翌日，有位自稱十里村的村民代表來夏瑣城求見。

「村民？本英雄什麼時候需要負責接見村民了？」

蘇梓我半臥在殿上龍座，身後有兩位女僕揮動芭蕉扇，簡直像古代皇帝般；當然這設計是蘇梓我的個人喜好，原本城堡裝潢並非這樣。

眾人剛打完勝仗又聚在殿上的原因，無非是繼續討論彼列大公決戰之事，畢竟第二支號角已經響起，世界末日迫在眉睫。不過會議剛開始，埃力格就帶來一則口信。

「蘇大人，請恕在下擅作主張，但那位老者感覺非等閒之輩，我已讓他到會客室等候，煩請大人考慮一下。」

娜瑪附和：「既然人都來了就見見嘛，也許會有什麼好運呢。」

「如果沒好事就唯妳是問。」

蘇梓我示意讓那村民前來晉見，一位滿面白髯的老爺爺手持拐杖來到殿上。那老人的鬍鬚濃密得覆蓋了整張臉，遠看就像個白色毛刷。

「站住！」夏思思罕見地厲聲喝道：「別以為我不知你手中拐杖暗藏利器，你想對蘇主教不利嗎？」

「不愧是阿斯塔特閣下，所有事情都逃不過妳雙眼呢。老夫手中確實是一把拐杖劍，但我沒意圖也沒能力傷害蘇主教，請各位放心。」

夏思思追問：「你怎麼看都很可疑啊，來找蘇哥哥有何貴幹？」

「老夫是十里村的村長，昨晚各位和刻耳柏洛斯對決的主戰場剛好離我們村落不遠。話說那真是一場漂亮的勝仗，請容許老夫先祝賀蘇主教大獲全勝。」

蘇梓我聽見奉承話就飄飄然的。「有本英雄出馬不過小菜一碟，是說你見到我的魔法砲台嗎？很威風吧。」

「那的確是魔界未曾見過的大型兵器，這類型的魔法砲台需要將人類信仰轉換成為能量，綜觀整個魔界，就只有這裡有人類聚居。」

老者盛讚蘇梓我的魔法兵器同時，亦有微言：「只可惜不論砲台的精準度、威力或是射程都強差人意，充其量只能用來對付沒受過訓練的軍隊罷了。」

蘇梓我反駁：「射程和威力都在改良中，但準確度沒有問題才對。」

「不，昨夜老夫的村落就遭受到流彈波及，有一半的房子燒燬了。」

娜瑪聞言大驚，心道：這老人家該不會是來請求賠償的吧？我剛才還幫忙遊說那笨蛋接見，這樣他不就會怪罪我嗎！

蘇梓我罵老者：「哼，你是來請求賠償的吧？該死的娜瑪剛才還說服我接見，看我今晚怎麼教訓她！」

但老者笑道：「蘇主教誤會了，凡世間萬物早有定數，既然它們的命運注定被燒掉就由它吧。而且消滅在聖火裡也是一種祝福。」

蘇梓我越聽越胡塗。「所以你來到底做什麼，我時間很寶貴。」

「呵呵，那我就不妨直說。昨夜我家房子被大火燒燬，但那場大火甚具靈氣，又有紫氣東來，那是大吉之兆、帝王之兆。不久的將來，蘇主教必將統一魔界。」老者躬身道：「所以我今天前來，是來向蘇主教自薦，希望能讓老夫在這『蘇城』任官。」

「你這老頭連這座城剛剛改名都知道呢。」

「天底下的所有事大都瞞不過老夫的占卜。夜觀天象星宿變化的是『星占術』；抓一堆沙粒撒在地上與地母神溝通的，是『土占術』；細看水脈流動的是『水占術』。以上占術老夫都稍有涉獵，不過最擅長的還是『火占術』。」

「咦？」娜瑪問那老人：「你雖非爵位惡魔，但莫非你是繼承佛爾卡斯名號的前輩？」

「呵呵，那是很久以前的事了。現在老夫只是一閒雲野鶴，不過妳確實可以稱呼我為佛爾卡斯。」

埃力格恍然大悟。「難怪有一種熟識感，原來是白騎士佛爾卡斯閣下。」

「白騎士？」蘇梓我問，娜瑪回答：

「相傳所羅門王每次出征都有五位騎士伴隨左右，其中一位是排名十五的魔神『黑騎士』埃力格，另一個則是第五十位的『白騎士』佛爾卡斯。與黑騎士手執雙槍、在空中馳騁沙場不同，白騎士每次都輕裝上陣、負責獻計，如同幕後的軍師。」

「呵呵，歷代繼承佛爾卡斯名號的都是如此。」佛爾卡斯摸著白髯說。

「你這老頭我還以為你是聖誕老人，不過是所羅門魔神就簡單了，快來跟我簽下契約。」蘇梓我伸出印戒，果然與佛爾卡斯產生共鳴。

「恭喜蘇哥哥收服第九位所羅門魔神，不對，加上三頭犬納貝流士的話，應該是第十位？」

「但是與七十二個相比還差好遠，真麻煩。」

佛爾卡斯說：「不用擔心，就老夫的占卜所得，幾日後便會有位擅長工程的魔神前來協助改良魔法砲台，這算是老夫送給蘇主教的第一道占卜。」

「但既然是一定會發生的事，就算不告訴我也沒差吧。」蘇梓我嗤之以鼻。

「那老夫再說兩個預言：第三支號角將會在七日後響起，第四支則在第十四日。換句話說，最快再過半個月，彼列就能回歸薩麥爾的身分，吹奏第五支號角，將撒馬利亞的十萬惡魔放逐到人間。屆時大人再想打敗彼列大公，將難如登天。」

——十四天，這是與彼列大公決定的最後期限。

蘇梓我冷笑道：「十四天太久了，我四天就把撒馬利亞搞定。」

6

蘇梓我的「四日宣言」使殿上一眾人神惡魔再度大感困惑，不知道他在說笑還是認真。假如真能四日就剷除魔界三公之一的彼列，那其他惡魔該顏面何存？

雅典娜決定打開平板電腦，開始分析：「此刻的撒馬利亞堪稱魔界最堅固的堡壘，不但防禦工程完善，更有十萬士兵駐守。」

她又詳列敵人名單：彼列公爵麾下仍未歸順的四位侯爵、三十八位伯爵、三百位子爵、三千位男爵；其餘九萬名沒有爵位的惡魔，其中三萬屬低階惡魔，剩下的，則是沒有智力的小妖或魔獸。

蘇梓我聞言大笑：「哈，至少他們有超過一半都是腦殘嘛。」

「不知道蘇大人又會被歸類哪類呢。」雅典娜冷冷吐槽完繼續補充：「如今撒馬利亞城牆上設置了祭壇，每個角落都布有魔法陣，其防禦結界就連蘇大人的轉移術都無法突破。不僅如此，彼列大公把我們的名字寫進撒馬利亞的罪人名冊，我們一進城，就會被魔法陣封印魔力，能力大為削弱。」

至於撒馬利亞城外同樣戒備森嚴，方圓二萬尺的村落都被夷為平地，平原上築起巨眼燈塔，任何敵人要從陸路接近撒馬利亞，必先遭砲火洗禮。

雅典娜總結道：「這次彼列大公花光了兩千年來累積所得的靈魂來備戰，他就算得勝也沒好處，輸了更是一無所有。顯然他已放棄自己在魔界的地位，準備恢復天使長身分、吹響滅世號角。」

蘇梓我反問：「既然他都決定釜底抽薪，妳有想到什麼應對之法？」

「面對滴水不漏的布防，我們只能在郊外打游擊戰，將巨眼燈塔逐一拆毀，好讓賽沛女王的精銳士兵能叩響撒馬利亞城門。」

但蘇梓我對她的建議不滿意。「妳雖然是個智慧女神，但太過循規蹈矩，缺乏想像力。等本英雄展示給妳看，什麼才是英雄風格的戰法。」

蘇梓我轉頭吩咐娜瑪：「妳和其他惡魔回去香港帶些人類來魔界。反正歐洲那些難民都能適應魔界了，香港人肯定不會有問題。」

娜瑪一連丟出好幾個問題：「我們用魔空間回歸只能一個一個地帶來喔，你想要多少人？而且帶他們來魔界是為了什麼？他們又會願意跟來嗎？」

「蒐集信仰當然人越多越好。之前我與萬鬼之母交易，讓鬼族到香港交流，什麼牛鬼蛇神那些信徒都見識過，這次就當來魔界度假吧。魔界的空氣是比較差，但至少沒有霧霾，地方又大，說不定居住環境比寸土寸金的香港還要好呢。」

蘇梓我續道：「至於其他人，就替我改裝一下新的祕密武器，我已經把要求寫在筆記上面。」蘇梓我把筆記遞給新來的佛爾卡斯。「假如你的占卜無誤，後天真來了一位擅於工藝的魔神，你就代我命令他照筆記上的設計圖執行。」

佛爾卡斯接過一張紙，疑惑問道：「蘇主教是打算遠行嗎？」

「我要去找女人。」

娜瑪追問：「是去找賽沛女王和伊西斯小姐？怎麼你突然親力親為起來啊，之前明明都把所有事情推給我和雅典娜做。」

「哼哼，之前對付嘍囉當然交給妳們去辦，但這次對方是那個娘娘腔天使，本英雄一定要親自報仇。」蘇梓我從龍椅站起，立刻用轉移術離開了。

「說到底，能令蘇哥哥動真格的，就只有小娜娜一人呢。」夏思思沒趣地說。但其實她和娜瑪都沒猜到，蘇梓我要見的女人另有其人。

◇

「原來是你，特異的靈魂，很久不見了。」

「有想念本英雄嗎，嘿嘿。不過妳這裡還真是自由出入嘛，說不定某個晚上我會來夜襲妳喔。」

「並非如此，只不過你擁有特別權限而已。」黑暗中女聲回應：「至於夜襲，依妾身判斷，你並沒有這本事。」

此刻蘇梓我載浮載沉在虛空中，開門見山告訴對方：「我今次造訪是來通知妳一件事。」

那位不見身影的女士回答：「人類、天使、惡魔，這三個種族之間的戰爭妾身都不會干預，你又打算告訴我什麼？」

「對，我就是希望妳不要干預，讓我的手下路經貴寶地。」

漆黑中一片沉默，良久，萬之鬼母回答：「我明白了，你還真是異常，居然想出這種方法來『夜襲』薩麥爾。」

「這只是其中一個方法而已，如果妳有興趣，不妨再等四日，四日後妳會親眼見證到本魔王的誕生，哈哈！」

「四日後是人間的枯潮、魔界的大潮，這也是你的預期之內嗎？」

「嘿嘿，自從收復許多魔神後，我能通曉天文地理，這些計算難不到本英雄。」

「既然你已有全盤計畫，妾身就繼續擔當觀察者的角色，見證歷史吧。」

7

拜訪完萬鬼之母後，蘇梓我馬不停蹄來到米底巴——不久前還是疫病魔王米利凱的封地，如今已由賽沛女王支配，米底巴也被改建成半個水上都市。

這全靠巴別塔的囚犯開鑿了運河、貫穿米底巴的南北，海水半淹中央城堡，讓人魚族得以棲息。至於河畔東西兩岸則分別讓巴別的惡魔和原居民聚居，大家也倒相安無事。賽沛女王不愧是一方侯王，將米底巴領管理得井然有序。

運河連接位於魔海的人魚領地珍珠堡，更使米底巴變得更加熱鬧，更無須擔心補給問題，因此城內原居民早已忘記那位被囚禁在城堡地牢的米利凱侯爵了。

所謂萬事俱備，只欠東風；蘇梓我就是那道東風，從鬼界吹來米底巴的城門前，坐著小船進城。

賽沛女王大聲宣告：「大家來跟爸爸打招呼啦。」

運河兩岸站滿人魚士兵，向蘇梓我鞠躬敬禮，齊聲道：「恭迎父王大駕光臨。」

蘇梓我摀著雙耳，喝令賽沛：「以後禁止她們叫我爸爸！」

「爸爸你不要她們了嗎？」賽沛呵呵大笑。「不過嚇嚇大人而已，她們並非全是你的孩子啦。剛剛出世的人魚雖然有些比較早熟，但大部分還在魔海裡接受訓練。不過嘛，就算不是大人的女兒，軍中也有不少你的舊相好就是。」

「別亂說，我跟她們沒有半點關係。」

蘇梓我看起來很害怕賽沛，一旁侍奉賽沛的忒爾女王見狀忍不住偷笑，卻不小心與蘇梓我對上視線。

忒爾女王先發制人：「你這淫賊一定又想非禮我吧！哼，只怪我的魔力比不上你，你要從前面還是後面來悉隨尊便！」

「現在不是時候。」蘇梓我輕描淡寫地便拒絕了忒爾女王，令她十分驚訝。

「你這樣這不正常！」

「妳才不正常，今天本英雄是為了正經事而來。」蘇梓我告訴賽沛：「我已經決定在四天後收拾掉彼列，要請妳協助了。」

「四天嗎？」賽沛答道：「伊西斯小姐的囚人部隊四天也只能多挖十公里的河道，與撒馬利亞還有一段距離。蘇大人，你知道我們離開水面，作戰能力會大減吧？」

「河道就算了，我為妳們準備了一條祕道。」

於是蘇梓我把計畫告訴賽沛，賽沛感到不可思議。

「蘇大人除了現世和魔界，就連鬼界都有交情呢。現在我開始替彼列感到可憐了。」

「少廢話，同情心這三個字不適合妳。總之，當日就看妳表現了。」

「放心吧，人魚在海上是無敵的。當然如果大人擔心，不如就叫忒爾小女王召喚她的同鄉海妖族前來幫忙嘛？」

蘇梓我想了一想。「這建議不錯，妳就以我之名去告訴那些海妖，假如她們不願意協助，本英雄就會親自懲罰她們。」

弍爾女王指罵蘇梓我：「你看！果然是淫賊，你不要妄想我的同族，你要的話只侵犯我一人就好！」

賽沛笑道：「讓蘇大人見笑了，弍爾小女王大概受不了我的調教，所以行為有點古怪。不過海妖的事我會考慮看看，大戰在即，就算是腦袋有問題的海妖也想借來一用呢。」

「那就拜託了。」

◇

三日後，佛爾卡斯的預言果然應驗，一名男性惡魔來到蘇城求見蘇梓我。

「我是繼承瓦布拉名號的男爵惡魔，幾日前被偉大銅像的傳聞吸引來到此地；今天親眼看見，果真百聞不如一見，想到那尊銅像能變形成魔法砲台，我就十分興奮，很想拆解看看裡面的機關設計！」

侃侃而談的瓦布拉讓人有點不習慣，因為他不是人形惡魔，而是一頭有翅膀的雄獅。

瓦布拉——所羅門魔神的第六十位，擅長機工術，對天下所有機械工程的知識無一不曉。偏偏他的外形是頭瘦削的獅子，背上有獅鷲的翼，擅長逃跑不善戰鬥，自己也無法獨自打造機械，只能透過口述來傳授工藝。

蘇梓我剛剛回城，便對瓦布拉命令：「只要你發誓效忠本英雄，我自然不會拒絕我戰友的要求。」

瓦布拉爵位低微，投靠有潛力的魔王也算是出人頭地的捷徑，沒多想就一口答應了。雙方交換契約後，蘇梓我馬上有任務派給他。

「這是……」瓦布拉接過蘇梓我的設計圖，那是銅像另一個祕密武器的設計圖，二者結合，那就是蘇梓我為彼列準備的驚喜。

「城內所有工匠任你差遣，我要這東西在明天日出前完成。」

「不到一天時間嗎，真有趣，實在太有趣了！」

瓦布拉對機械甚為熱衷，看到未曾見過的裝置就會興奮地說個不停，是頭多話的獅子。他拚勁十足，連聲告退也沒說就跑到廣場上，跳來跳去開始指揮改裝工程。

一眾工匠通宵達旦，翌日，終於來到蘇梓我親自收拾彼列的重要日子。

8

「敵襲！城南三公里外發現敵軍蹤影，確定是巴別的囚人軍團！」

一柱柱燈塔陸續亮起紅光警示，就像無數大紅燈籠掛在魔界天空，既壯觀又令人戰慄。

伊西斯依舊是一貫態度，頭髮蓬鬆如早上剛睡醒的模樣，穿著睡衣盤膝坐在雌獅上看書。她身後的雜牌軍也是老樣子，來自不同種族不同背景，有的拿尖槍、有的拿大鐵鎚、有的拿鋤頭，唯一共通點就是皆聽命於領軍的這位大巴比倫少女。

伊西斯確實有種難以解釋的魅力，能整治這些龍蛇混雜的惡魔。

芭芭拉對背上的伊西斯說：「敵人的燈塔已經亮起警示，我們還要繼續前進嗎？」

伊西斯只是低頭翻書，沒有回應。一萬大軍跟隨這位不太喜歡說話的埃及古神走向撒馬利亞，逐漸逼近巨眼燈塔陣，並在紅色霧光之下發現彼列大軍的身影。至於敵軍主將，他那獨特外形並沒有逃過黃金獅子的眼睛。

「那個山羊頭是北方城市示劍的領主，羊頭魔王巴弗滅。」

巴弗滅——彼列大公旗下剩餘的四位侯爵之一，外形是長著翅膀的人形山羊，羊首人身，擁有女性的胸部，男性的下半身，藉此嘲笑人類不論男女都甘願當聖主的羔羊。

「很強嗎？」伊西斯放下書本出聲問：「那個叫巴弗滅的魔王。」

另一位所羅門魔神佛拉斯回答：「巴弗滅在現世也有邪教徒崇拜，在侯爵之中是數一數二的強大。」

伊西斯戳了戳佛拉斯的手臂肌肉。「那如果跟佛拉斯比較呢？」

「就算有十個我，也傷不了巴弗滅一根汗毛。」佛拉斯苦笑回答。

「好吧，我們先在這裡停下來。」伊西斯下達命令後，又繼續埋首在書中的冒險世界。

◇

另一邊廂，巴弗滅軍隊駐守在巨眼燈塔下監視著伊西斯軍的一舉一動，見敵軍行伍停了下來，山羊惡魔不禁嘆道：「想不到那小妮子能剛好停在燈塔的射程邊緣。假如再往前走半步，我們就殺個片甲不留……算他們走運。」

「巴弗滅王，我們還是按兵不動嗎？」

「嗯。比起巴別的烏合之眾，賽沛的人魚軍團才是值得注意的敵人。」

巴弗滅根本沒把伊西斯放在眼裡，在他眼中，伊西斯只是個被手下魔獸造反的無能丫頭，若不是蘇梓我恰巧出現，她現在還在巴別當傀儡城主。

「但為什麼本王絲毫感受不到賽沛的魔力……到底躲去哪了？」

◇

巴弗滅感應不到賽沛的氣息，但蘇梓我知道一萬人魚軍和海妖已在清晨時分潛到鬼界，如今應該在地下水道朝著撒馬利亞前進。

「她們真的沒問題嗎？」另一邊廂，身處蘇城的娜瑪在船上擔心問道。

雖說鬼界和魔界只有一線之隔，但向來只有鬼界一直持續從地洞釋放惡鬼飛往魔界，主動從魔界前往鬼界根本前所未聞；兩界長久以來河水不犯井水，惡魔不敢得罪萬鬼之母，對鬼界也敬而遠之。

然而換個角度想，這不就是個好機會嗎？鬼界的地底通道好比城市的地下鐵路系統，只要入侵鬼界，就能繞過地面防線直達撒馬利亞中心。

唯一問題就是，如何穿越鬼界四通八達的地道而不至迷失方向。但這問題難不到賽沛，今天正值鬼界大潮，黃泉水漲滿了鬼界地道，對於擁有御海術和定海神針的賽沛女王來說，根本如魚得水。

「賽沛那個可怕的女人沒什麼好替她擔心的。妳先顧好自己，別暈船弄髒船艙。」蘇梓我得意洋洋地仔細檢視艦長室內的儀表盤，自然是完全看不懂，但這艘船已改裝成由魔法驅動，儀表盤等都只是裝飾。

這時，埃力格走進艦長室報告：「城內所有人已經登船，在下的翼騎兵隊亦準備就緒。」

新來的翼獅魔神瓦布拉亦插話：「銅像巨砲都安置妥當，改裝也順利完成，可以試飛了！」

「沒時間試飛，現在就要出發，不然我要其他人上船做什麼。」

「欸？」娜瑪拍打艦長室的破爛機械問：「這東西真的可靠嗎？」

蘇梓我只冷笑一聲，頭也不回走到控制台前，向全艦廣播：「五分鐘後，『蘇神號』即將進入空間折疊，目的地是撒馬利亞上空！」

夏思思小聲說：「不是空間折疊，只是普通的轉移術呢。但蘇哥哥能蒐集如此多的魔力轉移數千人也是不簡單，不知又有哪家少女奉上鮮血了。」

◇

明明是戰雲密布，只有撒馬利亞城堡的陽台氣氛依舊：花壇中央擺了張白色圓桌，茶几放上漂亮的點心架、琳瑯滿目的甜點。一邊品茶、一邊飽覽城下萬家燈火，加上身後惡魔奏樂，這是彼列大公最享受的時光。

剛剛得知伊西斯軍現身南方，彼列大公此刻充滿期待，猜想蘇梓我究竟會從哪裡攻過來。他用手帕輕輕擦嘴，卻頓感城內魔力異常——

「哦，從上方嗎？」

萬尺高空赫然出現一不明發光物體，像流星在天空穿梭，軌跡卻搖擺不定，不規則地在上空打轉。

彼列大公抬頭望天，喃喃道：「不像是阿提蜜絲的月亮鹿車，那魔力波長像是乘載了幾千名人類……」

「彼列大人！撒馬利亞上空偵測到敵軍反應，但人數和身分不明，我們要派翼騎隊在上空攔截嗎？」

部下竟晚了好幾分鐘才匆匆來報，而且所知還比彼列少。不過彼列沒有生氣，他很清楚如何調用自己的部下。

「在原地鞏固防禦結界，待敵人的天空戰艦進入射程範圍，我們再出兵反擊，把他們一網打盡。」

「遵命！」

傳令兵退下後，彼列暗自發笑。「天空戰艦啊，實在有趣。魔界應該沒這種鐵皮船，大概是把現世的裝備帶來這裡了吧？蘇梓我，就讓我看看，到底是你的鐵皮船先打破撒馬利亞結界，還是撒馬利亞的火砲先將你擊落。」

9

「蘇神號」就是原本薩雷諾的遠洋郵輪。雖然不可能把它改裝成飛船，但瓦布拉在船的兩舷安裝帆布滑翔翼，就像兩片透光的大魚鰭，使其能在雲海中暢泳，浮於撒馬利亞上空。

「喂喂！轉右，要翻船了！」

船體突然遇上氣流左傾，艦長室內的眾人差點跌倒。蘇梓我不想這艘以自己來命名的戰艦沉得比起鐵達尼號早，馬上督促瓦布拉指揮。

「保持在船首俯角二十度，滑行速度十節，右舷十五度盤旋！」瓦布拉大聲向船員下達指令，經過幾次嘗試後，蘇神號總算成功調整軌道，再次在風中穩定滑翔。

瓦布拉興奮地又跳又叫：「早說過我的設計不會有問題，哈哈哈！」

「有問題我就先煮了你，來做紅燒獅子頭。」蘇梓我站穩控制台前，再次艦內廣播：「進入第二階段，祈禱班開始頌經，蘇神砲要發射了！」

原來蘇梓我的銅像已移至船上，並用鐵索固定於船首；銅像跨下的魔法棒緩緩伸長，尖端發光射出魔法砲彈，從高空轟向撒馬利亞！

「轟炸目標可以用預視術顯示出來呢。」夏思思命令烏洛波羅斯自咖成一圈，圈內浮現撒馬利亞的鳥瞰影像，滿天魔法砲彈呈拋物線墜撒擊馬利亞——

突然，畫面變得灰濛一片，煙塵間露出巨大半球狀的防禦結界，將撒馬利亞城完整罩住，如傘般擋下魔法砲雨。

「再射！我就不信射不破那結界！」

一聲令下，蘇神號繼續猛烈轟炸地面，只是仍無法動搖撒馬利亞的結界。

夏思思說：「那防禦結界集合了上萬惡魔的力量，普通魔法攻擊不可能擊破它喔。」

「那換娜瑪上場，妳出去轟一下閃電火。」

娜瑪深作呼吸，離開艦長室走上甲板，在蘇神銅像下凝聚魔力，右手高舉，直直落下雷神的憤怒——

一道紫閃從船首劈下，空氣中留下遭雷火燒焦的黑色軌跡，雷霆槍垂直插向撒馬利馬的城堡上空，轟隆數聲炸出數個大火球。但情勢仍沒有改變，城堡屹立不倒，彼列大公依舊坐在陽台上看戲笑著。

「果然不行啊……」娜瑪在甲板嘆氣，但艦上隨即響起廣播：

「妳這沒用的女僕別停手，繼續轟下去啊！」

「唉，好囉嗦。」

此時一道砲火迎面飛來，接著是震耳欲聾的爆炸聲，但艦身卻只輕微搖晃——幸好蘇神號同樣展開了結界護盾，將撒馬利亞的高射砲火擋了下來。

艦長室內，夏思思說：「我們這邊的防禦結界也不差呢，果然把這些人類帶到船上是正確的。」

蘇神號起程前，有安排歐洲難民和香港的教徒登船祈禱，負責供給信仰，維持魔法大砲與防禦結界。這確實要有大型郵輪才能夠辦到。

不過杜夕嵐有點內疚。「把平民帶上戰場還是太過冒險，萬一防禦結界被打破的話……」

「哼，如果蘇神號的防禦結界崩潰，這就代表那些人對本英雄的信仰不足，死不足惜，哇哈哈哈！」蘇梓我胸有成竹地說：「要有信心，你們聽我吩咐就好。蘇神號已進入敵方射程內，接下來就是比誰先炸掉對方的結界！」

蘇神號只能不斷往下滑翔，最終一定會與撒馬利亞的結界撞上，一旦兩方球狀結界衝撞，就像地球撞向太陽般，蘇神號的結界肯定會被撞至粉碎，屆時他們數千人就赤裸裸地變成活靶。

所以一定要先卸下對方結界，而娜瑪只好發狂似地不斷在空中擲下閃電火；雙方魔力駁火、縱橫交錯，但蘇神號始終對撒馬利亞的結界束手無策，眼看就要失敗，蘇梓我卻得意地暗笑。

「喔，我忘了說，本英雄投的是煙幕彈喔。」

彷彿在應和蘇梓我的話，入侵撒馬利亞的真正主力部隊終於登場——地震襲來，撒馬利亞廣場首當其衝、崩裂出一個大洞，洞內泥黃水違反重力法則，形成一道直上九天的瀑布！

撒馬利亞城內的衛兵立即趕去查看，但還沒搞清楚狀況，泥黃水瞬間增加鮮紅色，視察的士兵全都變成了浮屍。

說時遲那時快，城西的商業區又有地陷，另一柱黃泥水升到半空，把附近的守衛統統殺死。如此熟練的殺人手法，正是出自賽沛的人魚軍團，她們利用地下水的掩護從城鎮各處現身，大開殺戒。

一時間，城內有六、七條水柱噴至數百尺高。賽沛趁魔界大潮把洪水引進城內，同時撒馬利亞其固若金湯的城牆更把水困在裡頭，結果導至水位迅速增高，不消數分鐘就淹到腰間。

賽沛浮出水面又刺殺了數個嘍囉守衛，以定海神針撐起敵人屍體喝令：「目標是維持結界的祭壇，我們要拆掉祭壇，為大家的父王開路！」

人魚士兵氣勢如虹，反觀城內守衛方寸大亂；這樣下去，假使撒馬利亞被黃泉水淹沒的話，到時就無人能阻賽沛的人魚軍隊。彼列深知人魚軍隊是海上最強的軍團，所以一定要阻止最惡劣的情況發生。

「瑪門伯爵，你帶軍隊撞開城牆洩洪吧。」

瑪門伯爵——一頭梟首狼身的惡魔，七樞罪之一的貪婪象徵，是位擁有莫大魔力的伯爵魔神。約半年前，瑪門伯爵受大陸正教所託襲擊利家，還差點殺死娜瑪，最後因為蘇梓我帶著維斯塔聖火出現覺得麻煩才不得不撤退。想不到跟蘇梓我這麼有緣，又再成為敵人。

瑪門伯爵站在彼列的陽台上，回答：「撒馬利亞的城牆堅厚，並非能簡單撞毀。」

「但對瑪門伯爵來說，撒馬利亞的城牆不就跟紙皮一樣？你的酬勞我可以再加一倍，期待你的好消息。」

「感謝彼列大人。」瑪門是貪婪的集合體，貪欲就是他的魔力來源；他變成數十尺高的大惡魔，在山上召集衛兵一同往城北前進，企圖阻止洪水淹城。

10

街巷短兵相接，千里城牆烽火連天，但叫喊聲中，唯獨瑪門巨大的身影吸引住賽沛的視線。

「這下麻煩了，彼列大公找來厲害的幫手呢。」賽沛喝道：「我們不能讓瑪門伯爵接近城牆，第一和第二大隊跟我來！」

兩千人魚緊隨賽沛穿越水浸的街道遇魔殺魔，直逼城北圍牆，終於追上了瑪門的軍隊。

「瑪門伯爵，好久不見了。」

「賽沛女王啊，真令人意外。」

瑪門示意士兵停步，同時人魚軍隊亦放下武器，雙方首領走上前談判。

瑪門好奇地問：「像閣下這樣厲害的大人物，為何甘願當人類的部下？」

賽沛抬頭回答：「瑪門伯爵不也曾接受過教會的委託？」

瑪門身軀雖大，但爵位比賽沛低，魔力比不上魔海女王，因此回答得恭敬有禮。

「在下接受人類委託都不過是場交易，從來都沒效忠過人類，因為人類根本比不上惡魔。或者應該問，莫非閣下認為，蘇梓我比彼列更加適合為王嗎？」

賽沛笑道：「能獲得萬鬼之母的默許，借用鬼界水道把撒馬利亞搞得天翻地覆的人，這世上大概只有蘇大人一人呢。而只要阻止你推倒城牆洩洪，本王就能破壞撒馬利亞的結界，為蘇大人開路入城。」

瑪門嘆道：「如此一來我們就只能成為敵人，真遺憾。」

話雖如此，瑪門看起來也不想跟賽沛決鬥，甚至好像在給她機會說服自己；另一方面，賽沛深知瑪門所求，於是耐心解說：

「如今撒馬利亞周邊領主分成兩派，但無論誰勝誰負，當中必有一方的侯王們會被褫奪爵位和封地，魔界二十一侯位就會懸空。這樣看如果押注在彼列一方似乎也並無不妥。」賽沛冷笑道：「但你有聽說過彼列的真身是墮天使嗎？這場戰爭不論勝敗，彼列都會返回天界，你站在彼列一方不但沒有好處，還可能得罪其他兩位魔界大公。

「反觀蘇大人沾有撒旦大人的血，又統領所羅門魔神，能名正言順繼承公爵之位。假如想加官晉爵，賣人情給我們的回報會高得多。」

瑪門交叉手臂沉思，良久，突然回頭走近城牆，大口噴出魔球、在城牆下轟出一道小裂縫。

瑪門答道：「我軍已拚盡全力，無奈不諳水性，敗於賽沛之下。只不過敗給魔海女王並非羞恥之事，我們日後還會再見，祝大人武運昌隆。」

語畢，瑪門縮小至凡人大小，並帶領隨軍從裂縫離開撒馬利亞。始終一道裂縫無法阻止撒馬利亞被洪水淹沒，這就是瑪門給賽沛的答案。

◇

——瑪門軍撤退了！

撒馬利亞傳令兵神色慌張，一跌一碰跑到城堡陽台向彼列報告：「賽沛軍已控制城內主要街道，各據點的撒馬利亞守軍孤立無援，祭壇快要淪陷，無法維持防禦結界了！」

然而彼列氣定神閒，只是揚手示意傳令兵退下。彼列有女性細心的特質，擅長觀人於微，本就從沒信任過瑪門伯爵。派他出場不過是將計就計，布下陷阱讓蘇梓我自投羅網。

但不得不承認，彼列大公對蘇梓我的看法開始改觀，畢竟他們竟然用上相同的策略……

◇

此時蘇梓我的天空戰艦正闖入撒馬利亞千尺上空，撒馬利亞的防禦結界已經消失。

「哇哈哈哈！已經沒有東西能阻擋蘇神號前進了，給我把城內燈塔統統炸燬！」

蘇梓我意氣風發，就連蘇神號也好像有氣場包圍，猛烈轟炸撒馬利亞的魔法方陣。不過這優勢只是維持了幾分鐘，蘇梓我突然感到暈眩，還有艦長室內的其他同伴都相繼無力倒下——

「一定是彼列大公發動了罪人結界……」雅典娜半跪下來，痛苦說道。

娜瑪同樣感到全身無力，問：「怎麼會這樣，賽沛女王不是已經控制住城內祭壇了嗎？」

但蘇梓我搖頭說：「不對，那混蛋準備了另一個移動祭壇，他抄襲了我的戰術！」

◇

誰會想到把艦船帶到陸上應戰？偏偏兩個怪人都準備了奇兵。當守不住結界之際，就是水淹撒馬利亞讓推羅海軍登場之時。

艾力羅格——推羅港的領主、藍皮人形侯王。他與彼列惺惺相惜，跟瑪門那種見風轉舵者差遠了。因此艾力羅格被委以重任，在他的旗艦運載數千結界師，並航行至撒馬利亞城中央施放罪人結界。

撒馬利亞的罪人結界——凡被寫入城內罪人名冊的靈魂，他們都會被撒馬利亞的土地詛咒；蘇梓我、娜瑪、賽沛都沒有例外。於是當罪人結界一張開，賽沛的魔力便被封印一半，她的人魚兵團就變得無法與推羅海軍對抗。

一時間，推羅海軍五艘戰船揚帆出現，甲板上有無數砲火轟炸向人魚，血流成河，不少人魚戰死在城內形成的海上。

◇

但禍不單行，同時彼列軍勢又增加了一個軍團——戈蘭領主，比夫拉斯侯爵軍。

比夫拉斯是獅首惡魔，驍勇善戰，喜歡騎著黑熊縱橫戰場、以號角下令，指揮他的惡魔軍團。此刻他率兵登上城牆，可想而知，目標只有一個。

「一同向天空敵人發砲！」

語音未落，城樓上冒出一個直徑超過十尺的巨大火球，如同熔岩殞石直飛向蘇神號！由於蘇梓我等人魔力被罪人結界封印，蘇神號護盾減弱，右舷竟轟然一響被轟出個大洞。

飛船頓時冒出濃煙，在半空左搖右擺，再捱幾砲就肯定要失控墜毀。但蘇梓我還得靠它來硬闖撒馬利亞，這下情況非常不妙，搞不好還沒降落就被炸成砲灰。

偏偏罪人結界集合了魔界土地之力，力量驚人，是魔界大公從撒旦獲得封地時，一同獲賜的最強魔法，用以阻止其他惡魔造反；只要名字落在罪人名冊上，他們就無力反抗。

但反過來說，也許這是無名小卒大顯身手的時候。

11

推羅艦隊五首戰艦均是木製的外輪船，兩舷各有三個大型水車撥水前進，即使船長超過三十尺依然能在狹窄巷內靈活前行，這是比槳座戰船更為優勝之處。

旗艦上的艾力羅格意氣風發，站在船首以右手興風、左手作浪，呼風喚雨擊殺人魚軍團。如同身上深藍膚色，艾力羅格擅操水域，無奈卻屈居於魔海女王之下。但恥辱的日子已過，現在正是復仇的好時機！艾力羅格召來水龍捲，沖走礙事的人魚，引浪把賽沛推到最面方——

「逮到妳了！」

艾力羅格緊握藍色拳頭，將海水化成天空箭，再揚手，箭雨霍霍射向賽沛——賽沛旋即以神針擋下，卻漏了兩箭，其中一箭更刺破右肩見骨，鮮血灑上水面。

「真不懂憐香惜玉。」賽沛微笑著用魔力替自己止血。她不能這麼快就倒下，不為蘇梓我，為了自己的部下也要撐下去。

然而洪水中越來越多人魚被捲下沉，在水底看見此景的無不感到懼怕，忒爾女王也不例外。

忒爾女王顫抖地慌道：「不如撤退吧，那藍皮魔王太厲害了！」

「妹妹妳說過要復興我們海妖一族，怎麼又想臨陣退縮呢？」

忒爾女王出身於四姊妹的家庭，剛才說話的正是長女伊西諾厄。

次女阿格勞珀附和道：「對嘛，之前很努力地遊說我們的忒爾去哪裡了？」

三女摩爾珀說：「妹妹不是要證明給那男人看看海妖的本事嗎？不要輕言放棄啊！」

忒爾女王嘆道：「但連賽沛女王都不是他的對手，我們這些沒有爵位的小妖又怎能反抗？」

「海妖有海妖的戰法。」伊西諾厄冷靜回應：「如果連幾艘船都沒辦法搞定，我們海妖族顏面何存？」

姊姊的這番話令忒爾女王回想起往事。十年前，她獨自離鄉背井，在人類的世界流浪，見識過世途險惡，慢慢建立自己的王國，最終卻被蘇梓我收服。

但她仍然有個夢想，就是要證明海妖也能變成偉大的惡魔貴族。她並非因為自戀，才強迫其他人稱呼自己為女王。

「我明白了……都已經走到這一步，就算要賭上海妖名聲，也不能輸給那些混蛋！我也很久沒有跟姊姊合奏了，姊姊妳不會嫌棄我礙手礙腳吧？」

伊西諾厄嫣然一笑，從水底召喚出一架純白豎琴。阿格勞珀把長笛放在口邊，摩爾珀則唱著和音，最後由忒爾女王唱出海妖家鄉的歌謠——

幽怨的旋律在海上迴響，起初艾力羅格不以為意，畢竟他很快就能擊潰賽沛；但過不久，直到艾力羅格發現推羅艦隊出現異樣時已太遲。

「這是海妖的歌聲？怎麼會有這些小妖？」

艾力羅格見我軍的船艦偏離航道，左邊一艘護衛艦更是直衝旗艦而來！為了不讓它撞毀船上的魔法陣，別無他法之下，艾力羅格唯有捲起巨浪，準備親手擊沉——

猛地傳來轟隆的撞擊聲，艾力羅格所在的船如邋鞦韆般左搖右晃，甚至把他拋撞到船桅，船桅應聲斷裂！原來海妖四姊妹早已支配了推羅旗艦，她們使旗艦撞向街內武器工廠，工廠內的熔爐與熱油一同引爆，船底炸至凹陷變形，更見旗艦更開始灌水。

「哇，要沉了！」船上一些比較高階的惡魔未受到歌聲迷惑，一見船將沉便想趕緊逃生，卻被艾力羅格一手扯斷頭顱！

「所有人不准離開崗位。」艾力羅格大聲喝罵：「繼續維持結界，就算死也不能離開！」

艾力羅格連忙回頭，他想殺死賽沛想得要瘋了，但此時右舷又傳來爆炸聲——

另一護衛艦以船首衝撞旗艦，幾乎攔腰把船撞成兩截，斷截處的船員紛紛從破洞遭洪水捲走，罪人結界隨即瓦解。

◇

此時，城牆上的獅首魔王比夫拉斯察覺結界消失，空中蘇神號又快要重新展開護盾，便趕緊督促眾人用魔法擊落頭頂的飛船。

「只差一點點！只要把那東西打下來就是我們的勝利！」

這時另一魔王回到比夫拉斯面前，使他大感意外。

「巴弗滅閣下？」比夫拉斯問：「你不是在城外阻止伊西斯軍嗎？」

「快……快逃……有怪……」

說到一半，巴弗滅突然七孔緩緩流出血——比夫拉斯這才發現站在巴弗滅身後的，正是伊西斯本人。其實巴弗滅此時已是半個死人，內臟全被掏空，是伊西斯用她的神力勉強維持著他的生命。

簡直難以置信。比夫拉斯心想，巴弗滅是魔界地位僅次於魔界三公的侯王，再加上巨眼燈塔陣的支援，怎麼可能被那小妮子殺死？

伊西斯輕輕撥開散亂的前髮，閉上左眼，睜開右眼——其深邃的眼神彷彿看破生死，一股莫名的壓迫感襲向比夫拉斯，令他確信眼前女孩確實是殺死巴弗滅之人。

比夫拉斯驚道：「這是荷魯斯之眼，怎麼會在妳的身上！」

「愚蠢的問題，伊西斯可是荷魯斯的母親。」

荷魯斯之眼——埃及文明的原初神器，右眼能奪去他人性命，左眼能使人復活，是命屬性的原初神器。

——不能跟她對上眼！

只是短短數秒，比夫拉斯已被吸食了十分之一的生命！他連忙闔上雙眼，又立即警告手下；只可惜他們沒有比夫拉斯的抗魔力，眨眼間就死了上千個惡魔，是極其可怕的大範圍殺人魔法。

伊西斯是掌握所有埃及魔法的女巫神，她的殺人法術包羅萬象。她念念有詞，一時間召來冰雪、風暴、火球、轟雷，如五彩花火在城樓上連環爆炸，將比夫拉斯的軍隊炸飛到城牆下——

伊西斯的左右兩個護衛魔神，滿身筋肉的佛拉斯一拳就把那些逃避視線的士兵毆至變形；黃金獅子巴巴斯以利爪撕破敵人鎧甲，張口咬死反抗的惡魔。

城牆上腥風血雨，這也能解釋為何伊西斯有如此本事，在搶回巴別城的控制權後，馬上就制伏住監獄內的牛鬼蛇神。伊西斯能操縱生死的神力，囚人們在獄中早時有所聞，但她不像緋紅十角獸那樣只會壓榨他們，就像此次她便承諾會特赦參與戰爭的罪犯。

在伊西斯的調教下，這群惡魔雖是烏合之眾，但士氣如虹；為求自由大肆殺敵，絕不手軟。

正因伊西斯軍橫掃城牆上的比夫拉斯軍，迫使對方停止攻擊蘇神號，蘇神號才得以在空中調整陣勢，繼續滑翔飛往彼列的城堡。

12

「形勢又逆轉回來了。」賽沛望見天空的蘇神號脫離危險，便告訴忒爾女王：「這次妳立下大功了，忒爾克西厄珀亞。」

這一刻城內的推羅戰艦已全數沉沒，但戰爭尚未結束，艾力羅格帶著部下棄船飛到半空，以魔力轟炸水面將人魚活生生炸死；其士兵亦在半空亂箭射向水裡，不給賽沛軍一秒喘息的時間。

忒爾女王擔心戰況浮上水面，卻見傷痕累累的賽沛退到後方療傷，不禁擔憂問道：「不是解開結界了嗎，怎麼妳的臉色還是這麼蒼白？」

「太遲了，本王已經元氣大傷，就算解除封印也無補於事。」賽沛嘆道：「我的手下也戰死了一大半，這邊已經捱不了多久，好在蘇大人沒事總算令人有點欣慰。」

就在兩人對話同時，前線的人魚士兵一面倒地遭艾力羅格虐殺。艾力羅格畢竟也是侯爵惡魔，在賽沛重傷退下後，可謂勝負已分。

「賽沛給我滾出來！」艾力羅格在水面滑行，兩手拖著兩具人魚屍體直衝而來——賽沛連忙以定海神針翻起巨浪，勉強把兩方距離再次拉開。

賽沛對忒爾女王說：「定海神針不能落入敵人手上，妳帶著它和妳姊姊們先從地下水道逃走吧。」

「這……這是輸定了的意思？」忒爾女王慌問：「既然是打不贏，那為什麼不一起撤退呢？」

「別說傻話了。難得終於見到勝利的曙光，要是因為我放生艾力羅格而導致蘇大人戰敗，這千古罪名我可擔待不起呢。」

但忒爾女王依舊拒絕接受定海神針。「這樣就算蘇大人最後贏了此役，賽沛大人妳也無緣親眼見證……這不是太悲傷了嗎。」

周圍充斥著血腥氣味，兩軍血流成河，已開始分辨不出淹沒撒馬利亞的是黃泉水，還是人魚的血。

賽沛卻對忒爾女王微笑說：「戰爭本就是如此，人魚族的名聲也是靠著屍體累積而來，不論是敵人的還是自己人的。」

正是人魚的驍勇善戰，讓她們在魔界內佔一席位。忒爾女王想著，假如海妖族也要像人魚族那樣獲得其他惡魔尊敬，在這個殘酷的魔界裡，或許需要勇敢一點。

「我也留下來陪女王一起。定海神針交給我姊姊帶走就可以。」

「就算要死也不怕嗎？」

「對！」忒爾女王堅定回答。

「呵呵……」

賽沛女王意味深長地微笑，此時艾力羅格又再逼近賽沛，更有惡魔部下團團包圍住她們，誓要置她於死地。

「賽沛，我看妳能往哪裡逃！」艾力羅格喝道：「給我亂箭射死！」

……

「怎麼沒反應，你們這群飯桶——」

艾力羅格回頭一看，卻發現自己的手下全部背上被插了一槍，紛紛墜進水中。取而代之的是高空中的一支黑色軍隊，騎士個個如獵鷹對自己虎視眈眈。

黑騎士厲聲喝道：「賽沛大人，蘇主教命我前來救援，請大人先行撤退！」

埃力格率兵投槍擊殺敵軍，瞬間就把艾力羅格的殘兵殺了個數百。

賽沛對忒爾女王說：「看來我們命不該絕呢。」

「埃力格你這叛徒！」艾力羅格怒髮衝冠，回頭罵道：「區區一、兩千人，你以為就能打敗本王嗎？」

「艾力羅格，空中戰若你能傷到我一根汗毛，就算你贏。」

埃力格跟艾力羅格同樣是彼列麾下最強的侯將，但一個擅長海戰，一個擅長空戰，然而現下局面看來，結局無須多說。

「少放肆！」艾力羅格試圖以水龍捲轟炸空中騎兵隊，卻有股反抗力量同時在背後拉扯——

「忘記人家真令人傷心。」

賽沛使出最後力氣，以定海神針凌駕艾力羅格的水屬魔法，同時埃力格手執雙槍，挾同坐騎的重量俯衝向艾力羅格——兩道血軌頓時迸出，艾力羅格胸口被交叉劃出兩道血痕，快當場斃命。同時埃力格的手下四天王，亦分成四隊在空中包圍艾力羅格的殘兵，交錯刺槍，名副其實把敵軍一網打盡。

水面上一片哀號，不單是艾力羅格，還有比夫拉斯甚至整個彼列勢力的軍隊也逐漸崩潰，剩下來就看蘇梓我與彼列的對決了。

13

「給我報告狀況。」

罪人結界消失，蘇神號再次展開護盾滑翔，可是在空中搖晃不定。

總工程師翼獅魔神瓦布拉回答蘇梓我：「右舷的滑翔翼折斷了一半，船身被砲轟至變形也影響了氣流。現在蘇神號只能依靠俯衝的力量勉強滑行，頂多只能在城堡外著陸。」

雅典娜說：「但守在城堡外的還有掌管基低斯的摩洛侯爵。若降落該處就會被敵軍包圍，非常危險。」

這已經是彼列麾下最後一位侯王了，摩洛是典型頭上長角的惡魔，喜歡活生生燒死剛出生的小孩，在魔界有「焚子魔王」這令人聞風喪膽的稱號。

娜瑪望向蘇梓我。「原本計畫是讓黑騎士的翼騎兵隊負責開路，但支援賽沛她們比較重要吧？」

蘇梓我抱怨道：「所以我才不想承認那些人魚是我的孩子，真麻煩。」

「嘻。」在娜瑪眼中，蘇梓我終究不會成為魔王，至少他不是會把孩子拿去燒死的殘忍之人。但少了翼騎兵隊開路，他們又該如何突破封鎖、衝入城堡呢？

蘇梓我說：「索性直直撞向那堆敵人中間吧！」

「欸？」

「把防禦結界的威力提升至極限，使蘇神號變成砲彈，轟在敵人頭頂上、炸散他們防線！」

雅典娜說：「這也太亂來……雖不失為一個辦法。」

娜瑪皺眉。「可是墜落後，船內平民會遭受敵軍包圍，實在太過冒險。」

「不能讓他們恐懼，我還需要大量信仰力來打扁那娘娘腔。」蘇梓我反問：「保護那些人可是你們的工作，在成為惡魔之前，你們也都是保護人類的地方神祇吧？」

眾人沒有反駁，聽從蘇梓我分配工作。就算在最危急的關頭，蘇梓我都能一邊預視未來，一邊指揮部下，彷彿平日的怠惰就是為了今天耗盡心神、應付此戰。

蘇神號在魔瘴中滑翔，像劃火柴般劃出一陣聖光包圍船身，變成七色太陽闖入魔界。七彩太陽從天上落下、掠過山嶺蛇行，並高速衝往城堡山上，目標就是城堡前的惡魔方陣——山上摩洛魔王的駐軍看見太陽飛到頭上，便慌忙四散，陣形不攻自破；下一秒，蘇神號彷若泰山壓頂、以撼天動地之勢在山上轟撞出深坑，上千惡魔士兵瞬間慘遭活埋或壓死。

可惜蘇神號沒有擊中最重要的敵人，摩洛魔王重整旗鼓喝令士兵：「對方只是一艘運載人類的船，裡面守衛不足百人，大夥兒一起殺進去！」

摩洛魔王領兵六千，從四方八面重重包圍住陷入山坡的蘇神號——一陣強光從艦上煙囪照亮大地，比夫龍高舉死靈燭台，瞬間便召來一千死靈守在船下，與摩洛軍隊舉槍對峙。

「比夫龍閣下。」另一魔神，白騎士佛爾卡斯說：「我看火占的結果，船首是最危險的位置，敵人兵力最厚，死靈部隊則顯得太弱，務必避其鋒芒。」

比夫龍聽從佛爾卡斯的建議調動死靈，騰空位置。「轟啊！」翼獅瓦布拉緊接便在船內控制蘇神銅像大砲，零距離把接近船首的敵人炸得灰飛煙滅。

一陣煙霧瀰漫，現場頓時靜下數秒，畢竟重新充填銅像大砲需花些時間，一些小兵趁隙爬上蘇神號的船舷——立刻金箭穿心，一排惡魔串在一起倒地。

摩洛魔王抬頭看見船上另一煙囪上一道金光閃閃的身影，認出是月亮女神的戰甲，旋即命弓箭手將她射下。

「鏘！」

無數箭雨皆被雅典娜的神盾擋下，同一時間，摩洛的弓箭陣營頭上忽有黑影蓋頂——

「竟想攻擊我的月亮姊姊，你們去死吧！」

杜晞陽召喚出羅剎巨靈從甲板一躍而下，以拳轟地，砰砰巨響把那些弓箭手搥成肉醬！

「哇哈哈哈！」杜晞陽得意地大笑，卻沒發現有個漏網之魚向他回敬一箭報復——系爾男爵及時用轉移術把箭移轉到敵人身後，結果那弓手反被自己射出的箭殺死。

「小鬼，戰場不是鬥著玩的。」

「嚇死人了！」杜晞陽心有餘悸，連忙感謝系爾出手相救。

摩洛魔王氣得半死只好親自出馬，釋出侯王魔力震懾住現場小妖。夏思思忍住恐懼，跳到甲板上與摩洛對峙，並埋怨道：

「每次都要思思對付一些麻煩難纏的敵人，最搶眼的任務都交給小娜娜，不公平不公平！」

「原來是阿斯塔特子爵，作為對手好像弱了一點。」

「你閉嘴！就算思思打不贏你，也不會被你打敗，先吃一記烏洛波羅斯的怒火吧！」

巨蟒忽現，立刻噴出毀天滅地的虹蛇毒霧！雖然摩洛以魔力護身毫髮未傷，但他背後士兵卻倒了一地，看來夏思思一上場便使出渾身魔力，毫不留情。

雙方互有傷亡，但兩軍繼續廝殺；戰場殺氣沖天，喊聲此起彼落！見船上又轟出一道閃電，三道身影踏著惡魔屍體絕塵而去——他們正是蘇梓我、娜瑪和杜夕嵐，誓以兩件原初神器之力將彼列殺死。

14

突襲城堡正門，迎面手起刀落，蘇梓我狠揮大鐮就取下四名守衛首級。接著娜瑪用閃電火轟炸銅製大門，炸出一個大洞讓三人硬闖城堡。

一踏入玄關大廳，敵軍十面埋伏，連同廳內及二樓欄杆上都站有數百名惡魔，引弓瞄準蘇梓我項上人頭。身旁的杜夕嵐搶先射出三枝梵天神箭，箭頭在空中捲起火焰，在敵人群內爆炸！斷肢肉碎在室內橫飛，比恐怖電影駭人多了，可是才剛倒百人，通路裡又立刻補上另外百名守衛，這樣糾纏下去也不知要打多久。

「別在嘍囉身上浪費魔力了。」

蘇梓我凝魔於掌，往天花發砲——大廳猛地搖晃，頭頂傳出吱呀長響，整個天花板竟塌了下來！守兵紛紛被石塊擊中，或被瓦礫壓住，廳內塵土飛揚，蘇梓我等人便乘亂從通路逃離。

三人轉入走廊，又遇上男爵惡魔鎮守路中央。只是他來不及揚聲增援，蘇梓我等人甚至沒有出手，忽見走廊整個空間都燃起火焰，就連石造牆壁亦燒成焦黑，火舌活生生就把男爵惡魔吞噬。整座城堡內部到處都是熊熊大火！

「兩位小心！」杜夕嵐取出梵天神箭控制火焰，把魔火隔離在外。這城堡大火出自彼列之手，比起用純魔力擋下，硬碰硬跟對方比拚魔力可討不了好。

「還好有火屬的原初神器。」娜瑪又感嘆說：「但整座城堡都在燃燒，看來彼列大公真的不顧後果地想殺死我們，也沒打算繼續留在魔界。」

城堡內像桑拿房般越來越熱，就算有梵天神箭保護也能感到灼燙。然而蘇梓我往好處想，至少這樣省卻了跟小兵糾纏的時間。

這時突然有道男聲傳進三人腦內：「來城堡頂層的露天浴場吧，我會在那裡等你們。」

娜瑪大叫：「這是彼列大公的聲音！」

「哈，既然那娘娘腔都打開大門邀請了，我們也沒有拒絕的理由。」

杜夕嵐按著胸口說：「終於要跟惡魔大公決戰了，蘇梓我你打算收服彼列大公成為部下嗎？」

娜瑪則感到頭痛。「就算彼列大公是所羅門魔神之一，我也無法想像他會效忠我們。」

蘇梓我冷冷道：「即使他表明效忠也不能相信，背叛的基因已刻在那傢伙的血液裡。」

說著同時，城堡已猛燒成火爐，就連降落在外的蘇神號也要張開結界才能勉強隔絕高溫。夏思思等人不禁擔心城堡裡的蘇梓我三人，不知道他們會不會被活活燒死。

蘇梓我一行人依舊在火海裡面拚命奔跑。他們跨過地上燒焦的屍體，又避開倒塌的木頭，幾經辛苦才找到往上的旋轉樓梯，總算登上城堡頂樓，那就是彼列大公所謂的露天大浴場。

然而浴場的「浴」實則煉獄的「獄」，長方形浴池裡裝載的竟是高溫熔岩！池邊一柱柱龍首的裝飾，不斷吐出岩漿倒進浴池，濺起一個個火紅氣泡，彷彿是沸騰的地獄海，難以想像掉進去會有什麼後果。

「等你們好久了。」

只是彼列大公悠閒地浮在熔岩池上空十尺，全身著火，翩翩長髮如火舌般起舞，是名副其實的烈焰公爵。他看見蘇梓我等人終於出現，優雅地拍手讚道：

「真是十分漂亮。把我的手下逐一收拾，你們的勇姿已深深烙在我心裡，呵呵。」

蘇梓我回罵：「一陣子沒見竟比以往噁心，真替你的手下難過。他們死在本英雄刀下反而是種解脫吧。」

「解脫嗎？但不知道你們有沒有本事讓我解脫呢？」

彼列妖艷大笑，他的纏身火焰化成六顆火球環繞自己旋轉，彷若六顆行星圍繞著太陽。但不同於星系都在同一平面上轉動，彼列的六火球各自以不同角度圍繞彼列轉圈，沒有破綻。

「那六個火球……」娜瑪察覺到魔力的流動有異。「小心，那是彼列大公的真正力量——」

語未畢，其中兩顆火球突然停在彼列肩上，眾人已心知不妙，火球左右射出煉獄火柱，還未觸其火，四周空氣幾乎完全蒸發！

霧氣霎時沖天，但杜夕嵐沒忘記自己的使命，並勇敢地擋在前方拉弓引箭——

「梵天之神，求你助我一臂之力！」

梵天神箭同樣捲起鳳凰翅膀包圍住夕嵐，嗖聲射出，一條火龍直撲彼列的兩道火柱——

火焰中，地獄三頭犬的巨大幻影在咆哮，牠其中兩顆頭吞下彼列的左右火柱，中間那顆則吐出更為壯觀的梵天神箭！神箭反倒吸收了彼列的火魔法，再直接轟回他本人身上——

火光直逼彼列的臉，但見他嘴角上揚，身後兩顆火球飛到他面前變成雙盾，硬生生接下神箭，只剩無數飛灰火星散落兩側。

彼列掩嘴笑道：「原來是吸收了刻耳柏洛斯的力量，難怪原本只有一首的梵天神箭，卻有著接近原初的力量。」

「梵天神箭」最強的形態是「梵天五首神箭」，需要割下梵天所有頭顱才能完成。但梵天仍不知去向的情況下，暫時用三頭犬的三頭加在神箭上面，也算是冒牌的「梵天四首神箭」吧？

突然彼列斂起笑容，同時收起火焰雙盾；另外兩顆纏身火球落在彼列手上，他伸手交叉拔出一雙焚風劍，在半空擺勢，以鄙視眼神盯著蘇梓我。

這一刻，蘇梓我等人終於知道了那六顆火球的真面目。煉獄火柱、火滅雙盾、焚風雙劍，那就是彼列的三對魔武具。

15

「可惡，為什麼那娘娘腔一身裝備那麼酷，太囂張了！」

蘇梓我氣得馬上展開黑翼飛撲上前，大鐮猛地狠劈向彼列，但彼列左劍優雅一擋，右劍反砍蘇梓我胸膛，兩招就迫使蘇梓我退後回避。

就算蘇梓我成功避開其劍刃，焚風劍擊出的灼熱氣流依然把他轟飛出數尺；在數尺的盡頭，又見彼列飛來連環兩劍，還好杜夕嵐預先捕捉到彼列的飛行軌跡，攔腰射出梵天神箭——轟。即使是從死角發射，仍難以瞞騙彼列的火滅雙盾，火球飛來一擋，立時就把神箭吞下。彼列的火屬抗性接近完美，大概是墮天時受過煉獄之苦的緣故。

娜瑪從相反方向擲出閃電火，瞬間直擊彼列左腰——一陣耀眼火花，就連閃電火都被彼列的另一火滅盾擋住，且毫髮未傷！顯然他的雷電抗性也是絕佳。

然而一輪混亂後，蘇梓我不知何時從彼列眼前消失——他用轉移術繞到彼列背後，並往其後腦當頭劈下！

「這下你無法調動護盾擋住了吧，給我死！」

大鐮劈在頭頂，但彼列仍氣定神閒，調動剩餘的兩顆火球，在蘇梓我面前重疊一起——

「接接本王的煉獄火柱。」

彼列以火柱迎面砲轟蘇梓我，把他轟飛到天上，空中翻了十幾圈才掉到熔岩池池邊，差半步就跌進池內被燒死。

蘇梓我爬起來罵道：「真卑鄙，這樣就像有六個使魔助陣，比我這邊還要多人！」

確實蘇梓我三人打得有點狼狽，反觀浮在岩漿上方的彼列依舊游刃有餘的樣子，更挑釁問道：「不用上你唯一得意的撒旦力量嗎？沒有撒旦的力量，你什麼也不是。」

蘇梓我沒被激怒。「就算不用本英雄出手，我的手下都足以打死你。」

「就靠她們兩人？」彼列呵呵笑道：「縱使她們擁有力量無窮的原初神器，但一個是普通人類，另一個只是子爵惡魔，根本發揮不了原初神器的真正威力，更別妄想能傷害本王半分。」

縱然彼列口中如此說著，其實要硬生生連環擋下梵天神箭和閃電火並非毫無代價，還是避免被擊中為佳。只不過他想藉煽動來孤立蘇梓我，於是故意消耗魔力硬接攻擊，並出言威嚇。畢竟蘇梓我最愛面子，說不定他會認為打不過彼列不是自己的問題，而是同伴力量不足。這是彼列預期的反應，而蘇梓我果真走到杜夕嵐身邊，要求借用武器。

「欸？」杜夕嵐有點茫然，但蘇梓我向她伸手，杜夕嵐便發出光芒，磷光被吸到蘇梓我體內。

接著他又再展翅飛到半空，喝罵彼列：「這次本英雄一定要親手宰了你！」

語畢，蘇梓我手執大鐮直衝向彼列，同時身後又隱藏另一股魔力。彼列心道：是收回梵天神箭想一人收拾我嗎？太天真了！

彼列集中魔力向蘇梓我轟出煉獄火柱，一直線把他和背後神器一網打盡──

豈料蘇梓我身後散出的不只一個黑影，也不是幾個，而是六、七十個！蘇梓我向杜夕嵐借走的並非梵天神箭，而是七十三諸羅剎刃。他心想彼列驅使六個火球有什麼了不起？他要多十倍的數量奉還！

「我就看你六個火球可以擋到我幾劍！」

一劍、兩劍、三劍、天空劍光亂舞！有過與吠陀古神交手的經驗，蘇梓我揮舞諸羅剎刃更是得心應手，輪流向彼列攻擊迫使他應接不暇。

同一時間，杜夕嵐搭上四矢在弦，一併引爆出梵天四首神箭的火焰；地獄犬與梵天古神藏在射中咆哮有如鬼哭神嚎，四箭蛇行左右襲向彼列本人！

彼列已知難以應付，只好以全身火焰化為替身，留下殘影閃躲蘇梓我和杜夕嵐的夾擊。但蘇梓我平日與娜瑪等無辜女孩在床上建立了超凡默契，高空一道紫電時機抓得恰好，來勢洶洶轟向了彼列。

彼列逃得過羅剎刃、避得開梵天神箭，但無法再及時迴避三度攻擊的閃電火，唯有以火滅盾抵擋。只見閃電火猛插進火滅盾半吋後，依然力量不減，反而增加一股子爵魔力衝自己而來！

娜瑪這次沒有擲出紫電標槍，而是雙手握著雷霆槍，連同身軀一起刺向彼列，幾乎捨命攻擊地把彼列連同火滅盾推向熔岩！

「哼，不自量力。」

彼列一貫優雅的面具終於碎裂，他狠狠怒斥並直接揮拳毆在娜瑪小腹上——此拳快如閃電，娜瑪還來不及擋下，就被彼列打到半空；彼列飛到她面前企圖補上一劍，但電光石火間，蘇梓我已轉移至他面前、反毆一拳！

「敢碰我的女人，你才是不自量力。」

蘇梓我交叉雙掌朝天，七十三諸羅剎刃互相交錯連成一體、疊成巨劍垂直劈向彼列。這一砍彷彿牽動整個空間的魔力，就連腳下熔岩亦掀起巨浪，以吠陀性力轟往彼列頭頂。

彼列大聲一喝，拔出焚風雙劍硬撐，同時背脊有一瞬間暴露虛位——杜夕嵐旋即射出快箭，箭頭應聲刺中彼列背肌、猛然爆炸！

爆炸揚起煙霧，待煙霧散去，彼列依舊浮在半空，但終於露出了疲態。

「以一敵三果然有點累，也許是本王太久沒有動過真格了……」彼列一邊自言自語，一邊獨自發笑，樣子讓人看得一陣惡寒。

「就算身中梵天神箭也可以若無其事，從他身上散發出的魔力比起剛才更具壓迫感……」

「不對！」娜瑪驚道：「那已超越魔力的境界，那是神的力量，彼列要恢復真身了！」

眾人還沒反應過來，彼列突然伸手把自己雙眼挖了出來！如蛛網的血絲沾在他白皙的臉上，眼眶空洞十分駭人，但仍不及他身上釋放的神力來得更可怕。

娜瑪和杜夕嵐都被此景象嚇呆了。彼列以毫無情緒的聲音，在城堡頂端向全撒馬利亞宣告：

「神的盲目……薩麥爾……吾乃聖主創造的第一天使……誰敢擋我面前！」

彼列，或者叫薩麥爾，背上展開了三對與其身軀不成比例的巨大黑翼，巨大得甚至能包圍整座城堡，氣勢磅礴。

蘇梓我憤恨道：「終於現形了嗎，我真正想殺死的對手。」

此刻蘇梓我的右手也化成撒旦的赤色龍爪，帶著蘇萊曼與撒旦的力量向墮天使報仇。

16

薩麥爾的巨大六翼不斷往外伸展，蓋過天空，甚至繞到蘇梓我等人背後；天地霎時被黑暗侵蝕，蘇梓我馬上意識到薩麥爾的墮天使翅膀已將城堡頂樓整個包裹起來、與世隔絕，只剩下一片寂靜。

唯一聽見的，只剩底下正在燃燒的熔岩池，把羽翅包裹住的空間映照成一片赤紅。火光之中，蘇梓我能清楚看到薩麥爾的翅膀是燒焦的黑褐色，可以想像薩麥爾墮天後飽受煉獄之火的燒燉，由純白天使變成漆黑魔神，連同憤怒一起轉化為成彼列的惡魔養分。

現在蘇梓我亦面臨相同的火刑，眼前熔岩池釋放灼熱高溫，薩麥爾手上的焚風劍能熔斷大地之物，加上他用翅膀覆蓋戰場，把戰場變成密閉溫室反覆加熱，蘇梓我等人就像被囚在焗爐裡。

「蘇梓我……」薩麥爾以低沉的聲音說：「我認同你的力量，你有被殺死的價值，就用你的靈魂來換取我返回天界的門票吧！」

薩麥爾是名副其實的死亡天使，收割人類靈魂是他還在天界時的工作，沒有其他天使比他更為熟練。

蘇梓我鄙視答道：「連回收摩西靈魂都被打瞎的廢柴天使還如此囂張，天使的實力也不過如此吧。」

「你不妨試試，我就把答覆刻在你的身上！」

薩麥爾把焚風劍指向熔岩，岩漿立刻捲到刃上，再往蘇梓我猛力一刺，一條熔岩巨龍赫然騰空而出。

蘇梓我伸出撒旦龍爪，徒手與熔岩巨龍搏鬥——突然爆炸巨響，結果蘇梓我的龍爪大力抓破巨龍，熔岩瀉滿一池，噴起四、五尺高的焰火巨浪。

在旁的娜瑪嘆道：「這……太可怕了。不論是薩麥爾還是蘇梓我，都已超越了惡魔的極限……我們留在這裡有什麼用……」

娜瑪殘留祖先的記憶，記得薩麥爾親自把劍插穿自己心臟、一扭、再拔出；自己血如泉湧，連對愛人的話都來不及說出，就被薩麥爾刺死。

娜瑪害怕得瑟縮一角，而另一邊的杜夕嵐何嘗不是如此？

杜夕嵐只是個擁有少許古神血統的平凡女孩，如今眼前是呼風喚雨的大天使，她深深體會到人類的渺小，同樣戰意全失，呆望著半空中兩頭怪物對決。

「呵呵呵。」薩麥爾令人發寒地笑道：「我聽見弱小生物的恐懼聲，可惜無法親眼看到她們全身發抖的樣子，真可惜。」

蘇梓我向薩麥爾吐口水，故意大聲一喝：「那我索性連你的耳朵都斬下來，給你機會中領傷殘津貼吧！」

語音未落，蘇梓我已轉移到薩麥爾身後、施以龍爪！這顯然是看準了薩麥爾盲目的弱點，試圖利用聲音擾亂方向放手一拚——

然而，就算薩麥爾眼盲，他仍能透過魔力波動來判定蘇梓我的位置；焚風劍就像長了眼睛般反劈向蘇梓我，在他面前半吋掠過！

蘇梓我巧妙避開，以撒旦鱗片的力量護體才不致被餘火燒傷。他緊張地心道：那傢伙只靠聽力都能有超凡反應，究竟是什麼妖術。

「放棄吧，人類永遠都無法戰勝天使的。」

薩麥爾拔出第二把焚風劍，並以熔岩為甲，火焰為刃，呈雙劍之勢交錯狂劈；蘇梓我只靠單爪無法應付，想召喚出諸羅殺刃卻不堪一擊，就連克洛諾斯的鐮刀在擋下一劍後，也被燒成磷光消失！

「可惡，本英雄不可能敗給這混蛋，尤其是殺害阿斯摩太的混蛋！」蘇梓我使勁大叫：「我需要能殺死天使的力量！」

突然，手背的獸印就像回應他的訴求，蘇梓我右手自手臂一直到肩膀開始「龍化」，長滿緋紅龍鱗與巨大魔力纏身。

蘇梓我二話不說，以更強大的撒旦之力使拳轟向薩麥爾！這拳打在大地足以山崩土裂，打在天空能擾動星晨；但薩麥爾交叉雙劍、直劈開蘇梓我的拳頭，更砍下數片凹陷龍鱗——

「沒用的，在魔界只有撒旦大人能與我匹敵，但並非你這個不完全的垃圾。」

薩麥爾搶回主動權便砍出兩劍，同時身邊火球交錯射出火柱燒掉蘇梓我的魔力翅膀；蘇梓我在墜落熔岩前驚險飛起，控制渾身魔力瞄準薩麥爾投出魔彈，死纏爛打絲毫沒有放棄的打算。

兩人一來一往，這次換作薩麥爾主攻砍下一劍，蘇梓我傾盡全力閃避，同時龍爪暴脹十倍，再以撒旦的拳頭轟向薩麥爾眼前——

砰！命中了，可是在中拳一刻，薩麥爾以天使之力展開護盾擋下，蘇梓我這記不完全的撒旦之拳並沒有對薩麥爾造成任何傷害。

見此情況，蘇梓我悔恨得全身血液倒流、腦袋發熱，卻找不到對方的任何弱點。就像是純粹的力量差距，蘇梓我無法動搖薩麥爾的天使力量，越想越氣憤。

另一邊廂，由於蘇梓我與娜瑪心意相通，他內心的焦慮也無意間傳到娜瑪心裡。她跟蘇梓我一樣感到絕望，尤其對手是殺死自己祖先的天使。

「可是蘇梓我都為了我拚命與薩麥爾廝殺，我不可以比他更早放棄，再不想辦法我們都會死……」

娜瑪閉起所有感官，將自己與世隔絕，聚精會神，忽然在漆黑中看見一道曙光——

「現在放棄言之尚早！」娜瑪忽然高聲呼喊，投出象徵反擊的閃電神火。

17

蒼雷劃破長空，砰聲轟炸羽翼天頂！娜瑪的目標似乎並非是薩麥爾，而是他用來包裹地堡的墮天翅膀。

只是閃電火有如泥牛入海，碰觸之際就被豐厚的漆黑羽毛吸收，並將電流散發離開——娜瑪沒有就此放棄，反而跑到空間邊緣，手握雷霆槍一下下刺向困住他們的巨大翅膀。

「哐、哐、哐！」雷霆槍每刺一下都有羽毛伴隨火星掉落，漸漸掉滿一地。

杜夕嵐跑過去問：「妳是打算逐一拔掉薩麥爾的羽毛？」

「我們要打破這個物理結界！」娜瑪邊刺邊道：「現在薩麥爾失去眼睛，他要判斷周遭狀況只能依靠耳朵辨音，或用靈魂感受魔力的波動。」

杜夕嵐說：「魔力波動……好像在上物理課一樣，聲音也是空氣振動形成聲波傳播吧。」

娜瑪續道：「可是聲音和魔力波幅都非常敏感，容易受到干擾。尤其如今撒馬利亞如此混亂，滿街都是爵位惡魔在互打；又有死靈亂舞，魔聲鼎沸，這肯定會影響薩麥爾的偵測。」

杜夕嵐恍然大悟。「所以薩麥爾才用翅膀把戰場隔離！」

「一定是這樣，尤其我剛才投擲出的閃電火被他羽翼吸收，更加證明了此事！」娜瑪解釋：「如果薩麥爾用反射護盾蓋住城堡，魔力和聲音都會在裡面反彈，形成干擾，反對他自己不利。」

「所以薩麥爾的翅膀是吸音棉嗎……」杜夕嵐用現代人類的語言理解。

就在這時，娜瑪終於鑿穿了翅膀圍牆——城外的烽火從裂縫照射進熔岩池，並傳來外面戰亂的雜音：爆炸聲、刀劍聲，還有死亡的喊聲；這好比從無聲安靜的圖書館，來到熱鬧的演唱會，又或者把耳機瞬間調到最大音量，薩麥爾的聽覺開始跟不上周遭環境，魔力的感應亦同樣受撒馬利亞內其他戰線影響，行動變得遲鈍。

娜瑪連忙望向蘇梓我與薩麥爾的決鬥，魔力和與神力在空中纏鬥——兩人撞在一起後，蘇梓我果然佔了回上風！他以無間隙的速度猛攻薩麥爾，把薩麥爾逼得連連後退。

「哇哈哈哈！怎麼了，娘娘腔連身體都這般弱，這麼快就感到疲累了嗎。」

蘇梓我再次以聲音擾亂薩麥爾，再用轉移術不斷圍繞對方周圍追打，根本無從費力捕捉到其身軀——先是一爪横掃薩麥爾頭頂，緊接左掌擊出魔箭射向薩麥爾心臟，攻勢行雲流水。

另一方面，薩麥爾聚精會神、拚盡神力連環擋下，連喘息的機會都沒有，漸感力不從心。

「哼！」

豈料薩麥爾收回六翼，讓六翼變回正常大小插在背上；同時天使的力量也濃縮到體內，竟使薩麥爾的神力更上一層樓。

薩麥爾大喝：「別以為耍這些花招就能打敗天使！」

既然避不了，薩麥爾便放棄沒有意義的迴避，直接與蘇梓我對決。蘇梓我心感不妙，但依然用盡渾身魔力在薩麥爾臉上轟出一拳——但對方竟面不改色，用更強大的力量回敬一拳！縱使蘇梓我反應比薩麥爾快，但他以撒旦龍格擋仍是全身痠軟。

「糟糕，我這樣做，反而使薩麥爾傾盡全力攻擊蘇梓我嗎？」娜瑪抬頭望著戰局，非常煩惱。

杜夕嵐回應道：「擁有如此神力，居然也能瞞過撒旦雙眼到魔界當臥底……」

「不會這樣的，撒旦大人是最偉大的惡魔，不會把連自己都控制不了的惡魔安置在魔界裡。薩麥爾一定有弱點。」

「但就完全找不到薩麥爾的弱點……」杜夕嵐皺眉道。

「找不到？」娜瑪又再靈光一閃，立即用念動術與蘇梓我溝通：「薩麥爾不可能沒有弱點，你能用預視術找到他的弱點嗎？」

蘇梓我心中答道：「你以為我是誰！能找到的話早就找到了！」

娜瑪反問：「那如果不是『找不到』，而是『看不見』呢？」亦低聲一同跟杜夕嵐說：「你們想想，假如自挖雙眼會使自己行動不便，為何薩麥爾在變成天使時還要這麼做？根據記載，薩麥爾本來並非眼盲啊，用不著弄瞎自己才能恢復真身。」

答案呼之欲出，蘇梓我馬上回想之前和薩麥爾交戰的情境，卻無法記起薩麥爾把自己的「弱點」藏在哪裡。此時，薩麥爾似乎察覺到蘇梓我等人有異，便釋出更可怕的神力，想速戰速決、絕殺蘇梓我。

幸好就算發生什麼事、被逼進什麼絕地，蘇梓我依然維持那副不可一世的嘴臉，因為他不能讓薩麥爾知道自己正在苦惱。正因如此，他便心生一計，忽然冷笑並對薩麥爾恐嚇道：

「下次你要把雙眼藏得好些喔。」

「什麼？」薩麥爾不其然地動了一下背脊，羽翼間有兩顆圓珠反光閃爍——

「看到了！」

娜瑪和杜夕嵐齊聲大喊，同時轟出閃電火和梵天神箭，一紫一紅瞬間直插進薩麥爾背部，把他藏在翼中的一對眼球刺破——薩麥爾的雙眼正是其弱點，所以才要故意挖出來不讓對手見到。

蘇梓我嘲道：「原來是被摩西用蛇杖刺傷的舊患啊。」都說眼睛是靈魂之窗，甚至伊西斯能用荷魯斯之眼置對方於死地；薩麥爾的神力弱點也在雙眼，被刺破後，神力便隨血漿從破眼漏出，頓時掩臉痛苦地大叫：「還給我，把力量還給我！」

「你已經完蛋了，乖乖接受本英雄的制裁吧！」

蘇梓我張開撒旦五爪、捉住薩麥爾的臉，大力把他從天空壓進熔岩池內，把其頭顱按到池中焚燒！

蘇梓我寧願自己的龍爪被灼，也堅持親手把薩麥爾淹在岩漿裡；反觀薩麥爾因為神力流失，再加上之前對戰的消耗，就算猛烈掙扎，仍無法逃出蘇梓我的魔爪。

只是對付敵人不能手軟，更何況對方是大天使。蘇梓我進一步以五爪施力，把薩麥爾引以為豪的俊朗臉孔抓破，頓時鮮血淋漓；同時亦撕毀他用來護體的結界，熔岩直灼他臉上傷口，比起墮天時承受的火劫更加痛苦。

「嗚啊啊啊——」薩麥爾開始失去力氣，全身浴在熔漿之中，但蘇梓我沒有罷手的打算，他索性騎在薩麥爾身上搥打，就這樣一言不發搥了好幾分鐘，直至連撒旦的龍爪都破損；蘇梓我最後打到筋疲力竭，才把垂死的薩麥爾抓起來拖到池邊。

此時薩麥爾已遍體鱗傷，連翅膀也盡數折斷，變回了彼列的外表，感受不到任何一絲魔力或神力，靈魂也是風中殘燭。

18

「勝負已定。」

簡單四字徹底粉碎了天使的自尊。薩麥爾奄奄一息，在地上垂死嘆息：「堂堂薩麥爾居然會敗在人類手上……我明明是第一個天使……為何聖主要這樣對我。」

蘇梓我回答：「你選錯邊了，如果跟隨本英雄的話，也不至於落得如此下場。」

「我已經厭倦醜陋的生活……我要追隨聖主淨化世界……重建天使的家園。」

蘇梓我一聽見天使二字便怒不可遏，蹲在薩麥爾面前，用人類的右手陷住薩麥爾脖子質問：

「三千年前的天魔戰爭，就是你出賣蘇萊曼王，並且殺死了阿斯摩太，對吧？」

「哈哈哈，那是最美妙的回憶……殺死那女人竟使整個蘇萊曼軍潰敗。」

娜瑪心驚地問：「那是彼列一世的事，你是第九世，為什麼會記得……」

「阿斯摩太十二世，我跟妳不同，墮天使自然有方法迴避靈魂的循環。」

蘇梓我罵道：「既然你能避開死亡詛咒，安分守己當個魔王不好嗎？」

薩麥爾不屑地反問：「人類如此地不堪，還有惡魔是如此地醜惡……當世界的靈魂容量容不下這些垃圾時，天使便有責任讓更優秀的種族留在世上。」

「你才是垃圾天使，輸了給本英雄還在逞什麼威風？」

「若非純白無瑕的靈魂遭受魔界污染，天使根本不可能輸給人類……」薩麥爾也看不起跟鬼族為伍的蘇梓我。「萬鬼之母才是這顆星球的毒藥，你居然幫她對付天使，簡直是自取滅亡。」

「我只知道天使犯我，我便要你們付出你們付不起的代價。」蘇梓我施力把薩麥爾的脖子壓到紅腫，恐嚇道：「其他天使在哪裡，我要把所有號角天使統統殺死。」

然而薩麥爾無懼死亡，繼續嘲諷道：「難道你想阻止彌賽亞再臨，想阻止終末審判，想充當人類的英雄嗎？」

「我體內本來就流著英雄的血液、王者的血液，用不著你懷疑。」

「王者的血液……哈！」薩麥爾沙啞乾笑道：「這是我十輩子以來聽過最可笑的話，你居然真以為自己是所羅門王？你不過是其中一個傀儡罷了。」

蘇梓我臉色變得陰沉。「你這話是什麼意思，本英雄喜歡幹什麼就幹什麼，從不受其他人左右！」

薩麥爾失聲大笑：「竟然被人利用仍懵然不知，太有趣了……真期待當你眾叛親離、失去一切時那副哭喪的臉……唉，可惜我無法見證到最後。」

「你這死人妖才是一無所有，我現在就把你的一切都搶走！」

蘇梓我手上印戒突然閃出耀眼光芒，彷彿以薩麥爾作為燃料，燃燒墮天使的生命，強行從肉體收割彼列的靈魂。

燃燒天使的火光是何等璀璨，絢爛炫目得令人無法直視。烈焰公爵由火而來，自火而去，生命消逝已無法逆轉。然而光芒中，薩麥爾仍在大笑喝道：

「這樣更好！我永遠都會留在你的身邊，親眼見證你逐步墮落，見證你失去一切，哈哈哈！昏庸的偽王，你將會永遠記住我今天的話，哈哈哈哈——」

薩麥爾的笑聲越響亮，蘇梓我就越生氣，用力抽乾他體內每一克的靈魂！直至彼列的軀殼變得冰冷，但蒼白的嘴唇仍保持笑容，似乎還從喉嚨隱約發出無機質的笑聲，繚繞在蘇梓我的耳邊。

如同納貝流士，這次蘇梓我沒有把彼列收為部下，而是殺死魔神，把對方力量吸進印戒之內。他確信彼列不會為自己賣命，只須回收他的力量就好。接著蘇梓我舉起手背確認，這是第十二位所羅門魔神，獸名印記又比之前明顯了一點。

咚。一支金色號角掉在彼列的屍體旁，那是毀滅世界的第五支號角。

娜瑪拾起號角、交到蘇梓我手上，安撫他說：「別把他的話放在心上，他肯定想在臨死前擾亂你的思緒罷了。」

杜夕嵐亦附和道：「忘記彼列的話吧，現在最重要的是完結這場戰爭，任何再多的殺生都是沒有意義的。」

「妳們在說什麼，本英雄才不會把那天使的鬼話放在心上，哇哈哈哈！」蘇梓我深呼吸一下，感受著從彼列身上搶回來的力量。

與賽沛的御海術相對應，彼列擅長的是御焰術，那是他墮天時在煉獄習得的技能；蘇梓我隨手召喚出彼列的六個火球，再將火球合為一體、浮於掌上，有如把撒馬利亞的所有焰火都握在掌中，他猛地握拳弄熄掌上火球——

同一時間，撒馬利亞城內所有燈火都在瞬間熄滅，包括城樓的烽火、城外的巨眼燈塔，甚至方圓百里的村落……還有之前正在燃燒的撒馬利亞城堡都變得黯淡無光，一切代表彼列的火芒都消失殆盡。

「所有惡魔聽令，立即放下武器！英雄蘇梓我已經打敗彼列大公，身為所羅門王的繼承者，接收了彼列魔神的權柄和力量！從此刻起蘇梓我就是撒馬利亞領主，要是誰敢跟本英雄作對，那個人就要永遠被撒馬利亞除名！」

蘇梓我利用領主魔法向城內所有惡魔廣播，語畢，再放開掌中火球，重燃撒馬利亞的火種，以展示自己在城內的絕對權力。

結果撒馬利亞一役，身為首領的彼列大公遭蘇梓我所殺，其部下包括羊頭魔王巴弗滅被伊西斯殺死、獅首魔王比夫拉斯與伊西斯戰平後投降、藍皮魔王艾力羅格敗在賽沛和埃力格手下成為戰俘，剩下的焚子魔王摩洛，自知寡不敵眾便向夏思思求饒。

一夜之間，蘇梓我取代了彼列大公的地位，魔界其他兩位大公也無法反對，這場魔界內戰便終告一段落。

第四章

死亡與重生

1

自惡魔之皇撒旦下落不明，魔界就由三公二十一侯統治，一直以來相安無事，頂多只是暗地裡鬥爭，未曾有過昨天那般大規模的內戰。

彼列死後，再無惡魔繼承此名號，作為所羅門魔神的所有權柄和力量都轉移至蘇梓我手上，包括魔界三公之位。

縱然歷史上魔界三公均由撒旦任命，或擁有該名號的血族自動繼承，但如今撒旦不在、彼列已死，唯一能對三公任命提出意見的，就只剩其餘兩位大公了。

一如蘇梓我所料，不論亞巴頓或巴力西卜都未有反對，他們看在蘇梓我討伐了天使的份上，賣給了他一個人情。蘇梓我不僅收服了一個所羅門魔神，更把公爵級的魔力據為己有，與他為敵的話，即是掀起公爵之間的內戰，屆時波及的不再只是部分的魔界，而是整個魔族都將受牽連。

如今天使復活，魔界承受不了全面內戰，所以亞巴頓和巴力西卜暫時都願意接受蘇梓我；正所謂敵人的敵人就是朋友，身為主戰派的亞巴頓和巴力西卜，一直受制於彼列反對無法行動，如今蘇梓我取代彼列，他們自然希望說服他加入陣營，共同反攻天界。

蘇梓我也清楚天魔戰爭隨時爆發，所以當坐上魔界大公之位後，第一件要做的事，就是對撒馬利亞戰役的功臣論功行賞，培養並鞏固自己的勢力。

當時聖主視所羅門王和撒旦為眼中釘，並非懼怕他們的神力，而是對他們率領眾神眾魔有所顧忌。

——傳罪人上殿。

撒馬利亞城堡大殿，蘇梓我坐鎮王座之上，首先判處彼列一眾舊部的命運，以儆效尤。

首先是前米底巴領主的疫病魔王，雅典娜簡單報告其背景，等待蘇梓我做出判決。

「米利凱，」蘇梓我一本正經又義正詞嚴地宣布：「本王決定把你連降三階至男爵，沒收領地，留在撒馬利亞服役五十年。」

米利凱瞄看眼前這位戰勝彼列又沾有撒旦之血的人類，默默點頭接受判決。

之後蘇梓我宣判了其餘三位侯王的處置：

「艾力羅格殺害眾多人魚，罪不可恕，立時褫奪所有領地和爵位，關在巴別塔服刑百年。」

「比夫拉斯主動投降，輕判降爵一階，同時交還戈蘭領地。」

「摩洛主動投降，輕判降爵一階，同時交還基低斯領地。」

連死者也不放過，蘇梓我不忘處罰那位已被伊西斯殺死的侯王。

「巴弗滅反抗我軍卻無能戰死，死後降爵兩階，百年內禁止惡魔繼承此名號。」

彼列原本的六位侯王都各自遭受懲處，就連同屬所羅門魔神的黑騎士埃力格亦不例外。

「埃力格侯，前夏瑣領主，曾一度與我為敵，命交還夏瑣領地；同時念你於撒馬利亞戰役立下汗馬功勞，功大於過，本王決定將基低斯領賜給埃力格侯，以示獎賞。」

「感謝蘇大公。」埃力格跪地回答。

接著蘇梓我把彼列的原有領地同樣分封其他功臣，第一個是比較陌生的面孔：

「瑪門棄暗投明，值得嘉獎。本王決定賜戈蘭領予瑪門，位階晉升至侯爵。」

「伊西斯是繼賽沛女王以外的最大功臣，本王決定賜予妳與巴別相鄰的米底巴領地。同時巴巴斯、芭芭拉、佛拉斯恢復爵位，以協助伊西斯女王管理兩城。」

蘇梓我講了一大番話，最後望向兩位惡魔少女。「阿斯塔特、阿斯摩太，妳們追隨本王最久，也是時候升階了。阿斯塔特接管示劍領地，阿斯摩太接管易名的蘇城，兩位以侯爵的身分繼續服侍本王。」

夏思思得意回答：「以後我們就叫思思女王和娜娜女王了呢。」

娜瑪也沒有想過自己位階連跳兩級，成為魔界二十一侯之一。以後再也沒人敢看不起自己、看不起夢魔族了吧？娜瑪忍不住微笑，並想像自己回族時風光的情境。

蘇梓我見娜瑪那樣子，心想讓她囂張一日好了，便沒有理會她。他續道：「最後是推羅領地……推羅是魔界沿海城市，本想給這次立下最大戰功的賽沛女王，但賽沛妳好像有其他想法？」

賽沛女王回答：「是，打理魔海已忙得不可開交，沒空暇再管其他領地。何況，推羅港還有另一位惡魔比我更適合當領主呢。」她牽著繩圈把一頭海妖帶到殿上。「忒爾克西厄珀亞在最關鍵時刻協助本王殲滅敵人艦隊，沒有比她更適合繼任推羅領主的人了，對吧？忒爾小女王。」

忒爾女王受寵若驚。「不、不是開玩笑吧？妳推薦我當推羅領主？」

「有什麼不滿？妳不是一直自稱女王嗎，終於等到這一天來臨了喔，呵呵。」

「我、我……」忒爾女王喜極而泣。「謝謝賽沛大人……謝謝蘇大人……」

但蘇梓我見忒爾女王不中用的模樣，又欠缺女王威嚴，要成為真正的侯王大概還有很漫長的路要走吧。蘇梓我便對賽沛說：「既然是妳推薦的，妳就好好看照吧。」

「當然，我還是會一直調教，不對，是疼愛忒爾小女王的，呵。」

就這樣，蘇梓我重新分配了六位侯王的領地，又把賽沛以外其他魔神的爵位提升階等，進一步鞏固他在魔界的勢力。

2

兩日後，即是大天使聖德芬在地中海吹響第二支號角後的第六天，瑪格麗特與遠行團來到義大利西南部一座叫阿謝亞的小鎮裡。

阿謝亞是薩雷諾以南約六十多公里的沿海城鎮，附近有個古希臘的城鎮遺跡韋利亞，中世紀時被稱為海上城堡，而現在則被登錄在世界遺產名錄中。

究竟韋利亞如何荒廢至此已無人知曉，而經歷了末日災難後，如今阿謝亞這現代城市同樣一片頹垣敗瓦，幾十年後這一切都過去時，人們見到也會把當地當成考古遺址來研究吧。

正當瑪格麗特為當地死難者默禱時，一道聲音把她帶回現實。

「要起程離開海岸，穿越山嶺往南走了。」

早上準備今日行程時，安東尼對瑪格麗特說：「之前我們在海邊捕獲大漁，又釀造了低酒精的果酒，靠這些東西應該足夠我們穿越內陸地區。」

瑪格麗特擔憂地問：「又要翻山嗎？那些山路在地震後更加難行，信眾已連續走了半個月，不知道是否還有足夠體力爬山。」

「有另一條比較好走的路，雖然只比爬山輕鬆一點。」安東尼拿出地圖。「從這裡往西南走有一條鐵路隧道，我們可以沿著鐵軌，穿越隧道走到山嶺另一端。」

瑪格麗特的手指在地圖上比著。「這條隧道有十幾公里吧？要走好久呢。」

「以遠行團的腳速來說，大約要走四個小時。」安東尼抬頭仰望昏暗天空，不禁皺眉。「現在歐洲不見天日，連陽光都被火山灰遮住，想必隧道內更是伸手不見五指。走在裡面會有一定的危險，要有心理準備可能有半天都是摸黑前進。」

但若不走隧道，可能要花好幾天才能繞過山嶺，風險更是大。正當安東尼為難之際，瑪格麗特卻堅定回答：「我會成為大家的光。」

瑪格麗特沒有忘記腰間白花的教訓，她決定要傾獻所有，絕不後悔。

於是在眾人吃過早餐後，瑪格麗特便率領十萬信眾往西南處的鐵路前進。眾人抵達鐵路隧道前，隧道結構看似還算穩固，不過進入隧道口後，裡頭漆黑一片，就算睜大雙眼感覺仍與閉眼無異，教人十分不安。

「慈愛的神啊，懇求祢賜予我發光的力量，引領信徒走出黑暗。」

語畢，瑪格麗特手中的摩西之杖伴隨她掌心的聖痕發出威光，她身後十萬人便跟隨這點光，彼此手牽著手地往前行。同時瑪格麗特用摩西之杖敲打鐵路路軌，發出規律的「咚、咚」聲響，不只讓信眾「看見」，更能「聽見」瑪格麗特的存在，給予信眾信心及支持。

牧羊人、神的牧羊人——這就是瑪格麗特現在的模樣。但拯救她的神、慈愛的神，又真的存在嗎？

◇

花了四個小時，十萬人終於穿越了十二公里的隧道，走進一處深山林中，空氣比之前清新許多。身邊有樹林、野鳥，還有花香。說到底，天使號角摧毀了三分之一的植物，但仍有三分之二的動植物依舊生機勃勃，也許世界沒想像中這般絕望。

在午飯過後，瑪格麗特繼續帶領信徒走出樹林，又穿過一些短隧道，最終在黃昏時抵達位於山丘上的一座小鎮，羅卡格洛廖薩。

羅卡格洛廖薩大概受到幸運之神眷顧，並未遭受巨大災害。第一號角的火焰沒有燒燬當地的山林，第二號角血海的詛咒也對他們沒有影響，當地居民都是走到附近河流蒐集淡水飲用。鎮上還有一千多位居民，在末世的惡劣環境下拚命地活下去。

「什麼，你們是從羅馬走來的？天啊你們走了多久？」

其中一些居民看見遠行團人潮洶湧地走進鎮上，便好奇問瑪格麗特等人到底是什麼來歷。

瑪格麗特回答：「大約走了半個月吧。」

「那你們要走往哪裡啊？帶著這麼多人，一定很辛苦吧。」

「只要再花半個月，我們就能走到義大利的最南部，並越過地中海前往北非。」

一位居民感到不解。「你們要乘船去北非的話，不一定要走到最南部啊？」

「不，我們要徒步越過地中海。」

「徒步……在水面上走？怎麼可能，像聖子那樣？」

瑪格麗特答：「只有我一人能在水上走也沒有用，只好分隔地中海。」

「不是說笑吧……」鎮上居民都認為瑪格麗特瘋了，但見她帶著十萬人從羅馬走了數百公里的路來到這裡，也許她真有這個大能？

雖然他們聽不太懂瑪格麗特的話，但也未繼續深究下去，只讓他們在附近紮營過夜。

然而當晚換日之際，同時來到第二號角後的第七天，第三號角終於響起，更改變了羅卡格洛廖薩的居民的命運。

第三位天使吹響號角，就有燒著的大星，好像火把從天上落下來，落在江河的三分之一和眾水泉源上。這星名叫茵蔯。眾水的三分之一變為茵蔯①。因水變苦，就死了許多人。

——《啟示錄》（8：10－11）

霎時間，一切雲霧撥開，久違的月光下忽然出現大天使的身影——天使名曰沙利葉，別稱「神的命令」；其身體反射著紅色月光如正在燃燒的大星，同時血月頓變昏暗，月色被密密麻麻的黑色懸浮物完全遮蔽。

隨著沙利葉吹響第三支號角，天空有無數微小懸浮物從月亮飛來地球，如雨卻無聲降下。那是茵蔯病毒，落在江河會使淡水變苦，喝下毒水更會使身體變異，甚至當場死亡。

就在第三號角不久後，不少居民已喝了白天從河流蒐集的河水而死。他們被茵蔯毒水侵蝕舌頭上每吋味蕾，使喝下的淡水比世上任何東西都要苦澀，只喝一口便面容扭曲、生不如死，最終注定痛苦地離開。

只有瑪格麗特的果酒能免於茵蔯病毒污染，亦只有瑪格麗特能拯救羅卡格洛廖薩的一千名居民。結果，遠行團早晨時又增加了千名信徒，逃離這片災難的土地。

① 菊科蒿屬的植物，通常生長在巴勒斯坦和敘利亞的沙漠地區。在聖經中代表痛苦，包括生命中的艱難與罪惡。

3

同日中午，蘇梓我與杜家姊弟返回香港，但少了平日一直陪伴左右的娜瑪與夏思思。她們兩人已貴為魔界侯王，身為領主，總不能像蘇梓我那樣隨便拋下領地不管，還要替他監督撒馬利亞的修復，累得透不過氣來。

另外，雅典娜雖非惡魔，魔界上下卻意外地都對她和娜瑪和唯命是從，這也是蘇梓我的功勞。蘇梓我之前在蘇城豎立起他和娜瑪的銅像，如今所有惡魔都知道阿斯摩太是蘇梓我的心腹，而在沒人敢違抗蘇梓我的同時，大家也都非常尊敬娜瑪和她的隨從。

不知是否為蘇梓我故意為之，總之在撒馬利亞戰役後，蘇梓我也命令惡魔將銅像搬回娜瑪管理的蘇城，把銅像當成娜瑪的護身符，更代表著通行全魔界的令牌象徵。

原本搭載蘇梓我銅像的蘇神號則交由瓦布拉復修，並安置在撒馬利亞廣場上，用以紀念蘇梓我魔王打了一場偉大的勝仗。

其實蘇神號下方還有塊刻有人魚剪影的紀念碑，那是用來紀念戰役當中犧牲的戰士。蘇梓我沒有問賽沛那些戰死的人魚的身分，只是在臨別前答應會替人魚族補充兵力，接著就跟杜家姊弟回到現世了。

返回聖火山上的聖火堂，迎接蘇梓我的又是一些不好的消息。

利雅言似乎早就知道蘇梓我會戰勝歸來，沒有多加問侯便直接向他報告：「在五小時之前，第三支天使號角已在歐洲大陸吹響了。」

跟第一、二支號角不同，第三支號角的災害不再侷限於歐洲，茵蔯的懸浮物污染了全球水源，香港教區也傳出有人喝了苦水而亡的報告。醫生初步檢查水源，卻無法判定病毒種類，至少地球上還未出現過。

蘇梓我感到煩躁，發洩罵道：「那些該死的天使就是連水也不給我們喝嗎！」

利雅言回答：「幸好我們可以用聖魔法淨化飲水，剛才我已經吩咐教內祭司到水池和工廠幫忙了。不過茵蔯無色無味，我們無法確認飲水在淨化後是否又遭到污染，只能提醒大家在飲用前要先祈禱頌經。」

「真的很像教徒做的事呢。」蘇梓我冷笑說道，同時留意到今天雅言的臉色有點差。

利雅言最注重禮儀，就算平日生病也會化個淡妝讓自己看起來精神好些，如今卻連化妝的空閒也沒有，說明她真的十分忙碌。

「沒辦法，」利雅言苦笑回答：「號角的破壞力一個比一個厲害，縱然蘇主教你拿下了薩麥爾的第五號角，我也希望能阻止天使吹響第四號角，以免更多無辜之人蒙災。」

蘇梓我記得擅長火占術的魔神佛爾卡斯說過，七天後就是第四號角響起的日子。他之前無暇阻止第三號角，但接下來七日應該足夠他阻止第四號角的災難。

「要阻止第四號角，最直接就是找到第四天使，然後像對付彼列那樣暴打一頓吧。」蘇梓我問：「但究竟誰是第四天使，雅言妳有找到什麼線索嗎？」

利雅言輕輕搖頭。「根據聖經記載，我們只知第四號角會使日月無光、繁星消失……意味著地球可能會因此進入大寒冬，全球變冷，像進入小冰河期那樣。」

「那很頭痛啊，天氣變冷連做愛的意願也會下降，這才是天使的真正意圖吧。」

「都這個時候了你還有心情說笑，真是……不過正是你這種性格，才會讓敵人摸不著頭緒吧。」利雅言又笑道：「對了，我們正在轉移從魔界回來現世的那些歐洲難民，暫時將安置他們在聖火教會。他們看起來比起我們既有的信徒還要虔誠呢，你又對他們施了什麼法術？」

「哈哈！這就是本英雄的魅力。」

蘇梓我撐腰大笑，這時利雅言的電話響起，打斷了兩人對話。她接完電話後，神色凝重，嚴肅地對蘇梓我說：

「真是意想不到的客人，蘇主教在海外又多了信眾呢。」

「有人找我？」

「嗯，而且不是普通的人，是莫斯科正教會的代表。」利雅言說：「他們希望盡快跟你商討第四天使一事，電話或視訊會議都好，看來是十萬火急。」

莫斯科正教會的地位就等同於聖教的羅馬教廷，蘇梓我感到意外的同時也不禁疑慮。「居然……難道第四天使是由正教會保管嗎？」

雖然他對第四天使感到興趣，但亦不得不防範正教會有其他企圖。畢竟他們曾跟大陸正教會開戰，而且有段時間更把正教會視為敵人，這種複雜心情對身為聖教聖女的利雅言來說更能體會，蘇梓我感到猶豫也在所難免。

但利雅言卻面露微笑。「不管如何，如果要讓香港教會獨立運作，聖火教這名稱必須得到他人承認，這次與莫斯科正教會的正式對話就是一個很好的機會。而且你肯定會想見一下莫斯科正教代表，因為伊琳娜女士是位美人兒。」

4

蘇梓我與利雅言移步到會議室，視訊屏幕上是一位典型的東歐美女，金髮碧眼、輪廓分明，大概就是利雅言說的伊琳娜女士。

據利雅言所說，由於正教會以保留正統為榮，謹遵聖經指示，所有女性不得出任神父或高階聖品的神職人員，因此伊琳娜只能擔任女執事，相當於聖教的助祭，亦即是之前蘇梓我在聖教的聖品。

但聖品不代表一切，伊琳娜在正教內擁有絕大權力，有傳聞說，因為正教會的主教都不能結婚，於是伊琳娜便有機可乘，利用美色誘惑教會高層，甚至可能是莫斯科普世牧首的祕密情人。

但不論如何，伊琳娜都無法名正言順地站在教會最高位。在從前歐洲中世紀，東羅馬帝國同樣有位叫伊琳娜的女皇帝，亦是東方正教會的代表人物。但由於立場上與羅馬教廷不同，羅馬教皇便藉機否認她的帝位，另把查理曼加冕成為神聖羅馬皇帝。

所謂的東羅馬帝國，只是後世的歷史學家為方便區分而給予的名稱罷了。當時西羅馬帝國已滅亡，理論上東羅馬帝國是唯一正統的羅馬帝國，其皇帝自然是正統的羅馬皇帝。羅馬教皇居然無視正統，另立他人為神聖羅馬皇帝、無視伊琳娜女皇的存在，間接為日後東西教會決裂埋下伏線。

方才會議前，利雅言對蘇梓我稍微解釋了下歷史背景，蘇梓我對歷史不感興趣，他只須知道眼前的伊琳娜是位厲害人物，是掌握正教會權力的幕後人物，而對方才年僅二十六歲，對蘇梓我來說是個成熟的大姊姊，不過他自然不會介意。

「蘇主教，請問你有聽見我的話嗎？」伊琳娜說著流利中文，讓蘇梓我大感意外。不愧是交際手腕高明，伊琳娜一方面責備蘇梓我心不在焉，另一方面語氣卻是成熟穩重，且略帶嬌媚，不愧如傳聞中能迷倒正教牧首。

蘇梓我答：「伊琳娜女士，妳的意思是，莫斯科正教會想借本英雄的力量來擊退天使軍團，對吧？」

「是的。隨著大天使復活，他們手下的聖歌團亦同時甦醒，更侵攻我國。縱然我國政府暫時跟天使聖歌團打成平手，但領頭的大天使才是最棘手的，所以才要求借助蘇主教的一臂之力。」

在蘇梓我等人未知的情況下，原來大天使已率領天界軍隊和人類開戰，戰爭對象不止正教會，更有國家軍隊參與其中。顯然俄國是個政教合一的國家。

蘇梓我反問：「天使軍團跟你們開戰總要有個原因，難道你們囚禁著他們的同伴？」

「第四天使巴拉基勒，別稱『神的祝福』。如今巴拉基勒正被我們封印於莫斯科的地底，所以米迦勒才率領天使聖歌團大舉進攻，企圖營救巴拉基勒、讓他吹響第四號角。」伊琳娜補充：「但說到底，天使復活出來搗亂也是你們闖出來的禍，蘇主教不打算一起收拾殘局嗎？」

出乎意料的，伊琳娜不但沒有哀求蘇梓我幫忙，反而還暗示他是始作俑者，讓蘇梓我有點不滿。「本英雄有本英雄的方法，不一定要跟你們合作。若想借助我的力量，妳應該先提出相應的報酬吧？」

「勝利，這就是我唯一能向你保證的報酬。跟我們合作，一定能打敗天使，阻止世界末日。」

此時蘇梓我記起安東尼曾說過，聖教教廷的最高指令是復活聖主，盡數殺死天使；而正教則不擔心天使的命運，他們只是想研究天使和聖父，從中獲取力量罷了。

因此正教表面上說想借助蘇梓我的力量打敗天使，但實際上可能想收服大天使據為己用，使正教能一教獨大。人類真是可悲，就算在存亡之秋，也不得不猜忌同種族的別有用心。

儘管如此，蘇梓我還是給出回答：「先讓我親眼觀察一下你們的做法吧，我想妳應該不介意我去莫科斯看看？」

利雅言說想阻止第四天使，這也是蘇梓我的想法，就算風險大，也要親自去正教走一趟，當然絕不是想跟伊琳娜幽會之類的。

5

魔界蘇梓我城，原名為夏瑣，簡稱蘇城。隨著前任領主黑騎士埃力格和其翼騎兵隊撤離、新任領主進駐，此地又多了另一個新外號——夢魔之城。

正如忒爾女王在推羅港迎來海妖族，娜瑪在她的新領地亦召集了夢魔族前來協助管治。魔界弱肉強食，就算打著蘇梓我的招牌，難免會有遠水救不得近火的時候，所以娜瑪需要在蘇城內安置自己的勢力。

從昨天起便有不同的夢魔族紛紛搬進蘇城，桃色滿園，當中還包括了娜瑪的三位親友。她們受娜瑪邀請來到城堡參觀，中間看起來最年輕、上圍比娜瑪還豐滿的粉紅雙馬尾夢魔，興奮地說：「這裡就是女王的城堡啊，親愛的娜瑪，娘親以妳為榮喔！」

粉紅雙馬尾正是娜瑪的母親，阿格蕾。娜瑪可說是遺傳了阿格蕾的巨乳基因，那是夢魔族最大的武器，也是血統優良的象徵。也因如此，娜瑪才能繼承阿斯摩太之名，她非常感激自己的母親。

「希望娘親會住得滿意呢。假如有什麼需求，儘管告訴女兒，女兒會盡量安排妥當。」

阿格蕾說：「不用麻煩了，我會自己找樂子，呵呵。」

「喔……那還請萬事小心，別太超過了呢。」

娜瑪雖然很喜歡母親，但母親比自己還要貪玩、又愛裝扮，往往使娜瑪十分尷尬煩惱。尤其母女倆走在一起時，阿格蕾更像是娜瑪的妹妹，小時候又經常找她一起吸食男人精氣，這可能也是娜瑪抗拒淫亂的原因之一。

此時有位白髮夢魔插話：「但真沒想到呢，娜瑪找到的男人這麼大有來頭。」說話的夢魔叫伊謝絲，算是娜瑪的前輩，在娜瑪小時候曾傳授過夢魔的技巧給她。

伊謝絲續道：「蘇大公是打敗彼列的人，就連亞巴頓大公和巴力西卜大公都默認了他成為撒馬利亞城主，自然是位偉大的惡魔。能夠誘惑他成為自己僕人，娜瑪的迷惑術看來已經青出於藍了呢。」

「哈哈……那笨蛋這麼好色，我只要使出一半魔力就能迷惑他了……」娜瑪勉強笑著回應，同時心想：雖然現實是立場顛倒，我變成那笨蛋的女僕……

「娜瑪姊妳太謙虛了啦！」另一位金髮夢魔名叫莉莉絲。她是初出茅廬的夢魔，見識和經驗不多，所以視娜瑪為偶像。

莉莉絲高興地說：「聽說那位蘇大公沾有撒旦大人的魔力，這樣的話，精氣應該也比一般惡魔厲害，娜瑪姊一定有什麼絕招才能收服蘇大公吧？」

「咦？呵呵……就是每晚都把那笨蛋的精氣吸飽，化作本小姐的魔力，成就今天的阿摩太女王！哇哈哈哈！」娜瑪不自覺模仿起蘇梓我的狂妄笑聲。

阿格蕾滿是情慾地說：「聽妳這樣說，娘親也想試一下蘇大公的精氣呢。」

「不行！娘親怎麼可以跟女兒搶男人！」

娜瑪反應很大，讓阿格蕾感到奇怪。「不就是一個男人嗎？有好的男人應該一起分享嘛。」

「大概是娜瑪愛上了那個男人吧。」伊謝絲以前輩身分訓話：「娜瑪，妳忘記夢魔族不能愛上獵物嗎？我們吸食精氣為生，集中吸食一人的話，那男人會虛弱至死，所以夢魔談戀愛最終都是悲劇收場。」

「蘇梓我才沒那麼容易虛弱至死啦，他都跟幾千名人魚交配過了。」

「這麼厲害！」阿格蕾越來越興奮。「真羨慕娜瑪呢，不如讓娘親和蘇大公睡一晚吧？」

「都說不行了！」

「唉，真自私。」阿格蕾依舊不滿，但娜瑪還是堅決拒絕把蘇梓我交給自己娘親。

「娜瑪姊，」莉莉絲說：「我想起在廣場上有娜瑪姊的銅像，那又是什麼來頭？」

「那、那個嘛……是蘇梓我那笨蛋太過迷戀本小姐，所以特意鑄造銅像放在城裡，就像愚蠢的人類會把美少女角色的模型放在家中一樣啦。」娜瑪撐著腰故作神氣。

「原來是這樣。最初我看那銅像的姿勢，還以為娜瑪姊被蘇大公欺負呢。」

「那、那笨蛋豈敢欺負我？他被我馴服得像玩具一樣，不然妳們以為本小姐身為夢魔之王會如此不堪嗎？」

「一想到娜瑪姊每晚把蘇大公榨取得一滴不留，果然男人都是敵不過我們呢，真替蘇大公感到可憐。」

——呵呵呵，真是笑話。

突然有道女聲在城堡內殿上迴響，娜瑪臉紅喝道：「是、是誰打擾本女王的雅興！」

「我也是女王喔，小娜娜女王。」夏思思從高處窗戶闖入，跳到地上伸了個懶腰。雖然她看起來平易近人，但從身上發出的魔力，不難讓其他夢魔知道她就是阿斯塔特。

「妳來這裡幹什麼。」自己地盤被入侵，娜瑪謹慎地說著。

「當然是太過想念小娜娜才會來探望妳嘛，怎料一見面就聽到笑話。聽說有人替蘇哥哥感到可憐？怎麼可能，小娜娜還是處——」

「本小姐是處……處為蘇梓我著想！所以對他很好，他沒有可憐。」娜瑪臉紅耳赤，馬上把夏思思拉走，並回頭道：「伊謝絲，麻煩妳替我照顧一下娘親和莉莉絲，我晚點再回來！」

結果現場剩下不知所措的兩位夢魔，還有舔著嘴唇的阿格蕾。

6

蘇梓我很久沒獨自去到外地了，但娜瑪那幾個在魔界忙著，雅言又一直代替他打理香港聖火教會，迦蘭和艾因加納更不用說，到頭來還是只有他最空閒。

只有他一人也好，畢竟不知正教在盤算什麼，所以他也拒絕了夕嵐的陪伴，獨自前往莫斯科。他也期待著會在異地有新的艷遇，連薩麥爾也是他的手下敗將，如今自己確實是個大英雄。

雖然英雄還是會怕冷。

在兩教安排下，蘇梓我搭乘飛機來到莫斯科後便打發走隨行人員，一個人步出機場。晚上六點半，夜幕下白雪紛飛，蘇梓我打了個冷顫自言自語：「雅言說過第四號角會使白晝變短、黑夜變長，地球會越來越冷……」

「真的好冷喔。」旁邊有把嬌柔女聲傳來。「要不要跟姊姊去溫暖一下身子？」

蘇梓我望見一位打扮非常突出的少女，粉紅色雙馬尾的長髮，即使下雪仍然袒胸露背，裙子只剛好蓋過臀部，性感誘人。

但比起豐滿的上圍，蘇梓我緊盯著她的臉。「妳看起來好像有點面熟……」

「又是這樣的開場白，可不能哄到女生喔。」粉紅少女咬唇笑道：「不過你肯定見過我的寶貝女兒嘛，蘇大公。」

「這稱呼……妳是惡魔族？」

「好厲害，一眼就被看穿了。我是阿格蕾，是在莫斯科工作的夢魔喔。」

「工作？難道是酒吧陪酒之類嗎？」

「差不多呢，莫斯科的紅燈區全由教會管轄，就連惡魔都能安心工作。」

想起之前大陸正教也有雇用伯爵惡魔的紀錄，大概正教會比起善惡更在乎功利吧。蘇梓我應道：「所以妳跟教會有合作關係……慢著，剛才妳說妳有女兒，該不會是……」

「親愛的小娜瑪，我就是她媽媽喔。」阿格蕾拉著蘇梓我的手臂擠在胸前說：「既然是娜瑪的愛人，奴家就給你一點特別服務……關於莫斯科正教的事，蘇大公可以隨意發問，今晚什麼都聽你的。」

◇

說是暖一下身體，其實是暖胃——畫面一轉，兩人已在一間地下酒吧乾下小杯烈酒，阿格蕾舉杯笑道：「莫斯科是個好地方唷，男人也是精氣十足。」

「哼，跟本大爺比還差遠吧。」

「真的嗎？聽寶貝女兒說好像不是那麼一回事呢。」阿格蕾不懷好意地笑著。

「啊？是妳聽錯了。」蘇梓我連忙換了話題。「這間酒吧和妳有什麼關係？剛才我看那些保鏢和酒保都對妳十分尊敬，妳應該不只是個打工的吧。」

「那些保鏢和酒保，女的同樣是夢魔喔，這條街上所有有夢魔工作的酒吧都是由我打理，當然，是在伊琳娜的默許之下。」

阿格蕾說話時總在蘇梓我面前整理裙子，或更換坐姿，應是夢魔本性使然。不過眼前是娜瑪的母親，蘇梓我心情複雜，只能繼續正題：「伊琳娜能將紅燈街交給妳，看來妳和她關係匪淺，所以她真是牧首的祕密情人嗎？」

「嘻嘻，雖然確實有魅惑的天分，不過她也是十分能幹的喔。尤其最近天使聖歌團越來越活躍，都是伊琳娜統籌擊退的。」阿格蕾淺啜一口酒，續道：「不過奴家也有幫忙對付天使。他們很狡猾，有時會假扮成人類混入莫斯科套取情報，巴拉基勒的囚禁之地也是這樣被洩露出去的。」

連天使的名字都知道，蘇梓我心想。他感嘆道：「看來妳的來頭不小，像是惡魔的雇傭兵來制衡天使。」

阿格蕾喝得面紅，心情高昂回答：「我很能幹的，呵呵。」

「那麼現在正教和天使的戰況如何？莫斯科封鎖了消息，我們無法獲得什麼情報。」

阿格蕾揮舞著雙手誇張地說：「戰爭可是在邊境打得霹靂啪啦的，即使在莫斯科市內，也經常聽見戰機起飛的聲音、砰砰砰！」

「戰機？」蘇梓我問：「國家的軍隊還是正教會的？」

「一樣意思啦。正教為軍隊祝福，戰機攜帶擁有聖魔法加持的導彈轟炸天使。這場戰爭挺可觀的啊，至少我保證莫斯科比歐洲那群散沙更耐打。」

蘇梓我追問：「這樣正教借助我的力量，又有什麼目的？」

「當然是大天使米迦勒了。就像超人電影裡，地球防衛軍始終打不贏大怪獸嘛，所以才需要超人登場。」阿格蕾對蘇梓我耳語：「而且他們還想利用蘇大公你喔。」

「這本英雄心裡早已有數，但假如有方法利用正教，用他們來鎮壓天使的話也無不妥。」

「蘇大公太天真了，正教才不打算跟你互相利用；他們只對你的身體很感興趣，尤其是蘇大公體內的撒旦力量，他們正打算研究召喚撒旦的魔法呢。」

蘇梓我想起與大陸正教開戰時，正教甚至能使役聖父顯現來擊殺人類，所謂召喚大概是這意思吧？

他笑道：「即是想活捉本英雄，把我當成外星人那樣解剖研究嗎？」

「可以這樣說啦，所以你親自來莫斯科可說正中他們下懷了。」

「但要活捉本英雄談何容——」

砰的一聲，蘇梓我便倒在桌上，推倒了空酒杯。酒吧頓時出現幾個黑衣人，跟阿格蕾點頭示意，然後把蘇梓我抬走了。

阿格蕾喃喃道：「就算迷惑術起不了作用，但還是能被下藥迷暈呢，人類真弱……但不要怪我喔，我也是逼不得已的。」

7

四十年前，或者更久以前，一位粉紅頭髮的夢魔筋疲力竭倒在莫斯科貧民窟地上，半身覆滿積雪。

那時剛好附近新建了一所正教教堂，那裡的牧師生活苦悶，每天都來貧民窟找樂子，見有夢魔倒在地上實在求之不得，便把她抓回教堂禁錮。她過著不見天日的生活，直至某一天，有個貧民窟出身的男人闖入了教堂、殺死所有教士，她才得以解脫，重獲短暫的自由。

「阿格蕾女士……阿格蕾女士？」

阿格蕾從回憶中睜開雙眼，眼前一位黑衣男正在跟自己報告。

「阿格蕾女士，那個香港人醒了。」

「嗯，我知道了。」

阿格蕾站了起來，整理一下裙子，接著走到地下室查看那個剛被她抓回來的人。她推開厚重鋼門，看見門後方的蘇梓我被人用皮帶綁住手腳、掛在牆上，動彈不得。

「妳這賤人竟敢欺騙本英雄！別以為妳是娜瑪的母親，我就不會把妳抓去調教！」

「蘇大公又發脾氣了，奴家好害怕喔。」

「少裝模作樣！是誰指使妳的？伊琳娜嗎？」

阿格蕾不禁發笑。「我怎會聽命於那個小妮子？況且，這個時候伊琳娜也大概死了吧，之後的事都與她無關。」

「不可能，我不久前才跟伊琳娜視訊，怎麼可以連碰都還沒碰過就死了？」

「反正信不信由你囉。」

「哼，不過區區小魔卻如此囂張，是活得不耐煩了嗎？」蘇梓我一邊咒罵，一邊爭取時機掙扎逃脫，卻被阿格蕾當場識破。

「蘇大公不用浪費氣力了，這裡布滿結界封印，你既無法逃脫，也不能向外求援。」

「太卑鄙，我要求堂堂正正地一較高下！」

「說惡魔卑鄙是一種讚美喔，乖乖成為實驗品吧。」阿格蕾拿起小刀走近蘇梓我，刀身貼近他胸膛，把他身上的衣服逐一割破。

「正教想解剖本魔王，我才不會讓他們為所欲為，一定會逃出這裡，妳死心吧！」

只見阿格蕾退後幾步，從乳溝取出閃亮亮的指環。「你的印戒在這裡喔，真漂亮，送給奴家可以嗎？」

「妳、妳居然還偷走我的印戒！」

「蘇大公，你的全部價值都在這枚印戒上吧？事實上，正教才看不起你呢，根本沒打算跟你合作。正教認為單靠他們就能收拾大天使了。」

「我可是天下的大英雄、大魔王，別怪我沒警告妳，妳的女兒每晚都想念我，只要我失去聯絡，她一定會察覺有異前來營救。到時不只是香港和南亞的眾聖教教會，就連半個魔界都會想辦法剷平莫斯科，妳到時再求饒也來不及了！」

「蘇大公你真是冥頑不靈呢。」阿格蕾輕拍手掌兩下，接著兩名夢魔就把兩架手推車推來地下室。

蘇梓我見狀心感不妙，手推車上羅列著各式各樣的刑具，包括刀劍鐵鞭、鈍器木棍、眼罩、手銬、腳鐐和火炬，還有個裝滿水的大木桶，看起來都是血腥電影裡用來對付囚犯的工具。

至於阿格蕾，縱使她看似無拘無束、態度輕鬆，但背後實則有不為人知的過去。她隨手拿起鐵鏈在手中舞動，突然面色一沉，冰冷說道：

「很久以前，我也在莫斯科被壞人囚禁過。我從他們身上學會了如何折磨一個人，折磨得讓他沒有尊嚴。所以蘇大公你還是認命了吧，今天栽在我手上算是你的不幸。」

「但妳是惡魔，為什麼要幫正教對付身為魔王大公的我？這說不通！」

蘇梓我也是因這想法才會輕易中了阿格蕾的陷阱。但阿格蕾只是回答：「奴家只是做自己喜歡的事情嘛。所以，你就跟伊琳娜一同消失吧。」

◇

「本座是莫斯科和全羅斯牧首，尤里。很遺憾我們要以這種方式見面。」

由於蘇梓我失聯了一整晚，今早利雅言立即聯絡莫斯科正教請求協助，卻意外接到正教牧首親自以視訊回覆。

正教的組織架構與聖教有所不同。聖教很好理解，羅馬教廷是教會的最高行政機關，所以羅馬教宗也是全教之首；正教則是各地教會獨立運作，沒有從屬關係。但如今莫斯科正教會規模勢力最大，聲望也最高，因此莫斯科牧首的地位就等同羅馬教宗，是實質上正教的最高代表。

莫斯科牧首親自答覆一事讓利雅言十分擔憂。她心想，只有重大事件發生才會驚動得了這位八十多歲的老人家……

「我是香港聖火教會的署理主教，利雅言。請問貴教是否有我們蘇主教的消息呢？」利雅言禮貌地詢問。

尤里大牧首的雙目炯炯有神，完全不像是活了近一個世紀的老人；利雅言雖聽不懂他說的俄語，但憑其聲音能判斷，此人硬朗得能活多幾十年也不足為奇。

尤里大牧首透過翻譯說著：「利女士，十分抱歉。請妳先做好心理準備。蘇主教他，就結果而言，已經不在人世了。」

「閣下的意思是……蘇主教已經死了？」

尤里大牧首嘆氣點頭。「不只蘇主教，就連我們的伊琳娜女士也一同遇害，很遺憾他們都無法逃過劫難。」

利雅言心跳停頓了下，整個人的靈魂像被抽乾似的；她聽得見尤里大牧首說的每一字，但組合起來時卻無法理解。蘇梓我死了？怎麼可能？可是那個天不怕地不怕、每次遇險都能逢凶化吉的蘇梓我，死了？

「本座也難以置信……」尤里大牧首凝重地說：「就在昨夜莫斯科時間的八點二十一分，蘇主教邀請伊琳娜執事到市內一間餐廳會面，豈料突然有數名暴徒闖入、亂槍掃射，還引爆身上的炸彈。餐廳內死傷無數，包括蘇主教和伊琳娜執事，以及幾位保鏢都傷重不治，當場死亡。」

利雅言深呼吸，試圖平復情緒。「我們需要派人前去確認……至少要領回蘇主教的遺體，把他送回香港的家。」

「請恕我們無法答應。這次襲擊暫時還不知主謀是誰，我們必須封鎖邊境徹底搜證，盡快將此事查個水落石出。」

「這樣也請讓我們幫忙協查吧！」利雅言罕見地失去冷靜，語氣也重了點。

不過尤里大牧首沒有退讓，依然婉拒了她：「鑒於伊琳娜執事在這次襲擊中犧牲，她的損失對我們打擊相當大，教會與天使的戰爭亦會更加嚴峻；事件牽連甚廣，所以請原諒我們不准許他人插手。」

「但我們也失去了人啊！蘇主教對我們來說同樣非常重要──」

「本座答應你們一定會盡力調查。」尤里大牧首截斷利雅言的話。「這次死傷者幾乎都是正教教徒，我也要保留其他人危害本教的可能性。」

尤里大牧首暗指他不排除蘇梓我是幕後黑手，只不過行動失敗而同歸於盡。當然利雅言也能用相同理由反駁，但這依舊動搖不了尤里大牧首的決定。

尤里大牧首誠懇地向利雅言說：「本座以莫斯科正教會的名義向閣下保證，必定盡快查明真相，之後就能把蘇主教的遺體送回香港，請務必相信我們。」

堂堂正教大牧首都這樣說了，要是利雅言拒絕的話就等同宣戰，她別無選擇。

「我明白了，那麼我們會再靜心等候。」

利雅言長嘆一聲，內心又不能責備一個已死之人，但蘇梓我就這樣把整個教會的包袱都交給她，也太不負責任了。怎麼可以就這樣一言不發離開，她也不知要如何跟其他人解釋。

當然，她還想到另一個可能性，就是正教把蘇梓綁走了。不過事關重大，貿然行動也可能招至兩教開戰，在天使面前，人類還承受得起重大戰爭嗎？

◇

視訊結束，尤里大牧首也離開了會議室，回到自己房裡休息。

——那個女人沒有完全相信我們呢。

甫進房，床上的伊琳娜笑著跟尤里大牧首說：「他們一定會用盡方法私底下調查我們，甚至派人混進莫斯科。當然我不會讓他們成功就是。」

尤里大牧首坐在安樂椅上說：「現下莫斯科鎖城，城內所有特異的靈魂都登記在案，任何外來者踏進環內都會響起警報。」

特異的靈魂包括天使、惡魔，還有異於正常的人類，就像蘇梓我。至於環內，便是圍繞莫斯科的三條環狀線公路：外環、中環、內環。這三個環線同樣布有結界，原本用來對付可疑的敵人，但既然蘇梓我自投羅網來到，伊琳娜便用同樣方法招呼他。

沒錯，捉拿蘇梓我是伊琳娜的提議，尤里大牧首至今仍抱有疑問：「我們有必要做到這地步嗎？當下的敵人應該是天使才對，理論上與蘇主教合作剷除天使才是最穩妥的做法。」

「婦人之仁絕對無法成功，蘇梓我也是一路吞下合作對象才換來今日的地位。假如我們跟他合作，早晚也會像聖教那樣被他顛覆。」

「嗯，一切就按照妳的想法去辦。」尤里大牧首問：「話說回來，蘇主教現在情況如何？」

「再過幾日就會變成廢人一個吧，反正也不可能有人能救得了他。」伊琳娜淺笑，手中握著所羅門的印戒把玩，同時手背的獸印泛著黑暗的光芒。

8

——啪！

皮鞭狠狠打在全身赤裸的蘇梓我身上，打得他滿身鞭痕。經過兩日，蘇梓我由最初哇哇大叫，到現在已然麻木、虛弱得毫無反應。他默默望著地下室的四面牆壁，連視覺也彷彿麻痺了。

這地下室像那些精神病房般純白一片，什麼裝飾都沒有，唯獨每天輪流前來行刑的夢魔卻是五顏六色，髮色有紅有綠，穿的衣服也都十分誇張，大概只有在萬聖節舞會裡才看得到。

「真沒用，連眼神都死了呢。」

剛剛來了兩名夢魔，一個身材較矮小但長得可愛，還穿上粉色碎花裙；另一個則身材高眺舉止妖艷，一身皮革、扮演施虐女王的角色，正在對蘇梓我施行鞭刑，辱罵道：

「你這無能的男人，還不給女王下跪問安嗎！」

女王夢魔叫卡菈，她拉扯繩索舉起蘇梓我雙手，大力鞭打蘇梓我。直到打得累了，她便坐在蘇梓我面前，逼他舔吮自己的腳趾，同時另一個可愛夢魔就負責用魔法治療傷口，讓他不至於痛得休克。

可愛夢魔名叫莉莉，她一邊治療一邊說：「聽說這人類原本是魔界大有來頭的大人物，但現在看起來一無是處嘛，連那傢伙也很普通呢。」

士可殺不可辱，尤其談及男性魅力更不能退讓。雖然蘇梓我傷痕累累地伏在地上，依舊氣虛聲弱地駁斥：「我是大英雄蘇梓我，是最偉大的魔界大公，妳們應該給我下跪才對。」

「看吧，又在胡言亂語了。」

「哼！」於是卡菈用高跟皮靴大力踩踏蘇梓我的胸口，把他固定在地。她對莉莉說：「妹妹，這男人還有精氣，這次就留給妳吃吧。」

「嘻嘻。」粉紅夢魔脫下鞋子，用腳板踐踏蘇梓我胯下的幼苗。「雖然不怎麼出眾，但耐力好像比平常人厲害一點呢。」

蘇梓我慘叫一聲，接著腦袋空白，又被夢魔吸食精氣了。

◇

「進度如何？」

不久，阿格蕾來到地下室詢問關於蘇梓我的情況。

卡菈回答：「已按照阿格蕾大人的指示去辦，先用盡方法侮辱那男人、剝奪他的尊嚴，再用暴力懲罰他，讓他在痛苦中尋求依賴！」

莉莉制止她：「這是阿格蕾大人從悲慘遭遇所得的技巧，妳別說得這麼興奮啊。」

「啊，忘記阿格蕾大人曾被正教的牧師禁錮……」

阿格蕾的一段往事傳到蘇梓我耳中，慨嘆原來她也是個受害者，便睜開眼睛問她：「既然妳受過教會羞辱，如今為何助紂為虐，甚至以下犯上對付本王？」

阿格蕾相當驚訝蘇梓我如今竟仍神智清醒，反問：「奴家又不是撒馬利亞出身，你說說看，為何奴家要聽命於你？」

蘇梓我即答：「只有我能助你們打敗天使，創造一個人類與惡魔共存的世界。」

「呵呵呵，還真把自己看得太高了。你以為沾有撒旦大人的血就是惡魔之皇？你手背的獸名印記只是七大罪中色慾的印記，還有其他六種樞罪呢。」

蘇梓我愣住。「難道除了我，還有其他人也擁有獸名印記，甚至能使役撒旦的力量？」

「這是猴子也能猜到的事。所羅門王在死前把一切託付給撒旦大人，因此撒旦大人的血同樣是觸發所羅門魔力的鑰匙，自然能戴上所羅門的印戒。」阿格蕾靠近蘇梓我，緩緩道：「你不過是其中一個，隨時都能被取代的。」

「怎麼會……妳說還有誰刻有獸名印記！」蘇梓我猛地想起一個人物。「該不會是伊琳娜？這是那個女人在正教教會內握有權力的原因？」

「你猜對了一半。」

「我猜對了哪一半？伊琳娜真的擁有獸名印記？妳把我的印戒交到她手上了？」

阿格蕾不禁嘲笑：「伊琳娜的獸名印記是『傲慢』，比起『色慾』更值得戴上所羅門的印戒，取代你並指揮惡魔剷除天使呢。」

「不可能！我是唯一的！我的獸名印記，我的聖痕，我的印戒，這些都是選定了我作為英雄而誕生。我才不相信妳的鬼話，我是魔界大公蘇梓我！」

阿格蕾用憐憫的眼神看著他。「真可憐，這樣子的你才比不上伊琳娜。」

「笑話！本英雄有什麼比不上那女人？」

「至少伊琳娜是個坎比翁，即是夢魔與人類誕下的孩子，天生擁有強大魔力，就算被奪去印戒，也不會像個人類般一無是處。」

根據紀載，坎比翁的嬰孩出生後大多夭折，又或者被當成怪物看待。加上坎比翁嬰孩食量驚人，渴了會把整條河流喝乾，肚餓便把整匹馬吞掉，因此能被撫養成人的是少之又少。

但只要坎比翁長大後，就是出色的魔法師。其中最有名的例子，就是輔佐亞瑟王登基的傳奇魔法師梅林。亞瑟王和梅林固然是傳說人物，但不代表是虛構的故事；梅林確實擁有超越凡人的智慧和魔力，而坎比翁更是繼承所羅門力量的最佳人選。

蘇梓我皺眉想了想，一個想法在腦中成形。「妳……該不會是伊琳娜的生母？」

阿格蕾微笑道：「事到如今，也不差告訴你另一件事。你知道誰是伊琳娜的生父嗎？他就是當今莫斯科牧首的尤里一世，這樣你明白我們之間的關係了吧？」

正教牧首規定不能結婚生子，所以伊琳娜並非尤里大牧首的祕密情婦，而是私生女。

「這樣伊琳娜根本沒有死，對吧？你們不可能犧牲她，她才是幕後黑手！」蘇梓我嘲道：「還說是什麼教會，你們的關係實在亂七八糟。」

「但現在的正教跟蘇大公你說的一樣，正為創立一個惡魔與人類共存的世界而努力。今晚我們就會跟天使的第四聖歌團開戰，待我方凱旋後，蘇大公你還有什麼存在價值呢？」

蘇梓我大受打擊，但眼前這夢魔實在深不可測，而且還是心理變態，不能用一般方法來對付。莫非今天他真的要裁在對方手上？

阿格蕾重拾起皮鞭，笑道：「放心吧，我的另外一個女兒喜歡你，我不會殺死你的。頂多是用完後把你調教成玩具，送給可愛的娜瑪玩玩，我這位媽媽還算不錯吧。」

提及與尤里的往事，似乎喚起了她不快的回憶，阿格蕾決心要用蘇梓我來發洩。

9

當天晚上，不少地方發生了很多大事。

首先是莫斯科，俄羅斯在毫無預警下向西方邊境發射了數十枚短程彈道導彈，大規模轟炸天使第四聖歌團的大本營。

大天使米迦勒見狀帶頭前去反擊，但其實當地早已有正教騎士埋伏，騎士們一擁而上，以絕對的兵力優勢抵住米迦勒的進擊；同一時間，正教騎士更召喚出他們的王牌——聖父的巨靈。

自從香港聖戰以來，聖父的巨靈就一直沉睡著、養精蓄銳，如今一登場，神力就壓倒了所有天使。

大天使米迦勒看見聖父，氣憤得全身著火；他不能原諒人類三大教會瓜分聖主，聖父更如木偶般被正教操控，他誓言一定要救出聖父。

於是米迦勒衝往地上的正教魔法部隊，但聖父的巨靈以無敵之姿擋在米迦勒面前，雙手抓起大天使的脖子，再把他從天上重重摔下去！

米迦勒的巨體墜落平原，震撼了大地；衝擊波把地上動物全部震昏，所有樹木都向外吹倒，這就是高階神靈的威力。

只見米迦勒翻滾了一圈再站起來，但銳氣已不再，他知道與聖父巨靈正面硬碰沒有勝算，唯有帶領生還的天使聖歌團暫時撤退。

◇

俄羅斯邊境的前哨戰暫且告一段落，另一邊在香港的凌晨時分，一場緊急會議正在召開。利雅言為避免消息走漏，只好召集所有核心同伴前來聖火教堂，當面宣布蘇梓我的死訊。

起初眾人不敢相信，但他們確實聯絡不上蘇梓我，就連與蘇梓我心靈相通的娜瑪也無法用念動術找到他。其他使魔亦是如此，都感覺不到主人的存在，契約隨著蘇梓我一同不見。

蘇梓我真的死了？所羅門的契約又該怎麼辦？眾人不知所措，唯一能肯定的是正教有所隱瞞，卻又沒辦法找出真相。

◇

香港這邊如此迷茫，在義大利的遠行團則漸入佳境。

在瑪格麗特的帶領下，遠行團已來到義大利南部的沿海小鎮特羅佩亞，與海岸對面的西西里島只相差約五十公里。

如此順利也是多虧了正教，正教把天使圍困在俄羅斯邊境，遠行團才能一路無阻。加上瑪格麗特的聖力越來越強，她用聖力淨化飲水，又變出食物，又醫治病人，就像聖子行神蹟，為世人帶來光明。

瑪格麗特手中的聖痕日漸明顯，或許是這原因，此時在莫斯科的蘇梓我，掌中的聖痕卻幾乎完全褪去，不仔細看很難發現它的存在。

「大概是我跟聖教越走越遠，所以失去聖主的祝福了吧……」蘇梓我在地下室內暗自嘲諷：

「又或者像獸印一樣，天底下也不止我一人獨有，肯定有別人取代我的聖痕。」

想到聖痕，蘇梓我記起他最初也是因聖痕而獲封聖，在護送天使到梵蒂岡後更升至白品。有聖品的人當然能使出聖魔法，就像雅言以前教導自己那樣。

而他的手背獸印亦能累積暗黑魔力，就像娜瑪最初教授自己操控纏身黑霧。

因此就算失去印戒、失去所羅門的魔法，假如自己願意努力學習的話，至少也不用栽在不擅戰鬥的夢魔手中了。

腦袋從沒有如此冷靜過，只有憤怒，對自己的憤怒。蘇梓我心道：現在還有方法補救嗎？我手背是色慾的獸印，而這裡又有夢魔為我提供魔力，理論上應該有辦法逃出地下室吧？

但這樣又如何？蘇梓我想起阿格蕾剛才的話，沒有印戒的他不過是個凡人，比不上身為坎比翁的伊琳娜。就算能逃出夢魔掌中，他人在莫斯科也逃不出正教掌控；最終怎麼努力也許都是徒勞無功，蘇梓我的英雄傳說就要到此為止嗎……

——你也終於體會到人類的極限了吧。

「誰？」蘇梓我被一道女聲喚醒，但地下室內只有他一人，而且這聲音如此熟悉……

「又是妳嗎，萬鬼之母。今天怎麼有興致來到地上跟我聊天？」

「妾身一直沒有離開深淵，只不過直接跟你的靈魂對話而已。」

「唉，反正你們這些鬼神什麼都能做到，這樣不如順便把我救出去吧。」

「就算救出你，不到幾分鐘你又會被正教捉回去，所以妾身才不會白費力氣。」

蘇梓我坐在地上嘆息：「所以妳來跟我聊天，是想看看我如何失敗的？」

「不，我是來指引你前往下一階段。」萬鬼之母說：「你只是『純人種』，是最弱小的存在，能走到這地步已是奇蹟。你看看你身邊的人類，其實全部都不是『純人種』。」

例如利雅言，她是父親從研究中誕生的聖女；杜夕嵐，她帶有羅剎惡鬼的血脈，是半人半魔；瑪格麗特，她生於聖人家系，是先天聖人。而認識不久的伊琳娜更是個坎比翁。

萬鬼之母說：「妾身原本只是扮演觀察世界的角色，但很久以前有人拜託我要為你引路，現在只好破例讓你覺醒。」

蘇梓我半信半疑道：「覺醒……界限突破嗎？」

「你雖是人類之軀，但同時亦是特異的靈魂，擁有無窮可能，只不過被純人種的軀殼束縛罷了。」

「這樣假如我要解除封印……」

「你就得放棄純人種的軀殼。」

10

同夜，在跟米迦勒大戰後，伊琳娜回到了莫斯科。但她沒有休息，阿格蕾也無法休息；阿格蕾在凌晨時分接到伊琳娜的召喚，即使千萬個不願意都要往正教官邸走一趟。

「伊琳娜大人，我來了。」

阿格蕾隨意推開房門，只見伊琳娜沉默地坐在書桌前，神色凝重，甚至全身散發生人勿近的威壓。

即使如此，阿格蕾仍是輕佻地坐在書桌上，對伊琳娜說：「怎麼愁眉苦臉呢，我以為你們才把米迦勒擊退會很高興才對。」

「擊退，還真說得好聽，實際上是被米迦勒成功脫逃吧。」伊琳娜看仇人般地盯著桌上的所羅門印戒。「按照計畫，本應是我親自出馬收拾米迦勒，但所羅門的印戒就是不合作。」

不知為何，伊琳娜無法輕易戴上印戒，就算戴上，印戒也不與她共鳴。

阿格蕾說：「反倒那個什麼都不懂的男人卻運用自如呢。」

「他一定還有事隱瞞，我有不好的感覺。」伊琳娜緊張地說：「妳要盡快逼他招供，此人不宜留太久。」

「妳還真懂得勞役別人。」

「我也是為了打敗聖主而賭上一切。拜託妳了，母親大人。」

阿格蕾反而撒嬌道：「好啦好啦，但奴家剛剛才調教完蘇大人，現在先讓我回家休息嘛？」

「嗯，晚安。」

◇

與伊琳娜道別後，阿格蕾拖著疲倦身軀回到魔界的家。

她與大部分夢魔如今都住在蘇城內，蘇城很快就變成一座不夜城，每天歌舞昇平——原本應該是這樣的。

不過今晚街上有種說不出的傷感，天空還下著滂沱大雨，即使阿格蕾用魔法擋雨還是有點狼狽。

「大姊妳終於回來了！」

阿格蕾回到家後，兩位同居的夢魔爭相跑了出來。其中娜瑪的前輩伊謝絲說：「我們等大姊好久了，怎麼這麼晚才回來啊。」

阿格蕾懶洋洋地回答：「發生什麼事？我今天好累喔。」

莉莉絲說：「娜瑪姊姊她剛剛從現世回來，然後就躲在城堡裡一直哭一直哭，哭得整個城都愁雲慘霧了。」

阿格蕾望著雨水拍打窗戶。「原來這些都是領主的眼淚。」

伊謝絲接著說：「我們問過雅典娜等人，聽說是蘇大公被教會殺死，所以娜瑪一回來就哭個不停。大姊妳不如去安撫一下她吧。」

「真拿她沒轍，我去哄她睡覺好了。」

今天她不知中了什麼詛咒，整天都馬不停蹄的。阿格蕾前往山上城堡，甫進大殿，果然如傳聞所說，殿上都迴響著娜瑪的哭聲。

娜瑪已經很久沒哭得像個小孩了，就連旁邊陪伴她的雅典娜和阿提蜜絲亦不知所措。幸好娜瑪一見到阿格蕾走近自己，總算安靜了幾秒。

「親愛的女兒妳又在哭什麼啦，妳看哭得雙眼比雞蛋還要腫了。」

「嗚……那笨蛋，那笨蛋拋棄我走了……哇啊啊啊！」

大哭的娜瑪讓阿格蕾母性大發，柔聲道：「看來妳真的很喜歡那男人呢。」

娜瑪怪責自己：「……為什麼我沒有陪那笨蛋去莫斯科呢？他一定被正教那些壞人殺死了，嗚嗚……」

娜瑪放聲痛哭，阿格蕾將她一擁入懷，輕撫她的頭髮——豈料娜瑪突然推開了她。

「咦……」娜瑪突然皺眉，像小狗般用鼻子嗅著。「娘親怎麼身上有種熟悉的氣味？」

「傻女孩，母親的氣味當然熟悉嘛。」

「不是這樣……娘親身上有那笨蛋的精氣！」娜瑪整個人彈起，猛地捉住阿格蕾質問：「娘親妳最近見過蘇梓我？他發生什麼事了？妳知道他還活著嗎！」

「呵呵……」阿格蕾微微歪頭，裝可愛吐舌說：「這一定要回答嗎？」

「一定要！」

「妳可不可以先答應媽媽不要生氣？」

「難道是娘親幹的好事！」娜瑪展開一對翅膀，黑影籠罩阿格蕾的臉。

「就結果而言，我是知道你的男朋友在哪……不如乖女兒妳先放下閃電火好嗎？」

◇

莫斯科郊外的地下室內，蘇梓我繼續與萬鬼之母交談：「要我放棄人類的軀體，這是要我去死嗎？妳該不會打算把我變成妳的同伴吧？」

萬鬼之母平靜回答：「確實鬼族也比純人種要強一點，但依然不足以讓你發揮全部力量。」

蘇梓我鬆了一口氣。「還好不用變成鬼，那就成為神好了。」

「正確，古神種也是惡魔種，只要換上古神軀體，理應能駕馭撒旦魔力。」

蘇梓我熱切地追問：「要換成神的軀體，那接下來我應該怎樣做？」

「首先要找到『神骸』。」萬鬼之母說：「幸好這片土地曾住過斯拉夫文明的地方神。他們當中有位最偉大的一等神，尊名為特里格拉夫，是斯拉夫三大戰神的集合體。這種等級的話，多少能配得上撒旦的魔力。」

於是蘇梓我馬上閉眼，用聖教的念寫術在腦海中連上世界圖書館，尋找特里格拉夫的資料。

特里格拉夫是雷神佩龍、火神斯瓦洛格、冥神維列斯的三位一體神。天上的雷，地上的火，地下的冥界，特里格拉夫是創造三界的神，統領天上地上地下，超然神聖；神聖的他只能用布裹眼，不能直視地上醜惡。

蘇梓我突然大叫：「等等，我看資料這古神有三顆頭耶！我不要變成怪物啊。」

「就算換了古神軀體，你的模樣也不會改變。外表是由靈魂而來，在妾身眼中，更是只有靈魂不見軀體。」

同理，獸名印記是刻在蘇我的靈魂之中，所以更換軀殼也沒有影響。蘇梓我聞言喜上眉梢。

「太好了！那快點帶我去找那個什麼特里格拉夫的神骸，我要報仇！」

相較於興致勃勃的蘇梓我，萬鬼之母冷淡回應：「妾身不會帶你走，一切都得靠你自己。你要謹記，這次是你『一個人』的試煉，成功與否全看你的真正實力，再沒有藉口了。」

11

妾身不會告訴你如何走，但會引導你目標的路。特異的靈魂，我們有緣再會。

剛剛萬鬼之母說了一番莫名其妙的話後便消失無蹤，鬼神說話非得故弄玄虛不可？地下室再次剩下蘇梓我一人，這樣也好，安靜一點讓自己慢慢思考下一步該如何走。

「這裡沒有時鐘、沒有窗戶，也不知道現在幾點了……」

蘇梓我索性大字形躺下，閉上眼睛休息，用念寫術瀏覽世界圖書館，熟習斯拉夫古神的歷史。

找了一陣子，蘇梓我發現斯拉夫文明幾乎沒有留下任何神話紀載。

換著其他文明，像吠陀文明隨便找也能追溯至幾千年的文獻，希臘和羅馬文明也有兩千年以上的記述。然而斯拉夫不但沒有古籍流傳，甚至所有遠古神話都沒被傳承下來。

歸根究柢，這跟斯拉夫民族長久以來都沒有自己文字有關；即使擁有幾千年歷史，也擁有自己的語言，卻沒有能對應寫出的文字。

文字傳入斯拉夫民族已是公元九世紀左右的事，當時地方神早已滅絕數百年之久，口耳相傳的神話已遺失了大半。至於剩下的，可以肯定已被聖教銷毀了。

畢竟他們所用的西里爾字母是由聖教所創，是聖教為了傳播聖經福音而發明出來的。既然一個民族的文字都被掌握在教會手上，教會要完全消滅古神事蹟也不是什麼稀奇的事了。所有地方神都會被記載成邪惡的惡魔，這是聖教慣用的技倆。

吱——地下室的門突然被推開，來值班的碰巧又是卡菈和莉莉。

「這情況下居然還能睡著呢。」莉莉小聲說。

卡菈答：「這樣我們可以趁他睡覺時吸走精氣。」

「那麼我先開動囉。」

於是莉莉爬到蘇梓我身邊，正要脫下他的褲子——

「別動。」

莉莉脖子上被抵著一把冰冷刀刃，一道冰冷聲音冷冷說道。天真的莉莉過了好幾秒，才明白自己被蘇梓我挾持了。

卡菈驚道：「你、你一直裝睡？這手上鐮刀從哪裡來的，我們明明有徹底搜身的啊！」

蘇梓我一手將莉莉壓倒在地，另一邊殺氣騰騰地警告卡菈：「妳們這些小魔豈能窺探本王的法力？以為取走印戒就是奪去我一切，這種無知實在太可笑了。」

卡菈還來不及反應，反倒莉莉馬上求饒：「哇……蘇大公手下留情啊，別殺死我，我是無辜的。」

「這就要看妳同伴的表現。」蘇梓我怒視卡菈，卡菈只好高舉雙手投降。

「我也不想跟蘇大公作對。」

蘇梓我答：「我不想傷害女人，所以希望妳們合作。」

「怎麼合作？難道蘇大公你打算逃走？」卡菈有點驚訝。

「有何不妥？這裡守衛的不就只有妳們夢魔嗎？區區夢魔難不到本王。」

「恕我直言，蘇大公的魔力大不如前了，要是其他姊妹認真起來，你可能打不過喔。」

但蘇梓我十分冷靜。「本王自然有方法。」

語音未落，蘇梓我便用右手緊抓莉莉的胸部，吸走她的黑色魔力。一陣黑霧從蘇梓我右手引導至其手背獸印，累積於色慾印記之中。

莉莉神情痛苦。「嗚、好痛苦……」

「再忍耐一下，我不會取妳性命。」

蘇梓我凝神靜氣，把夢魔的魔力強行貫注身體──猛然手臂血管膨脹，全身發熱，果然以人類軀體直接吸收惡魔魔力太過亂來了？

不對，就算是亂來也要全力拚一次，此刻力量才是一切。

「再借給我更多魔力吧！」

「嗚……」

莉莉臉色蒼白，幾乎全身無力，最終被蘇梓我吸走全身魔力。蘇梓我溫柔地放下莉莉，然後望向卡菈。

卡菈聲音顫抖說著：「請、請手下留情，蘇大公。」

「放心吧，我是個有仇必報、有恩必還的英雄。妳借我魔力，他日我一定連本帶利還給妳。」

語畢，蘇梓我就伸手吸掉卡菈的魔力；雖然不多，但總算能製造纏身魔瘴，算是低階惡魔的程度。要對付其餘夢魔這樣已足夠，而消耗的色慾魔力也能從她們身上補充，蘇梓我根本就是夢魔的天敵。

12

折騰了一輪，蘇梓我總算制伏全數夢魔，並奪門逃離，才發現原來自己一直被囚禁在紅燈區的一間廢棄公寓裡。

重回喧鬧的繁華街上，蘇梓我認出小巷內那粉紅霓虹門牌，就是阿格蕾誘拐自己的地下酒吧。看來他昏迷後就被夢魔帶到附近禁錮，看到路旁的電視才知道自己被關了兩天兩夜，如今已是夜深。

「哇，好冷。」

蘇梓我摩擦雙手取暖，奈何莫斯科冬季的夜晚實在寒冷。更何況蘇梓我逃亡前只是順手撿回長袍，現在長袍裡只穿著一條內褲，只比暴露狂還好些罷了。

他逼不得已消耗魔力暖身，瑟縮人群當中打算離開此地。紅燈區是阿格蕾的地盤，而他一身頹廢打扮就像街頭的流浪漢，出現在紅燈區一定不受歡迎，被人報警捉走就更麻煩——

突然馬路傳來警笛聲，還有警告燈閃爍不停。難道已經被發現了？蘇梓我立即掉頭，但身後有幾十人朝他一擁而上，甚至把他擠到路旁。

「你看，真的是森林大火啊！」

「看起來燒好大，會不會蔓延到市區？」

「不會吧，那山林的距離不是很遠嗎？」

晚上的紅燈區還真熱鬧，此刻更擠滿了一眾湊熱鬧的路人。蘇梓我隨眾人視線看去，只見夜空中有條弧形火線，甚至把天空一部分映成橘紅，那就是眾人所說的森林大火吧。這真是天賜良機，蘇梓我心想自己或許可以乘亂逃離莫斯科。

「不過很奇怪呢，」一位圍觀的老翁說：「現在山上都是積雪，居然還有森林大火。」

老翁的話觸動了蘇梓我的神經，同時想起一句話。

——妾身不會告訴你如何走，但會引導你目標的路。

「嘿，原來是火神大人嗎？那我不客氣了。」

大概是萬鬼之母喚醒了斯瓦洛格。蘇梓我記得特里格拉夫是火神、雷神、冥神的三神合體，這場雪山大火不是偶然，而是萬鬼之母的指引。接下來她一定會繼續喚醒眾神，這樣早晚會驚動正教，必須趕在正教發現前完成試煉。

就算沒有所羅門的魔力，我也是堂堂魔界大公。

蘇梓我的眼神堅定，在不熟悉莫斯科道路的情況下，他索性朝大火方向跑，以非常人的速度狂奔。跑了二十分鐘，離開鬧市後野外一片漆黑；再跑二十分鐘，沒有道路只能跑在雪上；又過了二十分鐘，蘇梓我已跑到登山口，親身感受到雪山大火的威力。

不久，蘇梓我跑到山腰時看見雪地已開始融化。他爬得越高，山路就越多融雪，越來越濕滑。可是當他繼續跑上山，山路反而變得越發乾爽，因為山頂大火不只把雪融化，甚至還將其蒸發了。

最後當蘇梓我抵達山頂時，眼前已是一片火海，同時火舌如餓鬼般吞噬樹林。火焰啪啪地燒著，以秒速逼近蘇梓我面前；熱風撲面，蘇梓我短短一瞬慶幸自己不是身穿厚衣前來，長袍裡已熱得滿身大汗。

他遂把夢魔魔力集中雙眼，仔細觀察火海——這果然並非天然火，而是含有魔力的魔火。這樣蘇梓我以火魔法逆向操作更能得心應手，他右手手背發光，隨即在自身周圍形成火護盾。

蘇梓我心道：不論夢魔魔力還是人類身軀都太弱了，大概只有十分鐘時間能收服火神。何其嚴峻的試煉，但正好顯得出自己的英雄資格。蘇梓我往天大叫：「萬鬼之母妳做個見證吧，本英雄要先收拾火神了！」

語畢，他伸手分隔火海，緩步走進裡面，踏斷被燒焦的樹枝、跨過斷木，最後在熊熊烈火正中間瞧見一名全身赤裸的金髮火男。

火男左手握著長劍，右手拿起鐵鎚，背部正燃燒大火，金髮也是正在燃燒的火焰模樣。這外表實在是名副其實的火神。

但這位斯拉夫火神好像失去理智，只是在原地瘋狂大叫：「把我從死亡喚醒過來的代價誰來負責！我要把整個世界燒成灰燼！嗚啊啊——」

蘇梓我煩躁地想，看來萬鬼之母用很粗暴的方法喚醒了古神，她明明說過自己只要尋找神骸，幹嘛先喚醒對方多此一舉？若是為了試煉，蘇梓我只好拿斯瓦洛格來出氣了。

蘇梓我昂首步向斯瓦洛格。「雖然才剛喚醒了你很抱歉，但我又要把你送回去了。到深淵後順便給你的同伴傳話，要雷神、冥神上來覲見本王！」

13

「居然敢在太陽聖火前大放厥詞！無論經過多少歲月，人類依舊是醜陋下賤的生物。」斯瓦洛格交叉左劍右鎚大喝：「接受太陽聖火的制裁吧！」

周圍是山林大火，中間的斯瓦洛格左使闊劍大力砍下，蘇梓我便召喚出鐮刀抵擋——「鏘」聲揚起火花，斯瓦洛格的闊劍竟被彈開數吋。

斯瓦洛格盯著蘇梓我手上鐮刀，問道：「居然同樣是用魔法礦製成的武器，是聖武具……不對，是聖髑嗎？」

蘇梓我冷笑回答：「本王就告訴你吧。這是克洛諾斯的鐮刀，別稱弒君之鐮，是希臘一等神的遺物！這樣你還以為我只是個凡人嗎？」

「雖然不知你從哪裡盜取古神遺物，但你手上的鐮刀已經死了，看來希臘古神的鑄鐵技術也不過如此。受死吧！」

斯瓦洛格揚起右手，但鐵鎚不是襲向蘇梓我，而是鎚打在左手的劍刃，刃上隨即冒起火屑放出火光萬丈！這一擊，斯瓦洛格彷彿把生命貫注到劍裡，他接著再劈一劍，蘇梓我一看已經心知不妙——

「哈啊啊！」

蘇梓我大聲一喝，使出累積在色慾獸印的夢魔魔力，將鐮刀變成大鐮。他緊接著以自己為圓心轉圈，利用離心力把大鐮撞向闊劍，總算把劍刃打開。

蘇梓我得意道：「誰說我的鐮刀沒有生命？我就用它來打敗你的火劍！」

「哼，能再接下一劍才說吧。」斯瓦洛格說完，再用鐵鎚大力打在劍刃，劍刃竟如劃火柴般擦成一團火焰！轉瞬間，斯瓦洛格的左手火劍已到蘇梓我頭頂——

蘇梓我不敢怠慢，立刻手舉大鐮格擋，但斯瓦洛格單手就把蘇梓我連帶大鐮壓倒在地，蘇梓我膊胳一痠，腳板沉下了兩分，最後支撐不住，整個人被斯瓦洛格的太陽之力壓跌在地。

斯瓦洛格除了是火神，亦是太陽神戴伯格的父親。就連太陽也是生於斯瓦洛格的聖火之中，這就是古時斯拉夫民族視火為最神聖之物的原因。

「嘖，這就是你的本事嗎？」蘇梓我爬起來嘲諷斯瓦洛格：「我接下你這一刀了喔，你真弱，大概連女人都無法滿足吧」

斯瓦洛格身為最神聖的火神，聽到這話實在不能容忍，一時怒火中燒。他厲聲質問：「你的名字是什麼？」

「記住本王的大名了，我就是英雄蘇梓我。」

「蘇梓我，我要把這名字從世上徹底燒燬！」

隨著斯瓦洛格大喝，山林大火猛然升溫，迫使蘇梓我要使用更多魔力來築起自身護盾。

蘇梓我如今只有低階惡魔的力量，本應難以對抗一等神，不過火神其實也是外強中乾，畢竟剛從深淵被迫出現人世，蘇梓我才能勉強撐住。

不過這樣才稱得上是試煉吧，蘇梓我心想，如今只能賭萬鬼之母沒有捉弄自己，就算要拚了性命都要跟火神決一勝負——

「斯瓦洛格，接受英雄的制裁！」

蘇梓我率先衝前以鐮刃威逼斯瓦洛格，只見斯瓦洛格斜劍擋下，劍柄狠狠搥向蘇梓我的額頭，「砰」一聲把他額頭打腫——但尚未結束，斯瓦洛格趁此空檔，以火神劍的劍尖在兩人之間劃出一道火線，火痕延伸至蘇梓我項頸，即將把其頭顱割下——幸好蘇梓我看穿他的技倆，以鐮刀劈向火線才剛好化解。

沒想到才剛化解，斯瓦洛格已繞到蘇梓我背後連砍三劍，蘇梓我隨即伸出鐮刀仍抵擋不住，背部毫無防禦之下，就被對方砍出數道傷痕！

火焰在蘇梓我的傷口上燃燒，這本應是凡人難以承受的痛苦，但蘇梓我竟捱了過來——

「換我進攻了！」

蘇梓我使出最後一點魔力，從背部傷口中長出黑色羽翼，擺出鐮刀架勢決定死鬥。

斯瓦洛格見狀嘆道：「你還真是死纏爛打，看來不得不將你碎屍萬段。」

「本王才不怕死。我乃魔界大公，我以大公之名接收你的一切！」

其實斯瓦洛格在被喚醒之前便從萬鬼之母那裡聽說意圖，知道蘇梓我想取用自己的神骸。神骸借給人類簡直是侮辱，更何況對象是蘇梓我這種人。因此斯瓦洛格不能敗給蘇梓我，他同樣拚盡全力與其對決，以保名聲——

嚓！斯瓦洛格猛力一劈，劈開了蘇梓我的胸膛，頓時血如泉湧，但同時蘇梓我卻往斯瓦洛格的右手攻擊、奪下神鎚——

「你中計了，本王要借用的是你的火神鎚！」

蘇梓我一邊吐血一邊大笑，模樣瘋狂，並用剛奪來的火神鎚打在大鐮之上——鐮刃隨即覆上一層太陽火的魔力，弒君之鐮的力量頓時反壓斯瓦洛格的闊劍，情勢就此逆轉。

然而蘇梓我只剩下半條命，究竟誰死誰亡就像擲硬幣，結果只是一線之差，剩下只能取決於雙方各自的運氣。

◇

魔界蘇城內。阿格蕾屈服在娜瑪的逼威之下，不得不全盤托出，如實說出禁錮蘇梓我的始末。

娜瑪威嚇道：「快帶我去那裡，我要去救那個笨蛋！」

「乖女兒，妳這樣肯定會被正教殺死啊。現下莫斯科城內幾千名惡魔都有登記身分，來歷不明的連入境都成問題，更何況妳是大名鼎鼎的侯爵阿斯摩太呢。」

娜瑪說：「我不管，我一定要去救他！」

「唉，那男人真的值得妳用生命冒險嗎？人類壽命那麼短暫，他不可能伴妳終老喔。」

阿格蕾是過來人，在她被正教變態牧師監禁時，就是尤里單槍匹馬救她出火坑。那時的尤里威風凜凜、年輕有為，但英雄救美的後續就如愛情故事那樣，阿格蕾與尤里兩人情投意合，很快就墜入愛河，並誕下了女兒伊琳娜。

然而俗套的愛情故事一定會發生悲劇。當時尤里決意要改革正教，爬上莫斯科大牧首之位，如此一來，他不能被別人知道自己有妻女，因為婚姻是不被容許的。

就這樣，雙方關係日漸疏遠，經過歲月洗禮，尤里雖事業有成，但年紀漸老，兩人再沒有當初的熱情了。惡魔與人類之間的愛情不可能有美好結局，阿格蕾正是清楚這一點，所以對蘇梓我沒有期望。

「即使這樣，我也要跟那笨蛋在一起。」娜瑪說：「雖然惡魔壽命很長，人類的很短，但時間並不重要，我只知道這一刻我不能讓那笨蛋拋下我一人。」

阿格蕾嘆了口氣。「既然妳有自己想法，我也不再為難了。只是我的立場不能背叛正教，所以娘親無法陪妳行動，妳只能獨身闖入莫斯科救出他。妳就把此行當成自己的試煉吧，沒有其他人能幫妳。」

「我一人也沒問題，反正行動更方便。」畢竟娜瑪也無法帶著自己領地的惡魔入侵莫斯科。

阿格蕾又叮囑：「妳不能用聖教的標準來衡量正教的守備，不然就會落得跟蘇梓我相同的下場。這是娘親對妳的最後忠告了。」

說畢，阿格蕾便伸手把禁錮蘇梓我的記憶傳送到娜瑪腦中，直接將位置顯現給娜瑪，同時亦替娜瑪的靈魂稍作掩飾。

阿格蕾說：「我把我手下夢魔的氣味傳到妳身上，這樣就算妳抵達莫斯科，正教也要花一點時間才會發現阿斯摩太入侵。」

「感謝娘親。」

阿格蕾打了個呵欠。「好啦，娘親要回房睡覺了，妳自己加油囉。」

◇

娜瑪只簡單告知雅典娜自己要遠行幾日後，便離開魔界，直接飛往莫斯科；不過坐飛機也要花十個小時，即使算上時差，娜瑪飛到莫斯科時已接近天亮。幾經辛苦，她終於來到之前囚禁蘇梓我的紅燈區，卻見整條酒吧街已陸續打烊，顯得有點冷清。

「那笨蛋不知道是否還被囚禁在這裡，希望還在就好了。」

娜瑪依照阿格蕾給的記憶來到廢棄公寓，走到裡面卻沒發現蘇梓我，只看到滿地夢魔衣衫不整地睡在廳內。

她隨便抓了一個夢魔來盤問：「妳們是不是在這裡囚禁蘇梓我？他人在哪裡，想清楚再回答，這會決定妳是否能看到明天的日出。」

「阿、阿斯摩太大人！」阿斯摩太是夢魔女王，平民夢魔看見她便驚惶失色，慌道：「大人說的那位人類已經不在這裡了。我們被他逃脫，現在也不清楚他的去向……」

「真沒用，連個人類都關不住。」娜瑪不會傷害同族，便回頭返回大街。此時她碰巧見到馬路上有消防車經過，便偷聽路人們的對話蒐集情報，最終得知凌晨時，市外發生了一場山林大火，剛剛才終於完全撲熄。

不過山林大火一晚之內就被撲滅，好像有哪裡不對勁，直覺告訴她蘇梓我應該去過那裡。於是她飛到山上，可惜來遲一步，當抵達山頂時，只剩下一片枯萎土地，沒有半個人影。

娜瑪蹲下來拈起一些灰燼，放到鼻前嗅聞，心道：這是魔法火的味道……火神斯瓦洛格。

娜瑪一聞就聯想到斯瓦洛格，可是斯拉夫眾神應該早已逝去了幾千年，這次復活又是什麼原因？還有斯瓦洛格復活之後，發生了什麼事？

娜瑪觀察四周，如今山上鴉雀無聲，一片死寂，看來斯瓦洛格在一夜之間被收服了。這是蘇梓我做的嗎？但若蘇梓我擁有打敗一等神的魔力，娜瑪理應能感應到他的存在才對，而不是現在這樣毫無感覺。

「這笨蛋又到哪裡去了……」

娜瑪心急如焚，不自覺地飛到半空——

突然遠方雷鳴隆隆，閃電交加。現在莫斯科雖是陰天，天氣也並非惡劣至此。娜瑪飛到雲間捕捉魔力的流動，竟被她留意到一絲異常的魔力。

「是東斯拉夫的一等神，雷神佩龍！」娜瑪驚嘆：「先有火神，又有雷神，究竟發生什麼事？莫非正教想召喚斯拉夫的三柱戰神來殺死蘇梓我，這樣那笨蛋可能真的會死啊！」

遠方的雷霆越來越猛烈，天空不斷閃爍閃光，嚇得娜瑪大為緊張。她二話不說便飛往雷鳴之地，希望可以看見蘇梓我的身影。

14

稍早前，約是日出前的半小時，在莫斯科市外的雪原上，蘇梓我剛好趕赴雷鳴現場。

「是雷電之神佩龍嗎，本王帶著斯瓦洛格的火神鎚來會會你了！」

蘇梓我站在雪原中間對天空大喊，一時風雲色變，天上雲霧左右撥開，雷神佩龍從天而降。

「你就是接受試煉的人嗎？」

「對，本王要借神族肉身一用，你應該感到光榮吧。」

「我還擔心你被斯瓦洛格打得半死，但看你還懂得開玩笑，看樣子是我多慮了。」

佩龍見腳下的蘇梓我其實已傷痕累累，拖著沾滿血的步伐走了幾里路才來到雪原之上，不得不佩服他的堅毅。蘇梓我抬頭看著佩龍，佩龍是個高大的白髯公，泛著神光懸浮空中，很有威嚴的樣子。

但蘇梓我已見慣眾神，看得也膩乏，更不對男人感興趣。他喝道：「這一切是命中注定。佩龍，納命來！」

蘇梓我收起火神鎚，換上燃起聖火的雙手大鐮，立刻衝向佩龍開戰。兩人距離急速接近，佩龍右手召出短斧橫揮、擋住了蘇梓我的鐮刃。

佩龍道：「氣勢不錯，但火候比不上斯瓦洛格，真意外你能通過他的試煉。」

「哼，別一副全知全能的樣子。要是神族真無所不能，也不會淪落至滅亡的地步。」

蘇梓我展翼圍繞佩龍盤旋，心中亦在盤算：這雷神的武器是單手短斧嗎？左手也太閒了，肯定還有什麼聖具。

於是他從佩龍的左側出鐮試探虛實，佩龍反應雖快，立刻用右手短斧格擋，但同時左半身亦露暴空位，使蘇梓我有機可乘——

砰！眨眼間，佩龍左手變出一個小圓盾，強行將蘇梓我撞開。這在蘇梓我意料之內，他見佩龍以短斧和小圓盾迎戰，這樣自己的長柄武器應該能佔優勢，接著在腦海很快編出一套攻法挑戰對方。

「喝！」蘇梓我大叫一聲，全身冒出黑霧纏身，甚至與黎明前的天空融為一體，在佩龍眼前消失了。

佩龍皺眉心道：莫非這人類以為障眼法能騙得過神族法眼？接著，他閉眼感應蘇梓我的所在——

「太遲了！」蘇梓我突然騰空冒出，竟已繞了一圈從後方撲來，讓佩龍大感意外。

「佩服，但雕蟲小技能奈我何？」佩龍隨即用小圓盾彈開蘇梓我的大鐮，同時補上短斧劈了過去——

「太短了！」

蘇梓我摸清了彼此的攻擊距離，便在佩龍短斧所能觸及的範圍外猛揮大鐮，再加上太陽聖火單方面以火力壓制，佩龍一時間只能被動接受他的狂攻。佩龍感到戰況不利，便連忙上前拉近兩人距離，卻又被蘇梓我快速往後飛走——

這卻中了佩龍的計畫，他趁蘇梓我在半空退後同時，投出了短斧追命。

佩龍的投斧來勢洶洶，斧身更擦出閃電火花刺人眼目，果然雷神的武具就是要放電才像樣。幸好蘇梓我看慣了娜瑪的閃電火，更能捕捉閃電，電光石火間，他看準機會往投斧猛然一劈，用大鐮把短斧轟走數尺！

蘇梓我嘲諷道：「你以為丟武器很酷嗎？沒有武器我看你還能奈我何！」

只見佩龍右手閃出一道電光，曲折地伸往短斧並把它抓住，此際雷光就如鎖鏈般綁在斧柄，佩龍揚手扯回，投斧馬上又重回手中。

「雷神果然都很麻煩。」

「你這人類也不見得友善。」

兩人短談兩句，接著轟隆一聲，戰火又在莫斯科郊外上空燃燒。

此刻東方泛起金黃曙光，佩龍銀色的投斧掠過蘇梓我的臉，蘇梓我又回敬熊熊烈火燒在佩龍面前；雲間刀光劍影，兩人身影時遠時近，有時佩龍又以電鞭收回投斧，雙方攻擊都是變幻莫測，把雲彩染得斑斕。

「咦？那傢伙的閃電總覺得哪裡不一樣呢……啊，是顏色。」

蘇梓我見慣娜瑪投擲的紫色閃電火，而佩龍的雷霆卻是蒼藍，這就是強弱的分別。畢竟剛復活的佩龍跟斯瓦洛格一樣，力量還不完全，這不過是萬鬼之母為考驗人類的蘇梓我，所設下的試煉。

一想到這裡，蘇梓我便信心大增。「既是連娜瑪都不如的傢伙，就由本王一招給你解脫吧！」

「有本事就放馬過來。」佩龍也得意回應。

蘇梓我手握大鐮，佩龍手執投斧，兩人在日出曙光背景下互相衝向對方，如兩條直線在空中交錯——

然而蘇梓我和佩龍都未在接觸時攻擊，都是超越到對方身後——原來他們想法相同，皆打算迴身使出武器攻擊，就像西部牛仔在夕陽下拔槍對決——

砰！

竟是蘇梓我的火鎚正中佩龍眉心，雷神被狠狠擊落。

15

日出了，曙光中一道落雷直墜雪地。佩龍還不至於被蘇梓我打死，但也很識趣地收了手。他知道自己的使命只是替萬鬼之母考驗眼前此人。

「原來如此。即使只是個人類，卻在神族面前毫不畏懼，又純熟自如地使用聖武具，而且還如此年輕……難怪萬鬼之母會如此善待你。」

「善待嗎？還不知她葫蘆裡賣什麼藥呢。」蘇梓我降落雪地上。他沒辦法像佩龍那麼酷地收回投斧，只能自行拾起火神鎚，接著說：「之前斯瓦洛格被我打敗後，就化成一團火消失了，害我以為他會先把神骸留給我。你也是一樣嗎？」

「神骸在萬鬼之母手中，現在你先專心於試煉就好，當試煉完成，她自然會指示你要走的路。」佩龍續道：「你知道接下來是水的試煉吧？冥神維列斯，他可是我的老對手，這個雷神斧我就先送給你。」

語畢，短斧從佩龍身上緩緩升起，蘇梓我伸手抓住斧柄——「啪」聲有如觸電之感，電流流通蘇梓我全身，使他魔力增加了一點。

蘇梓我嘲諷道：「你這老頭比斯瓦洛格好像親切許多。」

「呵呵，畢竟維列斯是我的死對頭，年輕時我們每天都從天上打到海中呢。既然你現在帶著我的雷電去找他，我可不能讓你弄壞我的名聲。」佩龍也知道蘇梓我身體已越來越虛弱，再這樣下去，恐怕還沒有見到冥神，就會死在半途吧。

「哼，我從不擔心會輸給維列斯。」蘇梓我冷笑說著，然後把佩龍的投斧收入靈魂之中。這樣他便能隨意召喚雷斧和火鎚，就像魔法鐮刀那樣。

佩龍忽道：「最擔心的事情發生了。正教已發現我們，還派出騎士團搜捕。你要當心，正教騎士團的武器，就連魔神也會被殺死。」

聞言蘇梓我便集中精神，感應方圓十里的魔力；果然有一隊人馬正從莫斯科市中心趕來，比預期更加快速逼近，大概再過十分鐘就會抵達。

「咦，還有個奇怪的人？」

蘇梓我同時發現東方還有個魔力強大的人物正衝往這邊，他知道自己現下敵不過兩方追兵，唯有先行撤退。

◇

蘇梓我大概沒有料到，那個魔力強大的人物不是別人，正是娜瑪。

「看到了！」娜瑪背著日出高速飛翔，終於看見雪原，但方才還閃個不同的雷電已停了下來。她不安地心想：佩龍的魔力正在消失，不知那笨蛋還在不在……

娜瑪內心焦急，想探清楚周圍魔力，卻意外發現不遠處竟有正教騎士直逼而來，但她已不管不顧，心中只想早一刻見到蘇梓我，便繼續飛往雪原。

可惜又遲了一步，再次人去樓空，不論是佩龍或蘇梓我都已不見蹤影。

「笨蛋……你究竟在哪裡？」娜瑪擔心得想哭，在半空中忍住淚水。然而腳下雪原已來了上百追兵，正教騎士團以圓形陣式在地上包圍了她——

「阿斯摩太！七大罪的惡魔，不但擅闖正教聖地，還使邪神復活，究竟有何居心？」

正教騎士長走在前頭斥罵天空中的娜瑪，而他身後的正教騎士則全部佩備現代步槍，戰爭時期顯然已不把國際協定放在眼裡。

「走開。」娜瑪沒有被正教的步槍嚇退，反而更加生氣，怒目眾人。「本小姐現在心情很差，誰敢擋路就要付出代價！」

「好大的口氣！連天使都是我們的手下敗將，妳這惡魔居然不識好歹！我就要妳葬身此地，開火！」

一聲令下，全數正教騎士往娜瑪瞄準，全方位猛烈射擊——只見娜瑪突然急速俯衝，結果騎士們隨她移動水平開火，火力重疊，反而把圓陣對面的自己人紛紛射死。

「別怪我，我已經警告過你們別擋本小姐去路。」娜瑪雙眼燃起紅色魔光，侯爵魔力壓倒眾人，厲聲道：「路錢就用你們的血來償付！」

語音未落，她便抓著紫雷橫掃，將正教騎士殺個精光；但很快另一團正教騎士前來增緩，伏在雪原上砲轟娜瑪，再次展開混戰。看來，這片雪原已注定要被染成紅色。

16

火的試煉、雷的試煉，最後就是水的試煉。蘇梓我跟隨魔力流動來到谷地，谷地南北山脈把日光遮蔽，使中間雪地灰藍一片。

然而，就算山脈斷絕陽光也擋不了寒風，更把刺骨寒氣困在谷內。蘇梓我一踏進山谷就好像闖入結界，整個人凍得發顫。

周圍瀰漫著陰森詭異，維列斯就在這附近。

突然，蘇梓我的腳板感到異常冰冷，他低頭查看，竟看見雪地裡慢慢滲出黑色液體，黑色取代白色，幾秒鐘整個谷地已沾滿黑液。

黑液從蘇梓我的腳跟一直淹到膝蓋，使山谷變成水池，就像堰塞湖；湖面折射出黑光，是惡魔和冥界的色彩。

「終於出現了，維列斯。」

蘇梓我後退到山丘上，此時黑光湖已淹沒了大片雪地，湖中心泛起漣漪，接著是直徑超過十尺的巨大漩渦；魔力從漩渦溢出，一頭怪物爬出湖面，與蘇梓我四目相交。

維列斯——斯拉夫的冥界之神，同時掌管著海洋、黑水。他最大特徵就是外表，上半身是長毛黑熊，下半身則是灰鱗大蛇。維列斯是原始神族，跟人形的斯瓦洛格和佩龍不太相同。

因為有著如怪物般的外表，關於維列斯的傳說都是邪惡、血腥。傳說他經常來到人間劫走家畜、污染水源，藉此要脅佩龍跟自己一決勝負。佩龍別無選擇只好與其戰鬥，打得天變地異，這就是雷雨的由來。

當然身為主神，佩龍最後總能戰勝維列斯。所以雷雨過後總是天晴氣朗，大地回復生氣，每次都是可喜可賀的結局。就不知這次維列斯是否會敗給擁有佩龍投斧的蘇梓我了。

半熊半蛇的男神浮在湖上，身軀卻未沾到湖水；他仔細打量蘇梓我，沒有理會他左手的火鎚，目光停在了右手的雷斧上。

「佩龍敗在你手上嗎？」

蘇梓我輕佻回答：「是我搶先一步打敗佩龍，你是不是很不甘心呢？熊寶寶。」

維列斯聞言沒有反應。他與暴躁的斯瓦洛格不同，跟謹慎的佩龍亦不一樣；維列斯內心有如無底深潭深不可測，眼神深邃，彷彿能攝走靈魂。

「雖然我想親手打敗佩龍，但既然你繼承了他的雷斧，這樣親手解決你也是一樣。」

「哼，一點都不好玩的傢伙。」蘇梓我說：「那廢話少說，直接開打了！」

蘇梓我決定速戰速決，高舉火神鎚，打算為雷神斧再添一層屬性；維列斯隨意推掌，黑色液體便潑向蘇梓我頭頂，把斯瓦洛格的火焰澆熄。

「這裡是冥界，是太陽不能觸及之地；所有光芒速速退散，我要跟佩龍直接對決！」

語畢，不但蘇梓我手上的火鎚熄滅，就連眼前整個世界都頓時陷入黑暗，山谷一片漆黑混沌。這是維列斯所布下的冥界結界。

蘇梓我收起火鎚，答道：「那我就用你最討厭的佩龍投斧來對付你。」

語音未落，銀色投斧劃破長空，再以電鞭收回，天地間一道落雷。自遠方觀望，山谷中如無數落雷劈在湖上，彷彿重演過去佩龍與維列斯對決的場景。

維列斯興奮起來。他向來嗜好殺戮，尤其想殺死佩龍，便發了瘋地正面攻擊蘇梓我。不過巨熊上軀笨重，蘇梓我輕易就擲出投斧命中維列斯——

鏘！維列斯用熊爪擋下，繼續蛇行逼近，眨眼間已逼到蘇梓我面前，高舉雙爪，劃出兩輪半月襲向蘇梓我！

維列斯是依仗蠻力的古神，沒有炫目魔法，但熊爪卻能撕裂空間。蘇梓我見狀馬上退後，豈料右腳卻被不知名的東西扯住——原來維列斯的蛇尾已盤上他右腳跟，如千斤之力纏住不放——已經逃不掉了！

即使蘇梓我以雷斧硬擋，但斧柄太短根本使不了力，維列斯的渾身熊力就直接轟在蘇梓我手腕，手腕幾乎脫臼。

蘇梓我一邊喊痛一邊大罵：「原始的野蠻神！」

「自然古神，力量就是一切，佩龍那種人形的古神才是多餘！」

維列斯高聲大笑、獸性大發，趁蘇梓我不及反應便整個熊軀壓在蘇梓我身上撲倒，同時蛇尾繞了一圈纏緊，使兩人交纏在地近身肉搏。

蘇梓我奮力掙扎，右手召來雷斧想劈向維列斯，卻被維列斯的熊爪捉住掐緊，迫使他不得不丟下短斧。

維列斯嘲道：「這就是打敗佩龍的人類嗎？太弱了，看來佩龍那老頭也呆老了。」

蘇梓我聽了不是滋味。「一直佩龍佩龍的，你這混蛋熊寶寶給我聽好！我是蘇梓我，我是魔王，我是英雄！」

蘇梓我大發雷霆，右手使勁想甩開維列斯的熊爪，但維列斯的力氣實在太大，這已不是魔力的多寡，而是原始力量的差距。

「放棄吧人類，你以為為何我會放棄了人形身軀！」

維列斯猙獰笑著，同時施力將蘇梓我的手壓回去——按到一半卻停止不前，蘇梓我居然力氣大增，與維列斯的熊掌形成均勢。

「不過是熊和蛇的合成獸，本王可是赤龍的化身！」

蘇梓我右手化成龍爪，在沒有印戒的情況下，竟以人類之姿喚出撒旦的力量！

17

蘇梓我的龍臂力大無窮，輕易就把維列斯的熊爪逐一折斷；維列斯痛苦慘叫，蘇梓我冷不防便把其蛇尾硬行扯開。

再無東西牽制自己，蘇梓我便挾著撒旦之勢抓住維列斯尾巴、飛到半空，像鏈球般旋轉、猛然放手，維列斯如流星直轟向地面——地面又炸出個坑洞，而蘇梓我右手劇痛非常，使他忍不住大喊出聲。

縱然力量壓倒維列斯，但右臂卻支撐不了撒旦之力；蘇梓我感到臂內每條血管都在膨脹、幾近爆炸，隨時都要廢掉一樣。但在此之前一定要收拾掉維列斯，蘇梓我強逼自己忘記痛楚、全力用撒旦右爪搥向維列斯。

龍爪和熊掌相撞——即使維列斯早有防範，熊掌亦被震斷，果然龍族並非其他野獸所能比擬。

「維列斯，你記住本王名字了嗎？我是蘇梓我，不論佩龍還是你都比不上我的鱗甲！」

「蘇梓我……」維列斯垂下手，緩緩坐在冥土上嘆道：「我認輸了，我同意你通過水的試煉，你連赤龍之力都用上，那是獸神之中最強的吧。」

蘇梓我有些錯愕。「你跟其他兩個神一樣，都是打到一半就認輸啊。」

然而周圍的冥界結界尚未消失，這代表維列斯還不未到筋疲力竭的地步，只是他已喪失了戰意，平靜回答：「因為我們沒有必要在這裡跟你死鬥。接下來是萬鬼之母的工作，我還是回去繼續跟佩龍決一勝負就好。」

「果然是害怕了我的力量——」蘇梓我說到一半，右手突然被撕裂般地劇痛。

維列斯見狀笑道：「你的右手已經廢了，這就是強行召喚撒旦力量的後果，人類軀體畢竟容納不了如此強大的魔力。」

「萬鬼之母在哪，我需要更強大的力量！」

——就在這裡。

萬鬼之母在漆黑中顯現，彷彿冥界結界就是專門為她而設；她的無色無相之軀懸浮在蘇梓我面前，依舊不見其影，只聞其聲：

「恭喜通過所有試煉，你已配得上特里格拉夫的神骸。」

蘇梓我對著空氣回話：「只要本英雄出馬簡直就易如反掌，快把神骸交出來吧。」

「特里格拉夫的神骸如今收藏在鬼界之內，需要麻煩你跟我走一趟。」

「要怎樣——」突然蘇梓我被無形之刃刺穿了心臟，漸漸失去意識，連聽覺都開始弱化……

「一切都回歸靈魂的循環。」

◇

拔掉黑色魔刃，血液迎面噴來，長裙被濺成一片鮮紅。已經是第一百個手下亡魂了吧。娜瑪在殺死地上騎士後立刻飛到半空，再以黑色魔箭向地面騎士狠厲掃射。

是昨晚與米迦勒開戰的關係嗎？正教派出的部隊雖然裝備精良，但素質很低。不對，既然正教能把槍械分配給低階騎士，換句話說，他們軍火儲備的數量依然非常驚人。這些騎士可能只是農兵民兵，臨時徵召前來對付惡魔。

「可惡，怎麼又有增援了？」

數架裝甲運兵車向雪原駛來，車上衝出手持步槍的騎士加入圍捕行列。娜瑪見狀只好又俯衝飛往正教騎士之間，一邊砍殺一邊以正教的人作肉盾。

正教陣營中有懂得魔法的牧師，他們在人群裡設置專門攻擊惡魔的「地雷」，待娜瑪衝來時，便不分敵我一同爆炸——

雪花被炸得紛飛，千鈞一髮間，娜瑪以魔力掩體才避過一劫。那些殺不完的正教嘍囉實在太煩人，娜瑪沒有心情逐一絕殺，便決定使出侯爵級閃雷火給那些混蛋瞧瞧。

她飛到雲間喚出左右閃電，同時把紫電雙槍橫空轟地！

但落雷沒有直接擊殺正教騎士。不知怎的，兩把閃電長槍都打偏了，只是插在雪原的南北兩側，夾在中間的正教騎士皆毫髮未傷。

「一定是那惡魔開始體力下降，我們的戰術成功了！」正教的騎士隊長十分興奮，可是隊員卻發現不妥。

「那兩把閃電依舊插在雪地上沒有消失呢？」

不但沒有消失，閃電火的槍柄還發出閃電火花，把雪原照得又紅又紫。兩把電槍互相傾斜，就像兩支電極，只要電場過強，中間便會產生高壓電弧接通電流——

周圍雪地忽然蒸發，高壓電弧擊中數百騎士，劈向一個又一個，頃刻變成了電流的蜘蛛網！所有騎士在電網之中無處可逃，無一倖免。

直至插地閃電火的長槍消失，雪地上方圓百尺已成焦炭，連屍骨都沒剩下。一次動用殺死千人的魔力，這下連娜瑪都感到疲累，慢慢降落地面坐著休息。

——很精彩呢，真的很精彩。

此時一位美女慢慢走近娜瑪，娜瑪驚道：「我看過妳，妳是正教的女人……伊琳娜！」

伊琳娜微笑地說：「真是沒有教養啊，好歹我也是妳的親姊姊呢。」

◇

在寂靜冰冷的混沌裡載浮載沉，靈魂喪失方向感，身體亦無重量，只是一味浮流。彷彿被人棄置在浩瀚宇宙中，偶爾碰到一些光影掠過身邊，那是走馬燈般的記憶。

似曾相識的感覺，對了，以前被羅剎天殺死時也有類似的經歷。

接著，他很快就知道自己並非沒有方向，就像銀河鐵道有自己的軌道，靈魂也一直被神祕的力量所牽引……啊，在失去意識前，是萬鬼之母親手取走了自己的生命吧？

——你叫什麼名字？

忽然萬鬼之母的聲音傳入意識內，靈魂回答了三個字：「蘇梓我。」

猶如響起了汽笛聲，終於走到盡頭的南十字座站，接著意識一片空白，眼前便是豁然開朗。

「終於到了嗎，等你好久了。」

眼睛睜開，眼前是一間石室，石室一側有個祭壇，祭壇並列著三個台座，台座上站立著三柱神祇。

佩龍續道：「畢竟你才是儀式的主角，沒有你，我們無法開始，也無法結束。」

然而斯瓦洛格還是不甘心敗給蘇梓我，生氣罵道：「我們無法轉生居然是因為這個人類，太荒謬了！」

維列斯冷冷道：「算了，這也是『世界』的意志。只要能繼續決鬥，其他事我都無所謂。佩龍你不會逃避吧？」

「哈哈哈。好，我就收下你的戰書，雖然這場決戰不知會是幾千年後的事了。」

——幾千年在四十六億的長河裡也不過彈指之間。

又是聽慣的女聲，萬鬼之母打斷了斯拉夫三位戰神的閒聊，對蘇梓我說：「再次恭喜你完成了三個試煉。你知道這三個試煉是什麼嗎？」

蘇梓我回答：「火的試煉、雷的試煉、水的試煉。」

「不對，是勇氣的試煉、睿智的試煉、蠻力的試煉。你通過了三個試煉，就證明你擁有三個特質，得以駕馭三個古神，使之三位一體。」

特里格拉夫——三大戰神的集合體，統領俄羅斯的天上地上和地下。以俄羅斯的古神對付俄羅斯的教會，這是諷刺還是因果呢？

萬鬼之母續道：「至於佩龍、斯瓦洛格、維列斯，妾身感謝你們的貢獻，你們將回歸靈魂的循環，留待下次轉生重建文明。」

見萬鬼之母能使役眾神，蘇梓我感到有點無奈。「妳該不會動一下手指就能殺死聖主、抹掉天使吧？」

「的確，無論是斯拉夫古神、吠陀古神，一切神族，又或者往生的鬼族、惡魔、魔獸，當然還包括人類……所有屬於這個『世界』的靈魂，妾身多少都能觸碰和影響。不過聖主和祂的使徒並不屬於這系統內的靈魂，那已超越了我的權限。」

「他們不屬於這個世界嗎？」

萬鬼之母說：「現在你要用神族的雙腳走下去，用神族的眼睛看世界，總有一天，你會看見另一番的景色。」

語畢，祭壇上升起了一個平躺軀體，仔細一看，竟然跟蘇梓我長得一模一樣。蘇梓我驚訝問道：「這是什麼假貨？我本人明明比較帥。」

「這是特里格拉夫的神骸，也是你的新身。妾身說過，肉身會隨著靈魂而轉變，一個容器的真正外貌只會取決於他的內心，所以特里格拉夫才會變成你的模樣。」

「別丟了我們的臉。」佩龍打斷對話：「全俄羅斯最強的神骸就交給你了。雖然比不上撒旦的力量，但也足夠讓你收拾教會那些人了。」

維列斯喝斥佩龍：「廢話少說，我們走吧。」同時回頭說：「人類，不對，是蘇梓我，當我打敗佩龍後，下個就會找你報仇。」拋下這句話後，維列斯便化成一灘水，消失於台座上。

另外兩個台座，佩龍閃出一道雷光，斯瓦洛格則變成一團火，三柱神祇各自從祭壇消失，剩下萬鬼之母跟蘇梓我道別：

「那個人委託妾身做的事已經完成了，最後請你踏上祭壇，將靈魂注入神骸，成為新神。」

「等等，到底是誰委託妳做這些？」

「你沒有多餘的時間問這些問題。魔力流動告訴了我如此的訊息——阿斯摩太現在已落在莫斯科正教手上，危在旦夕。」

「娜瑪？為什麼她會被正教抓走！」

「一切都是命運，血族的纏絆最為複雜……」

萬鬼之母的聲音越來越遠，蘇梓我聽見娜瑪那笨蛋又闖了禍沒時間多想，便將手伸往神骸——

頃刻間天旋地轉，視覺、聽覺、觸覺逐一重新接通，四肢也有了感覺；眼前的祭壇影像便成泡影，彷若從一場夢境裡醒來。當蘇梓我睜開雙眼時，又是另一片的黑暗。

18

「好黑……這裡是什麼地方？」

睜開眼睛卻依然漆黑一片。但他不再身處沒有方向的世界，確切感受到自身重量，像從浩瀚宇宙回到了地球；他確信自己正躺在現世之中，並非浮流於鬼界的冥海。

嘗試動了下手指，往前伸展手臂，便碰到無形的牆壁。他知道自己被某種東西困住，於是以魔力凝於掌心，剎那間照亮目下，接著眼前轟出一個大洞，他終於重見光明。

原來自己被埋於室內地底數尺，這裡大概就是特里格拉夫的墓地。他的靈魂注入神骸，取代了特里格拉夫，並爬到地面上；燈光非常昏暗，他身處一間狹小房間，四面牆壁都是宗教彩繪，應是在教堂內部。

他見牆壁上有片刻有文字的金屬板，便走了上前。他不在乎板上的內容，只是當作鏡子重新確認自己的容貌——一切都跟以前一樣，蘇梓我依舊是蘇梓我。

「什麼聲音？有人在裡面嗎？」

「也許是那個人來了，這樣的話我們便有機會立功。」

門外兩個男人對話著。他們操著流利俄語，高加索的口音十分明顯；並非是那些人講話大聲，而是蘇梓我的聽力比過去靈敏了百倍。也許神靈都要有超凡聽力，才能傾聽世界上每一角落的人祈禱。

蘇梓我不但聽得懂對話內容，他還可以分析出說話者的狀態——兩人大約在五十尺外，擁有基礎魔力，同時又帶有火藥氣味。綜合各種蛛絲馬跡，這裡是正教會的教堂準不會錯。

「是誰！」

室內木門猛地被踢開，兩個穿著厚袍的正教騎士用步槍指向蘇梓我。

「是亞洲人，果然是那姓蘇的入侵了！」一位騎士立即舉高槍口，瞄準蘇梓我眉心恐嚇。另一騎士亦厲聲質問：「你是怎麼闖進來的！有什麼企圖，趕快從實招來！」

「哼，你們有種就開槍。」

兩騎士沒料到有人會不要命到無視步槍，於是交換個眼神，很快就有共識——殺死蘇梓我。

兩人隨即扣下板機，室內響起連環槍聲，牆上出現數排子彈孔，蘇梓我竟同時消失無蹤。

「在你們現身前，本王已掌握了一切，作為新神復活的暖身對象雖有不足，但我會勉強陪你們玩一會兒。」

蘇梓我的聲音直通兩人腦內，他已繞到兩名騎士背後，左手以火神鎚把一人燒成焦炭，右手放出電鞭把另一人束縛在半空。

蘇梓我續道：「我的時間不多，就問兩個問題。這是哪裡？阿斯摩太在哪？」

被縛半空的騎士驚惶道：「這、這裡是安息主教座堂，阿斯摩太現正被禁錮在救世主主教座堂內！」

「救世主主教座堂在哪裡？」

「從這裡出去，沿、沿著護城河往南走就是。」

「好，你下輩子好好做人。」

蘇梓我遂以電鞭將騎士燒成焦炭，兩名騎士最終步上相同命運。

◇

蘇梓我跑到街上，記得自己接受試煉時是早上，但換上神軀重臨莫斯科時又已夜深。他仔細探測城內魔力，娜瑪如今的魔力太過微弱，若非知道她有來此，也許根本無法偵測到她的存在。

「堂堂侯爵惡魔怎麼可能如此衰弱，究竟發生了什麼事。」

蘇梓我越想越心急，趕緊飛往救世主主教座堂，可是在半路上已察覺不對勁。座堂外所有馬路全面封鎖，是軍隊裝甲車設下的路障；當飛到座堂上空時，他更看見有數十輛坦克停在座堂外面廣場，砲口對外朝天，似是在守護座堂，氣氛好比戰時狀態。

不過，跟剛才蘇梓我在另一座堂被騎士襲擊不同，救世主主教座堂外的士兵即使發現了蘇梓我，卻完全沒有開火的打算，任由蘇梓我降落眼前。

「這是歡迎光臨的意思嗎？」

當然，沒人回答他的問題。蘇梓我提高警戒，慢慢走往正門，在數千士兵的目光下步入座堂內。

這是全世界最宏偉的正教座堂，也是莫斯科大牧首的座堂，正教會的最高權力象徵。沿路走廊兩側盡是持槍的正教騎士，他們同樣一言不發，如蠟像般見證著蘇梓我的一舉一動，目送他繼續往前走，氣氛比起真正打仗來得更加詭譎。

蘇梓我終於來到主殿，彷彿別有洞天，莊嚴的氣勢壓倒一切；圓形穹頂是救世主降臨的天花板彩繪，十字架下的祭壇則坐著兩人：尤里一世和伊琳娜。

「伊琳娜！又是妳幹的好事嗎？抓走我還不夠，竟然還對我的女人出手！」

伊琳娜優雅地回答：「這也是令人婉惜的事。但我若不用這方法，蘇大人又怎會如此不管不顧地跑來？這都是你擅自逃跑的關係。」

「這與娜瑪無關，快放她離開。她現在人在哪裡？」

「請蘇主教安心，如非必要，我也不想傷害我的親妹妹。」

「妳……」蘇梓我咬牙道。

伊琳娜冷笑著，接著命人把一架斷頭台推出了祭壇——

只見娜瑪全身無力地平躺，如待宰羔羊般被固定在斷頭台上，四肢被固定；頭頂刀片用繩索懸掛，繩索又連接到座堂最高的鐘樓上。

「——娜瑪！快放開她，不然我要你們所有人陪葬！」

「蘇主教先不要激動。」伊琳娜說：「這斷頭台是計時式的，高架的刀片有五條弦線繫住，暫時都不會落刀斬首。不過鐘樓的分針每走五格，弦線就會斷掉一條……斷掉五條的後果，就不用我多講了吧。」

「妳到底想怎樣……」

伊琳娜展示戴在手上的印戒。「告訴我這印戒的祕密，照我的規則玩遊戲，不然我就命人立即切斷五條弦線。」

19

蘇梓我凝視著伊琳娜的手，只見她手上戴著印戒，手背更有一個圓形倒五芒星的獸名印記。

「果然妳就是另一個沾有撒旦之血的人。」

伊琳娜冷笑回答：「我就是『傲慢』，連天神都不放在眼裡，只有我才配得上所羅門的王位，完全解放撒旦之力。」

蘇梓我不甘示弱。「但妳無法自由操控手上印戒，所以才來哀求我告訴妳印戒的祕密吧。」

「蘇主教，請你認清楚自己的處境。在你說著廢話的同時，鐘樓秒針也在不斷往前走，每五分鐘就會斷掉一條弦線，阿斯摩太可等不了多久喔。」

蘇梓我不禁望向斷頭台上的娜瑪，她的魔力已被抽空，毫無意識地躺著，沒有任何反應。蘇梓我一時氣上心頭，反而頭腦更加清晰了，威嚇道：

「搞不清狀況的是你們才對。假如我說，妳永遠都沒有辦法解放印戒的力量，妳相信嗎？」

「不可能，我們都是擁有獸名印記的七名候選人之一，即是代表七位以色列的王子，都有資格繼承王位。」

「妳沒有資格。」蘇梓我斬釘截鐵地告訴她：「惡魔的世界弱肉強食，勝者為王。妳不是我的對手，枉稱為『傲慢』，不配成為以色列的王。」

「你說我不配？」畢竟伊琳娜只是傲慢，不是憤怒；她沒有因蘇梓我的話而發火，只是一臉不屑地看著他：「我精通所有魔法，統領著世界最龐大的軍隊，正教會的實權掌控者。天底下沒人比我更適合繼承所羅門王位。」

「妳的力量太弱了。若妳能打敗我，我可以考慮無條件把印戒所有權轉讓給妳，但我保證，妳根本傷害不了我分毫。」

伊琳娜笑道：「我都要以為你才是傲慢了呢，但這樣也好，我會讓你輸得心服口服。」傲慢，就是不容許弱小的存在，更無法接受自己不是最強者，是絕對的驕傲。擁有這份傲氣，才能不輸給任何人。

——隆隆隆。蘇梓我頭頂突然傳來機關移動的巨響，他抬頭一看，上方彩繪穹頂居然如相機快門般旋轉打開，能直望夜空繁星。月光照在聖殿上的伊琳娜，她宣告：

「天地之間都為我們作證，我要所有人看見你如何敗在我的手上。」

語畢，她便被一陣聖光包圍，如同發光的蛋，接著一隻白龍赫然破光而出！

「吼吼吼！」

伊琳娜化身為巨大白龍，從穹頂騰空飛上天。她的身軀有如大鱷，尾巴彷若巨蛇，雙翼則如蝙蝠，四爪猶如獵鷹。這是傳說中最強的猛獸，也是撒旦的象徵，更是伊琳娜掌握了撒旦力量的證明。

即使未能駕馭所羅門王印戒，身為坎比翁的伊琳娜仍是解開了龍的形態，在莫斯科上空猛烈咆哮，傲視地上一切。

「印戒被那個女人拿走，她還擁有了白龍的軀體……」蘇梓我心道：無論如何都要打敗她，取回被她奪走的一切。

於是蘇梓我集中精神，紅色龍鱗由右手擴散全身，自己同樣變成一匹赤龍！

彷如沐浴血池的巨獸，他全身披著鮮紅鱗片，雙目是毒蛇的眼，雙角象徵著惡魔的王冠，四足均有粗壯銳爪，紅龍身上一切都使人敬畏。紅龍一鼓翼，在現場所有人紛紛掩耳之際，飛往穹頂去了！

頃刻間風雲變色，紅龍與白龍盤旋在救世主主教座堂上空，虎視眈眈。白龍伊琳娜不禁吃了一驚：「你為何會有化身為龍的力量？」

而且還是紅龍，最高級別的龍，撒旦的顏色。

蘇梓我道：「這就是天命，我才是印戒主人，其餘六位王子都是偽王，妳也不例外！」

龍族的話語每句都堪比雷鳴，震耳欲聾。只見紅龍撲往白龍撕咬，每個動作都牽動天地，全莫斯科的人都在見證夜空中兩匹巨龍的纏鬥。

白龍迴轉龍軀捲起颶風，把紅龍硬生彈開；她再深吸一口氣，頃刻抽乾天上天下的魔力，再往蘇梓我轟出一柱冰砲——

然而紅龍沒有迴避，只是張開龍嘴，噴出斯瓦洛格的暴火瞬間蒸發白龍冰砲；一冷一熱，天空四處盡是氣爆，紅龍和白龍之間則是煙霧瀰漫，被水氣蓋過了視線。

「是特里格拉夫。」伊琳娜恍然大悟。「昨天斯拉夫古神復活，你把古神神骸據為已有，真令人意外。」

蘇梓我答道：「如今我就是全俄羅斯的戰神，比妳更有資格繼承王位，妳還不願認輸嗎？」

「認輸？傲慢從來不認輸，也不會輸。雖然要用這方法打敗你會被認為是勝之不武，但傲慢從都不在乎螻蟻的想法。」

咚！救世主主教座堂的鐘樓指向晚上十一點四十五分，並切斷了第二條斷頭台的弦線。

伊琳娜警告蘇梓我：「還有十五分鐘。我給你十五分鐘的時間，阿斯摩太的命運就掌握在你手中。」

20

紅龍蘇梓我一臉不屑，警告白龍：「不要讓我說重複的話，妳沒有資格繼承王位。」

白龍自負地回應：「這樣就給你嚐點苦頭吧！」

伊琳娜猛然一躍，施爪撲向空中的蘇梓我——但蘇梓我早有防範，輕拍龍翼巧妙避開，同時在最近距離噴火還擊。

數百度高溫燒在伊琳娜的龍鱗上，伊琳娜只好翻過教堂，躍到一旁結冰的莫斯科河上滾了一圈，結冰河水瞬間融化，她得以河水降溫。

蘇梓我笑道：「看來要嚐苦頭的是妳呢。」

「少廢話。」

伊琳娜站在融化的莫斯科河上，水位原本只到她腹部，瞬間更下降了好幾尺——河水一下被伊琳娜吸乾，接著她使出全力吐出水砲，氣勢堪比巨大瀑布，誓要把蘇梓我從空中擊落。

不過蘇梓我是特里格拉夫，是擁有水神維列斯力量的古神；只見他迎向水柱咆嘯，惡水變化成雨點潤澤天地，教堂周圍下起毛毛細雨——

紅龍在雨中升空，自身化成電球往四周放出雷電！電光在水點間交錯、雨水成為觸媒，整個世界瞬時充斥電流；紅龍腳下駐紮的軍隊士兵被電擊暈倒，莫斯科街道失去照明，主教座堂的燈光亦全部熄滅，莫斯科河沿岸頓成漆黑。

伊琳娜也被電擊到，不過這種程度對白龍形態的她來說，根本不算什麼。她離開河床走到岸上，平靜地說：

「真是大膽。你忘記阿斯摩太的性命正懸於一線嗎？任何大規模魔法都有可能誤觸機關，殺死阿斯摩太。」

蘇梓我聞言內心一慌，罵道：「我要妳承受雙倍的痛苦！」

天空中的紅龍大發雷霆，召來雷火纏身照亮夜空，並挾帶戰神魔力俯衝向地上的白龍！途中經過的空氣皆蒸發成水霧，龍尾掠過的大地則裂出深坑；電光石火間，紅龍已直逼白龍頭頂，亮出利爪劃出一道森森白弧——

白龍自知不能硬拚便閃身迴避，先是躍到旁邊大樓，再跳至救世主主教座堂屋頂，四腳抓住教堂的黃金圓頂，對蘇梓我說：「很厲害的魔力，真令人羨慕。」

「別再用教堂來做擋箭牌，妳就不敢跟我堂堂正正打一場嗎？如果是害怕本王，現在投降我可以考慮原諒妳。」

「呵呵，雖然我認同你的魔力凌駕於我，但這不會讓我懼怕，反而使我更加渴望得到你的所有力量。」

咚！再次響起弦斷聲，鐘樓的時針指向十一時五十分，斷頭台的第三條弦線已經斷掉，娜瑪只剩下十分鐘的生命——

忽然，白龍在黃金圓頂繞了一圈突然消失！蘇梓我心神一亂，猛然被一股蠻力從背後拉倒，紅龍「轟隆」一聲倒在廣場之上。

白龍把紅龍壓在地上說：「分心可不行喔。」

接著，她重重一爪抓破紅龍臉上龍鱗，劃出一道血痕，大地一時被染上血色。血腥氣味是最佳的興奮劑，白龍不停爪擊紅龍，抓得蘇梓我頭破血流，伊琳娜見此極為愉快，哈哈大笑。

——就只是這樣嗎？

紅龍突然正面盯著白龍，冷冷問道：「這已經是妳全部的力量？那難怪妳如此渴望本王的力量……所羅門的印戒果然不屬於妳。」

白龍無預警被紅龍的氣勢鎮住。「你又想說什麼？」

「本王不說任何的話，我要妳用身體感受。」紅龍伸爪碰觸白龍胸膛，握起龍爪，把嵌入白龍體內的印戒強行拉扯出來！

「啊啊啊——」伊琳娜胸口感受到一股莫大的壓迫，印戒被無形的魔力狠狠取走，吸到了蘇梓我龍爪上，接著穿過鱗片與紅龍同化！印戒化成魔力的光在體內綻放，從鱗片交疊的縫隙中，透射出猛烈的紅光。

蘇梓我說：「這枚戒指是聖主所賜，後來被拆成一對，一半屬於以色列王，一半屬於阿斯摩太。只有被阿斯摩太認定的人，才有資格繼承王位，並戴上完整的所羅門印戒。妳這樣對待阿斯摩太，妳永遠都不配當王。」

恢復所羅門王魔力的蘇梓我，他不但身上傷口瞬間痊癒，龍軀還覆蓋了另一層大赤鱗甲，整個紅龍身軀比剛才更加龐大、壓迫感更強，嚇得白龍動彈不得。紅龍冷笑一聲，翻身壓在白龍背上，以龍爪捉住白龍的角，束縛她並厲聲宣告：

「妳的『傲慢』，就由本王的『色慾』奪走！」

藉著印戒的加持，蘇梓我性力大增，騎在白龍背上企圖征服對方！這無疑是野獸的行為，只見兩頭龍在教堂群間翻滾纏鬥，白龍猛地抓著馬路掙扎，又掃下大樹，但最終敵不過紅龍的力量；野獸回歸了獸性，紅龍用最簡單直接的方法將白龍征服。

紅龍撞在白龍身上每一下都是撼天動地，連甫融化的莫斯科河都盪出巨浪，四周大樓搖搖欲墜！莫斯科的民眾躲在屋裡見證兩頭巨獸交纏，只聽見白龍淒厲大叫，使得整個教堂區有如鬼哭神嚎。

最後，白龍逐漸喪失力氣，漸漸被染成紅龍的顏色，兩方龍形雙雙消失，莫斯科河回復平靜。

21

紅龍與白龍名副其實地在莫斯科河畔翻雲覆雨，使座堂周圍猶如經歷了一場風暴。馬路被河水淹沒，路旁汽車被沖至路旁堆疊起來；空地積雪留下燒焦痕跡，附近建築都有龍爪抓毀的裂縫，一夜之間，莫斯科市中心變成頹坦敗瓦。

此時蘇梓我已恢復人形，腳邊倒著同樣一絲不掛的伊琳娜，而且不省人事，大概已無還擊之力。雖然勝負已分，但娜瑪還在正教手上；蘇梓我望向鐘樓，如今距離換日只剩下兩分鐘。代表剛剛蘇梓我只用了八分鐘，該說他行事較快恰好救了娜瑪一命？

大將被擒，莫斯科軍隊不敢輕舉妄動，只能看著蘇梓我忽然轉移至座堂聖殿祭壇之前。他來到斷頭台前，看見虛弱的娜瑪仍是毫無知覺，十分痛心。斷頭台旁的尤里一世默默望著，似乎沒有阻止的意圖。

銀光一閃，蘇梓我用大鐮將斷頭台砍成兩段——巨刃從高處直墜在娜瑪與尤里之間，發出巨大聲響，把聖殿上的其他騎士都嚇倒，除了尤里。尤里依舊坐在一角，沒有說半句話。

蘇梓我沒有理會他，只是跪在斷頭台前，細心地為娜瑪解開頸鎖、手銬、腳鐐，並把她抱進懷內。

此時的娜瑪像是睡著的睡美人，倒在蘇梓我懷中沒有反應，動也不動；像藝術品般漂亮，卻又像陶瓷娃娃般脆弱，彷彿隨時會在手裡消失。

為了把夢境的愛人永遠留在身邊，蘇梓我輕輕抬起娜瑪的頭，往她朱唇親下去，將所羅門的魔力傳送給她。

「笨蛋……你在做什麼……」娜瑪張開雙眼，害羞地疑望著蘇梓我。

「這句話應該原封不動還給妳吧。妳一個人跑來正教地盤想幹什麼？」

「還不是因為你被人抓走了，我才趕過來救你啊……沒想到沒有一聲感謝，還要被你這笨蛋佔便宜。」

「妳才是笨蛋。被人抓走的是妳，來救妳的是本英雄。要不是我把魔力注入妳體內，妳還有力氣罵我嗎？該說感謝的人是妳才對。」

「但你沒穿衣服說這些話，實在很沒說服力。」娜瑪嘟嘴嬌嗔。

「那再試一次給妳看好了。」

蘇梓我便再次親吻睡美人，而且是夢魔的睡美人；娜瑪依循本能與他交換魔力和溫度，直至吻到嘴唇都紅起來，兩人才依依不捨地分開。

「謝謝啦……」娜瑪臉紅得好像在發高燒，不，她是真的全身灼燙，夢魔的本能驅使她渴望得到更多，只與愛人親吻根本滿足不了。

「哦，看來乖女兒也終於長大了呢。」

一道嬌媚女聲打斷兩人，粉紅頭髮的夢魔飛到尤里一世身邊，跟娜瑪打了聲招呼。

「娘親！」

娜瑪又有點不好意思，告訴蘇梓我：「其實呢……是我的笨娘親把你抓走了。但你不要責怪娘親啦，她是正教的人，也是身不由己……最多我代娘親向你賠罪。」

「沒什麼，本英雄也沒有傷害女性的興趣。而且妳娘親也是有過一段悲慘過去，所以才會變得這樣奇怪吧。」

蘇梓我想起阿格蕾年輕時曾被正教牧師抓回教堂禁錮，玩盡各種變態調教，所以也不想跟這可憐人計較了。

「笨蛋你誤會了。」娜瑪解說：「抓走娘親的正教牧師的確是一群變態，但他們是想被女人虐待。那些牧師禁錮了娘親，逼娘親每天鞭打他們、又玩蠟燭……」娜瑪越說越尷尬。「總之我說不下去了，反正娘親很喜歡那些玩意就是，沒什麼悲慘過去啦。」

蘇梓我聞言怒視著阿格蕾，阿格蕾笑問：「蘇大人也喜歡那些玩意嗎？」

「突然有點想把妳滅了。」蘇梓我追問：「既然妳是娜瑪母親，怎麼能對她見死不救？」

「兩邊都是我的乖女兒啊，而且我相信伊琳娜也只是開玩笑，不會殺死自己的妹妹嘛。」阿格蕾吐舌頭說：「最多奴家也向你賠罪好了，你要不要試一下？」

「我才沒空理妳這淫魔。」蘇梓我拋下阿格蕾，轉為對尤里喝道：「你們正教將我囚禁，又幾乎殺死我老婆，這筆帳該如何算清？」

沉默良久的尤里終於開口：「關於此事，本座非常愧疚，懇請蘇主教能原諒我們。」

「都差點被你們殺死了，不可能簡單兩句道歉就原諒你們吧！」

「蘇主教所言甚是。只不過我們都沒有全面開戰的本錢，相信蘇主教也十分清楚。而且我本人是真誠想跟蘇主教合作，你想要什麼條件儘管提出，我會盡己所能地答應。」

加上莫斯科政教合一，這樣敏感的情況下，他們不能向外人投降，蘇梓我也不可能要正教歸順自己。

蘇梓我想了想，便告訴尤里一世：「把你的女兒交給我當人質吧，還有整個莫斯科的夢魔族也要宣誓效忠娜瑪。只要同意這兩項要求，我們就能繼續合作下去。」

第五章

光之子與暗之子之戰

1

翌日莫斯科解除了新聞封鎖，澄清蘇梓我與伊琳娜依然活著，安全無恙；兩人假死的新聞是正教會的安排，用以保障與香港聖火教會的祕密會議能順利進行。

畢竟兩教會面的象徵意義重大，特別尤里一世宣布與香港教會結成同盟，便是直接承認了聖火教的存在，無視《耶路撒冷公約》第一條——即大家認同世上只有三大宗教是合法宗教的協議。

地上世界的秩序重組，天上的存在正蠢蠢欲動。

在世界的另一端，甚至超越了七重天、九重天，直至天使聚居之地——月之漩，這裡正瀰漫著沉重氣氛。

◇

月之漩，用人類語言來說即是月球漩渦，是月球上最大的磁場特異點；位於月球正面的風暴洋內，天文學家稱之為賴納爾伽瑪。

與魔界相同，即使日月互相輝映，月亮的天空始終漆黑如一，是永恆的夜晚；同時月面寂靜冰冷，沒有嫦娥的廣寒宮，更沒有瓊樓玉宇，只有荒涼，還有一些人類探索過的痕跡。

歷史上，美俄兩國在新教和正教的推動下多次探索天使的領域，很多地方都走遍了，唯獨

「月之漩」始終無法靠近。

那裡飄浮著無數磷光圍繞一處中心旋轉，隔阻外界入侵；探月的攝影鏡頭只能從外面窺看，月之漩就像在月面上鋪了一層發光的薄霧，有如天堂之境。

這就是天神族曾聚居的地方，面積比起任何人類的都市群都要大；以往風光華麗，但天魔戰爭後聖主與天使銷聲匿跡，月之漩便荒廢了三千年之久，直至現在才再次集合一些天使重建家園。

天使在月之漩中心建築了簡陋的三角神殿，神殿以月亮的魔法礦堆疊而成，猶如閃耀的金字塔。魔法礦本身易於讓魔力流通，方便布下結界，使月之漩如今已成為神聖不可侵之地，凡人五感無從探測。

今天聖歌團回到月之漩詠唱詩歌，淨化月亮的污染，並為天使長的會議奏起背景樂曲。

如今天使的最高指揮是米迦勒，三大天使之首，也是策劃天使復活的天使長。但就算他擁有超凡神力，最近面對莫斯科正教會卻遭遇挫折，不得不率領天使族返回月之漩從長計議。

除了米迦勒，他的面前還坐著另外三位大天使，二女一男，分別是順序吹響三支號角的「神的信使」加百列、「神的同伴」聖德芬，已及「神的命令」沙利葉。

比起剛從梵蒂岡救出時的樣子，加百列已經長大為成年女性的模樣；一頭長長金髮，背後一雙純白羽翼，胸前亦隆起一對乳房。女性性徵突顯的她亦是所有母親的守護者，「聖母領報」的使徒。

如此神聖的加百列嘆道：「大審判一直進行得很順利，第一和第四聖歌團也復活了，靈魂從現世逐漸轉移至天國；明明只要繼續減少人類數目就能成功，教會實在可恨。」

全身赤紅的沙利葉說：「人類就是如此賤劣，竟用巴拉基勒作為誘餌伏擊第四聖歌團，阻止第四號角復活。我們不能讓教會囂張下去，不如派出第一聖歌團把莫斯科掃平吧！」

沙利葉的象徵是血月、死亡，脾性亦比較激進，想將人類盡快剿滅。

但米迦勒不敢苟同，語重心長說：「現在的情況讓人想起天魔戰爭，所羅門王與撒旦聯合地方神及人類對抗天使。當年規模只是以色列一帶，如今連東西方的地方神都相繼被所羅門的繼承者拉攏，我們要先阻止此事發生。」

沙利葉道：「所羅門的繼承者，那人還殺死薩麥爾、搶走第五號角，無可原諒，一定要給予懲罰！」

米迦勒續道：「那個人最大的威脅是，他能把教會和魔界這兩個仇敵聯合起來。尤其正教會利用邪術操控聖父，已成為我們計畫中的最大阻礙，不能讓這場鬧劇再度上演。」

沙利葉問：「米迦勒大人的意思是……聖子嗎？」

「聖教即將渡海，無論如何都不能讓聖子落入反聖主的勢力手上。」米迦勒望向一直沉默不語的聖德芬，問：「妳也是偉大的天使長，有沒有什麼意見？」

聖德芬只是簡單回答：「沒有意見、只要聽從米迦勒大人吩咐、就好。」

聖德芬與加百列雖同為女性天使，但兩者氣勢相差甚遠。鬈曲短髮的聖德芬彷若長不大的孩子，與她龐大的身軀形成對比。

儘管如此，聖德芬的神力無容置疑，米迦勒心中有了結論。

「這次由妳親自去阻止聖教殘黨吧，當然手段一概不問。」

聖德芬聞言沒什麼反應，只有輕輕點頭。

接著米迦勒命令其餘的天使長：「沙利葉，正教方面就交由你去監視。假如能找到其他天使的下落更好。」又吩咐加百列：「我們也是時候去迎接老朋友了，妳還記得是誰嗎？」

「難道已經有拉斐爾的消息？」

米迦勒笑而不語，看來三大天使聚首一堂的日子不遠矣。

2

五十天、一千公里、十萬人，聖瑪格麗特經歷了許多苦難，終於帶領遠行團逃到西西里島西岸，一個曾叫馬爾薩拉的廢城，與北非突尼西亞只有一海之隔。

如今歐洲天空盡是烏煙瘴氣，毒瘴把鳥兒都毒死了，連同眼前沙灘遍布大小死魚、各種破爛貝殼，天地成了無數生靈的亂葬崗，現在只希望地中海的另一端有新的生命和希望。

「真是辛苦妳了。」安東尼走到走到瑪格麗特身邊，溫柔地說。

此時的瑪格麗特眼神變得成熟，整個人宛如脫胎換骨。她撫著腰間的白花，問父親：「我們成功渡海後，有什麼計畫？」

「聖教會的重建。」安東尼說：「真正的目的地是埃及，我們要把聖子復活。」

瑪格麗特不明白父親所言，安東尼便反問：「這段日子，妳有用念寫術把聖經和偽典背誦進入腦中嗎？」

瑪格麗特默默點頭，這是父親的吩咐，說她將來要做一個救苦教宗。

安東尼引用經書文字，說道：「以色列年幼的時候我愛他，就從埃及召出我的兒子來。」

「何西阿書第十一章第一節。」瑪格麗特回答。

「沒錯，這是公元前八世紀的以色列先知寫下的預言書。當時天魔戰爭已經結束，聖主天使雖戰勝惡魔，卻遭人類背叛和囚禁，世界的主導權逐漸從神族手上落到人間。」

宗教歷史在天魔戰爭結束後數百年內都是空白，尤其以色列不斷被東西方的帝國吞併，慢慢失去自己的文化，亦失去了信仰。那段靜默時期，史學家稱之為「兩約之間」，即是舊約聖經與新約聖經之間，超過四百年的歷史真空。

然而，即使檯面上的歷史沒有記載，在梵蒂岡及世界圖書館的禁書目錄中卻能找到當時的真相。

安東尼說：「那段時間，以色列人沒有神的管束，便想取代為神、潛心研究聖主的神骸。但最終以色列人不但無法駕馭神骸，更引來列強入侵，第一神殿被毀，耶路撒冷陷落。結果聖主的神骸輾轉流浪，最終去到埃及的領土。」

從結果來看，埃及人比以色列人更加聰明，他們知道自己無法操縱聖主的大能，便將聖主一分為三，分為聖父、聖子、聖靈，創造了三位一體的概念。他們更復活其中的聖子，使聖子在人間行神蹟、蒐集信徒，建立了聖教會的前身。

瑪格麗特問：「這樣的話，代表聖子並非誕生於伯利恆？」

「嗯。新約故事全是教會編纂，與舊約聖經全是神的話語截然不同，因此兩約之間才會出現矛盾。例如舊約聖經根本沒有三位一體的構念。」安東尼又說：「況且聖子本就不是被『誕下來』的，而是被『製造出來』的。」

所以童貞女也能「製造」出聖子，安東尼雖沒把話說清楚，但瑪格麗特隱約能明白。

瑪格麗特問：「此次埃及之行，目的就是為了重造聖子？」

「沒錯，就像兩千年前那樣。不同的是，我們並非完全復活聖子，而是要將他的神力加諸在妳身上，因為妳是被聖痕認可的人。」

「這是什麼意思？」瑪格麗特還是頭一次聽說此事。

安東尼答：「我記得庇護十三世生前說過，假如世界遇上終末的命運，只有兩個人能化解危機。其中一人手上的聖痕會指出答案，現在看來那個人就是妳了。」

瑪格麗特深吸一口氣。「我是神選之人，一切就交給我吧。」

語畢，她緩步走向海岸邊，右手握著摩西之杖，面對大海，準備施行神蹟——她掌心的聖痕發出耀眼光芒，照亮蛇杖上栩栩如生的蛇，神聖力量充盈。

瑪格麗特默禱：「我懇求主祢賜我力量，踏平障礙，把海水隔開！」

瑪格麗特身後的十萬信眾，他們同樣在灘岸邊為她祈禱。

信眾們以往內心的矛盾已消失，那種明是怨恨著聖主、天使，卻又要以聖教之名借助聖力的矛盾。如今聖教徒們已有共識：聖主是錯誤的，他們要以聖力糾正聖主的錯，把聖子的力量收回手中。

轟然一響，大海分開了。一雙無形之手從蛇像被喚出，手指插進水裡，把大海如沙石般左右撥開，看得在場信眾無不嘖嘖稱奇。

這已不是僅僅分隔紅海的程度，馬爾薩拉與突尼西亞相距約一百三十公里，比紅海寬了好幾倍；從這裡到北非的海床深度最深超過一千尺，換算高度的話，比摧毀龐貝古城的維蘇威火山還要高。

橫跨一百三十公里、一千尺深的神蹟，這是無法想像的事——瑪格麗特是眾多聖痕候選人之中，唯獨取得繼承光明之子資格的人，還差一步就能成為新的聖子，這種神蹟對她來說不足為道。

3

「笨蛋，你打算睡到什麼時候！」

又親切又厭煩又可愛的聲音把蘇梓我吵醒——他整個腦袋彷彿被人擠壓，頭暈眼花，痛到什麼都想不起來。他立即質問娜瑪究竟對自己做了什麼。

「我做了什麼？就是昨晚替你收拾殘局啊！」娜瑪撐著掃帚說：「你忘記自己大難不死，就把所有人叫來開派對慶祝嗎？到最後連我手下的夢魔都醉得不省人事。我好歹也是個女王啊，為什麼還要打掃！」

「是嗎？這麼有趣的事我居然忘記了。」蘇梓我見娜瑪身後站著一個舉止靦腆的金髮美女，問：「她是誰？好像似曾相識……」

美女低頭回答：「那個……我是娜瑪沒有用的家姊，賤名伊琳娜，請多多指教……」

「怎麼設定完全不一樣了，是精神分裂嗎！」

伊琳娜聞言驚惶失措，連忙鞠躬道歉：「對、對不起，以前的我確實太過囂張，如果對大家造成什麼不愉快，請隨意懲罰我。」

蘇梓我想了想。「對了，好像是那時決戰我吸乾了她的傲慢，沒想到竟會變得判若兩人。」

「反而蘇主教好像沒怎麼變呢。」利雅言抱著文件走進房間。「雖然我也很高興看見你平安回來，但如今局勢依舊不穩，羅馬教會那邊也不知情況如何，我們還不能鬆懈。」

娜瑪答：「我們從彼列身上拿走了第五號角，而第四號角的天使仍受正教會嚴密看管，算是暫時阻止了天使吹響七號角的計畫。不如我們去歐洲查探一下情況？」

「這建議不錯，蘇主教應該好好向娜瑪學習才行。」利雅言笑道：「我等會兒就跟迦蘭樞機商量一下。」

蘇梓我不甘心被利雅言看扁，馬上駁道：「妳們的視野都太狹隘了！不是有三大宗教嗎，在跟正教結為同盟後，下一個目標就是新教才對。」

利雅言面露難色。「恐怕蘇主教忘記了新教的歷史。他們隨著美國獨立從聖教會分裂出來，還盜竊了聖教保管的聖靈，以至於他們能跟聖教和正教三足鼎立。」

況且這些事就發生在近代，新教和聖教之間算是新仇，還沒有這麼快就能冰釋前嫌。所以新教一直據守在美洲境內，與東方和歐洲井水不犯河水，維持微妙平衡。

利雅言又補充：「但蘇主教也說得對……新教在這場天使與人類的戰爭中同樣舉足輕重，我想是時候要打探一下他們的立場了。」

「很好，那妳們就照本英雄的意思去工作吧，我先去睡一下——」

啪！

「你也要工作啊。」娜瑪用掃帚拍在蘇梓我頭上罵道：「而且歐洲那邊遭天使蹂躪，下個目標就是我們，你有空先增強自己的魔力吧！」

「妳這女僕真不衛生！」蘇梓我撥走頭上灰塵。「這還不簡單？我現在已經是神，又是魔界三公，回魔界繼續招攬所羅門魔神，一定生意興隆。」

「有這麼容易就好了。」娜瑪忿忿地說：「雖然理論上也應該如此……」

「女人、漂亮、身材好、聲音甜，還要是處女的魔神！快點告訴我可以去哪裡找。」

「是要你找魔神不是找情婦！」娜瑪斥道：「而且歷代魔神很多都不限性別繼承，我也不知道還有什麼魔神合符你那些笨條件……」

但娜瑪說到一半突然欲言又止，蘇梓我見狀問：「果然有這種美女魔神吧？別以為能瞞過本英雄的神眼。」

「第五十六位魔神，吉蒙里。在七十二個所羅門魔神名號中，唯獨賽沛和吉蒙里只有女惡魔才能繼承。」

4

賽沛是人魚族的女王，理所當然是女惡魔專屬的名號，但吉蒙里不傳男性又是為什麼？蘇梓我感到好奇，娜瑪回答：

「因為吉蒙里是公爵夫人啊。她的神器是『公爵夫人后冠』，能讓召喚者把指定的女子娶回家，是種頗為奇怪的技能。」

「原來是個不中用的能力。」蘇梓我撐腰笑道：「要是我看上某個女子，她根本無法拒絕本英雄，何須大費周章呢。哇哈哈哈！」蘇梓我又望著娜瑪說：「而且吉蒙里的技能怎麼跟妳的差不多？」

「吉蒙里的技能是締結婚姻，阿斯摩太的迷惑術是激起性慾，你怎麼把婚姻和性慾混為一談？」

「那就比妳更加沒用了。」蘇梓我又說：「不過她是公爵夫人，應該要有美貌吧！」

娜瑪嘆氣說：「沒錯，根據傳承，吉蒙里是位美艷的貴婦人，衣著華麗，腰繫鑲滿寶石的后冠，以駱駝代步、優雅現身。」

利雅言聞言喃喃自語：「騎著駱駝的美人、婚姻……很熟悉的感覺，但一時間又想不起來。」

「不過也是傳說啦，因為吉蒙里的名號空懸很久了。」

蘇梓我笑道：「畢竟原本的三個公爵一個是娘娘腔，另外兩個比不上本英雄英俊瀟灑，難怪沒有美女願意當公爵夫人吧。嘿嘿，但現在我是撒馬利亞大公，情況就不一樣了！」

娜瑪說：「沒人想當你的公爵夫人啦。」

「妳也不想嗎？」

「我、我？哼，才沒有想過！」娜瑪連忙轉換話題。「反正事情沒這麼簡單，吉蒙里的公爵夫人后冠在數百年前下落不明，之後便再沒有惡魔能繼承此名號了。」

「反過來說，如果有惡魔找到公爵夫人后冠，她就能繼承吉蒙里的名號？」

「理論上是這樣沒錯。神器也遺失很久了，能夠尋回也算是功績一件吧。」

「那妳們去找后冠，我先回去休息。」

「笨蛋別逃——」

「慢著，」利雅言突然打斷兩人。「說不定吉蒙里的神器會對蘇主教有用。」

娜瑪一邊抓住蘇梓我脖子，一邊追問利雅言：「妳有關於后冠的想法嗎？」

「后冠我不清楚，但你們惡魔不都是從人間墮落到魔界的嗎？所以我在思考著公爵夫人在人間的對應人物，腦海就浮現出利百加。」利雅言問：「蘇主教，你知道利百加是誰嗎？」

「又不是我的女人，誰管她。」

娜瑪代答：「亞伯拉罕的媳婦，以撒的妻子，雅各的母親。」

「沒錯。根據《創世記》記載，老年的亞伯拉罕按照主的指示遷往迦南地，打算落地生根。但他希望兒子以撒能娶一位自己故鄉的妻子，而非迦南地的婦女，於是派遣僕人回到迦勒底尋找媳婦人選。」

那些僕人帶著駱駝來到一座村落，遇見一位年輕少女熱心地招呼旅人，又不厭其煩為駱駝打水。接著有神的聲音告訴僕人，她是利百加，是最適合的人選。

因此僕人向那少女說明來意，少女也同意嫁給以撒，於是她就乘著駱駝前往迦南地結婚。

利雅言總結道：「晚空的『鹿豹座』就是利百加的駱駝，雖然中文譯名有點奇怪就是。」

蘇梓我聽得一頭霧水。「這跟什麼公爵夫人有什麼關係？」

利雅言回答：「駱駝、神選的婚姻，這跟吉蒙里的形象不是恰好吻合？我認為這不是單純的巧合。」

娜瑪便說：「魔界的吉蒙里就是舊約聖經裡的利百加，好像很厲害呢。」

蘇梓我依然一知半解，聽不出哪裡厲害。

利雅言答：「利百加特殊之處在於她是兩族之母。當她懷孕後，她發覺肚內的孩子互相爭鬥，便向主求助。主回答說，她將會誕下兩族的祖先，而這兩族人必然有一族要當王。」

主對她說：「兩國在妳腹內，兩族要從妳身上出來，這族必強於那族，將來大的要服侍小的。」

——《創世記》（25：23）

「利百加果真誕下一對孿生兄弟，以掃和雅各。雖然雅各討得利百加的歡心，可惜父親以撒比較喜歡以掃，更想把一切留給以掃。利百加知道後，就先幫雅各用紅豆湯買下以掃的長子名分，之後又要雅各冒充以掃、騙走父親的祝福，奪去以掃的一切，兄弟倆就此決裂。」

蘇梓我不屑地說：「那個以掃也太笨了吧。」

「一切都是主的安排，以掃最終成為以東人的祖先，而雅各就是以色列人的祖先。『以色列』這名字還有特別含意，另解為『戰勝於神』之意，就是神的對抗者——以色列這名號便是雅各徒手擊敗天使而來的。」

利雅言續說：「因此蘇主教既然要繼承以色列王名號對抗聖主，也許找到吉蒙里的后冠會有意想不到的收穫喔。」

5

「原來這裡就是魔界嗎。」

「妳是第一次來我的王國吧，哈哈哈。不過身為聖女，踏足魔界會感到不舒服嗎？」

由於蘇梓我等人要找的公爵夫人后冠與舊約聖經有關，熟識經書的利雅言便是導遊的最佳人選。本來利雅言公務繁忙，但她心想自己身為香港聖火教會的代理人，從未踏足魔界正是她的弱點，便沒有迴避的理由。

她深吸一口魔界瘴氣，嫣然笑道：「以前認為魔瘴會危害人體，但親身體驗就是有點混濁而已。或許魔界沒想像中那麼壞。雖然天空一片紫紺，但這是教宗的代表顏色，夜空更彷彿有種攝人的魅力呢。」

「妳已經見慣惡魔，不再討厭惡魔了吧？」

「若是還討厭的話怎麼辦呢，蘇主教你也是個狡猾的惡魔，尤其是夜晚的時候。」

利雅言身穿祭司的純白長袍，在混沌的魔界中有說有笑。娜瑪看見便掩著眼睛大叫：「哇！如此耀眼，不愧是出淤泥而不染的聖女啊。」

「娜瑪同學太誇張了，而且我也喜歡娜瑪同學喔。」利雅言微笑說：「不過，這裡是個荒漠，接下來要往哪裡走才好？」

蘇梓我答道：「我們第一次轉移到魔界時，也是在這撒馬利亞城外著陸，很快就會有人來迎接我們了。」

語音剛落，兩輛多腳馬車就從天邊飛來，其中一個南瓜車廂更看見夏思思探頭出來，揮手向眾人打招呼：

「蘇哥哥、利姊姊，思思來接大家囉。」

利雅言讚道：「很可愛的南瓜馬車呢，魔界的馬車都是這樣嗎？」

「怎麼可能，那是思思的興趣吧，根本不符合本英雄的氣派，我才不會坐那一輛——」

蘇梓我還沒說完，利雅言便登上南瓜車參觀，看得蘇梓我一臉沒趣。他只好拉著娜瑪登上另一輛馬車，又適當地欺負一下娜瑪來發洩。

四人分坐兩輛馬車，很快飛到撒馬利亞上空，讓利雅言大開眼界。馬車底下萬家燈火，雖然建築物都是奇形怪狀又烏煙瘴氣，十足魔女森林或邪惡基地的氛圍，但至少她看城下惡魔都生活得十分自在、無拘無束，是個有活力的城市。

隨後馬車降落在城堡山上，利雅言踏出南瓜車，被一頭巨型惡魔嚇了一跳。

眼前梟首狼身的惡魔身高十尺，如一道高牆擋在利雅言面前，讓她本能地感到戰慄和緊張。大惡魔走前數步後便收起了魔力，低頭向蘇梓我報告：

「大公閣下，我們已按照指示，把閣下前往希伯侖之事知會了巴力西卜大公。」

夏思思告訴利雅言：「他是瑪門侯爵喔，利姊姊妳忘了嗎？」

「怎麼可能忘記。他是大罪惡魔『貪婪』的瑪門，去年還差點把我家整棟給拆了。」利雅言說：「只是過了半年，大惡魔居然反過來對蘇主教俯首稱臣……蘇主教真的厲害。」

「我也是這樣想，」娜瑪附和道：「明明總覺得他是個大笨蛋，在外面又好像很威風似的。」

「要是被蘇哥哥聽見的話，今晚又要綁小娜娜來教訓喔。」
「哼，那該死的笨蛋只懂得欺負我。」
利雅言聞言微笑，轉了話題：「但我們到希伯侖為何要通知巴力西卜大公？」
娜瑪答：「希伯侖是巴力西卜大公的直屬領地，蘇梓我又是撒馬利亞大公，貿然闖入會被當成入侵啦。」
「原來如此，看來我還要向娜瑪同學學習一下魔界的知識。」利雅言續道：「我知道巴力西卜是大罪惡魔『暴食』，所以才派出『貪婪』與他溝通吧？」
「對，他們私底下似乎也有交情。」娜瑪交叉手臂說著，似乎忘記自己也是大罪惡魔之一。
夏思思說：「假如后冠真的在希伯侖就好了，思思一定要戴上公爵夫人后冠，當蘇哥哥的公爵夫人。」
利雅言說：「按聖經記載，利百加死後葬在希伯侖附近的麥比拉洞，那裡就算沒有后冠，應該也會有后冠的線索才對。」
「不過現實的以色列，會跟魔界的以色列有關係嗎。」
「既然魔界城市都用以色列和聖經地名命名，地形又差不多，我想這應該不是巧合呢。就算地形有些不同，可能也是經過了三千年來的變遷，畢竟聖經記載的是很古老的故事了。」
所以利雅言才會確信魔界同樣有麥比拉洞，那個埋葬以色列人列祖的聖地。
——呼呼呼。
忽然一陣大風颳來，一頭翼獅興奮地走來大喊：「蘇大公閣下，蘇神號已經準備就緒，請大公閣下檢閱我們最新改良的無敵戰艦吧！」

一眾苦力惡魔各自拉著繩索，轟隆轟隆地拖來一艘鐵皮大船，仔細一看，船身竟是浮空數尺的狀態下前行。

機工魔神瓦布拉解說：「我們從撒馬利亞領土內蒐集了大量魔法礦，使船身更輕盈堅固，可在魔瘴中懸浮！而且加上大公閣下的魔力就能穿梭魔界，就算從撒馬利亞南下越過耶路撒冷、飛到希伯侖也沒問題！」

「很好很好，就像RPG玩到中期總要有飛行載具那樣才行。」蘇梓我牽起雅言的手，大笑道：「來，我帶妳看本英雄的世界！」

6

魔界的希伯侖位於魔界南部，該地有一條大運河貫通，運河的正中心矗立著一座太陽神殿，好讓各地把食物一船一船地運到殿上。這是為巴力西卜所量身打造的，今天他坐鎮太陽神殿，像吃流水麵般把屬地的美食鯨吞下肚。

不負「暴食」之名，巴力西卜外表像一隻蟾蜍，一雙圓眼突出，舌頭長得能一口捲下整頭羔羊；同時他有個大圓肚，雙手放在肚子上雖顯得特別短小，卻是力大無窮，單手就能抬起整艘船，把船上食物倒進肚中。

不提巴力西卜的雙腿跟蟾蜍一樣健壯，與其肥胖的外表形成反差，巴力西卜可是魔界三公之一，昔日撒旦的左右手，名氣不亞於彼列。

所以就算他整天在太陽神殿吃吃喝喝，都不會有人敢打擾，唯獨剛剛跑到殿上的女性惡魔。女惡魔一臉憂心地對他說：「大公閣下，聽說人類的大公要來希伯侖附近尋找魔神的下落，此話當真？」

那紅髮女魔身穿黑皮短裙、衣著暴露；肩帶是黑鋼鎖鏈，鎖鏈圍著脖子，那是將自己賣身給予巴力西卜的象徵。

她的名字是耶洗別，是希伯侖的女先知，亦是巴力西卜的妻子。她驚惶道：「那個人類大公是來收服所羅門魔神的，表面上是要找回吉蒙里的后冠，但實際上是要對付大人你啊！」

耶洗別緊張續道：「彼列大公起初非常善待那人類，又協助他剷除教會的敵人，並招攬他到撒馬利亞作客，賜予神器和魔法。結果呢？那人類恩將仇報，反過來殺死了彼列，更搶走他的爵位、奪去領地……大公閣下，你千萬不能相信此人！」

巴力西卜吃著羊腿說：「原來是這樣，還以為蘇大公替本王除掉彼列是個好人，聽耶洗別妳這麼一說，那確實是個不折不扣的惡魔行為呢，真可怕。」

「正是如此！那男人假借所羅門之名對魔神為所欲為，若有反抗，下場將跟彼列大公一樣！」耶洗別說：「他這趟來希伯侖的真正目的搞不好是閣下，而非什麼吉蒙里，不得不防。」

「豈有此理！」巴力西卜猛力把羊腿骨丟進河裡，盪出巨浪，厲聲道：「難道本王隱藏的身分已經暴露了嗎，那人類怎會知道我就是巴力魔神？」

「一定是大人身邊有奸細。不過請大人放心，我已經知道是誰背叛大人，很快就會把那些人處決。」

「太好了！有妳幫忙，本王就能專心吃飯，不用理會其他麻煩事了。」於是巴力西卜又傾身探向河上，雙手把運河上的食物船撥到眼前，邊吃邊道：「隨便找個藉口打發走蘇大公吧，本王不想跟他糾纏。」

「但大人若拒絕那個人類，一定會招致他的仇恨，也許會不顧一切地向我們開戰。為顧全魔界大局著想，我們只能容忍那人類的暴行……」

「可惡，妳要本王容忍人類嗎？」

「當然不是，我們同時要給他一點教訓。」

「嗯，不愧是先知耶洗別，妳有什麼計畫嗎？」

「我們假裝知道麥比拉洞的位置，然後把他引到雪松之林……」

◇

「雪松之林？」

蘇梓我坐在蘇神號的甲板上大吃大喝，此時船上收到希伯侖傳來的魔法短訊，告訴蘇梓我等人，麥比拉洞就在希伯侖外雪松之林的正中央。

利雅言問：「蘇主教跟巴力西卜是朋友嗎？」

「不，我才不認識那傢伙。」

「這樣啊，我還以為巴力西卜即是巴力，也是所羅門魔神，你們有交情所以才如此合作呢。」

娜瑪搭話：「對了，聖經裡也有記載巴力和巴力西卜的事蹟，所以教會對此惡魔才會比較了解吧。」

根據舊約聖經記載，當初巴力西卜是為異教神，但到了《新約聖經》就被描述成為惡魔，這也是兩約之間眾多矛盾之一。

蘇梓我一笑置之：「就算他是所羅門魔神，我也是優先收編女魔，誰管那魔王！」

利雅言說：「但既然你跟巴力西卜沒有交情，惡魔的話就不能盡信了。」

「妳說是對方有詐嗎？哈哈，一直以來有什麼陷阱能對付得到本英雄呢。」但他很快斂起笑容。「這次不是我一人獨闖陷阱，沒什麼好怕，就當見識一下巴力西卜是什麼程度的傢伙吧。」

7

蘇神號在魔瘴中穿梭，最終展開滑翔翼，船員拉帆減速，戰艦掠過雪松林頂，在林地旁降落。

利雅言步出船艙說：「雪松連綿覆蓋了山丘，也不知麥比拉洞是不是真的就在其中。」

夏思思說：「但就算用上預視術，思思也看不到樹林內有什麼喔，只感應到雪松林中正散發出奇特的波長，看來要親身走一趟才能弄個明白。」

「也許那魔法波長是源於吉蒙里的公爵夫人后冠……」娜瑪喃喃說著，卻被夏思思嘲笑：

「小娜娜說過不要后冠，不能跟思思搶喔。」

「哼，我才沒想過要搶。我只是認為，假如森林裡藏有所羅門魔神的神器，笨蛋難道不能感應得到嗎？」

「妳這沒用的女僕居然使役主人。」但蘇梓我仍伸出手上印戒，對準眼前的雪松之林，不過沒有反應。

夏思思說：「這裡的雪松樹會釋出魔力，擾亂周圍的波長，就如天然屏障，所以思思才無法輕易透視林內環境喔。」

「果然還是要親身入內探險。」利雅言如此總結。

「那就早去早回，快點去找那什麼后冠吧。如果找不到就回頭找巴力西卜抗議。」蘇梓我說著同時，看見利雅言擔心地望著自己，只好安撫她：「好啦，還有要小心陷阱就是。娜瑪妳給我留意一點。」

利雅言這才放鬆一些，畢竟她受不了蘇梓我再死一次了。

但娜瑪抱怨道：「為什麼又是我？你不是說自己已經變成神了嗎。」

「神是不用做這點小事的，別囉嗦。」說完，他頭也不回就朝樹林出發了。

雪松之林，一踏入林中就像走進密室般，沒有半點聲音，靜得只剩下耳鳴聲。蘇梓我忍受不了，便命令娜瑪唱歌娛樂大家。

娜瑪不滿，但她更忍受不了蘇梓我的囉嗦，最終只好敷衍唱唱，心中想到什麼就隨便哼唱。

「好難聽——誰用這麼不堪入耳的歌聲污染我的森林巴巴！」

突然泥土鬆動、雪松左搖右擺，樹林就像拉開布幕，一頭醜陋的妖怪從林間走了出來。

娜瑪大叫：「哇！這是什麼變態怪物，還是露體狂，露出下面的蛇頭！」

眼前怪物身高兩尺，是頭全身覆蓋堅硬樹皮的綠色人形生物；頭頂長了牛角，雙手是獅掌，雙腳是鷹爪。而娜瑪說的下面，更是一條如假包換的毒蛇，毒蛇張開嘴巴流著口水，嚇得娜瑪花容失色。

「我的名字是胡姆巴巴，是森林的主人，你們闖入森林有什麼企圖巴巴！」

胡姆巴巴的聲音有如洪水貫穿蘇梓我的腦袋，不用魔法隔阻的話耳膜早就被震破了。胡姆巴巴一呼一吸都牽動著雪松林，張口說話有火焰噴出；樹皮皮膚釋放瘴氣，就連下體都流毒汁，全身上下沒有一處不是由敵意構成。

「什麼巴巴？」蘇梓我沒有把怪物放在眼裡，只是嘲笑道：「見到撒馬利亞大公居然還如此囂張，把魔界三公都不放在眼裡嗎？」

「巴巴！撒馬利亞大公什麼時候換成你這黃毛小子？別以為我終日不踏出林外，就能欺騙胡姆巴巴！」

胡姆巴巴頭上的嘴與下面的嘴一同張口說話，畫面十分詭異，就連蘇梓我也看得不舒服。

「看來不給你一點教訓不可。」蘇梓我呼喝娜瑪：「給那樹妖吃閃電火吧！」

「不用你這笨蛋說，我也想打他很久了。」

娜瑪閉眼舉手捉住閃電，猛地就往胡姆巴巴的胯下毒蛇轟去！然而胡姆巴巴竟全身發光，閃電居然繞過他的身體、打偏落地——不對，是那些光芒形成的護罩滑開了閃電。

「那是胡姆巴巴身上七個光芒的護甲喔。」夏思思難得反過來教授娜瑪知識：「思思想起來了，胡姆巴巴是美索不達米亞文明太陽神的寵物，分享『七光』盔甲，有刀槍不入的祝福喔。」

蘇梓我交叉手臂說：「雖然是區區樹妖，但擁有一等神的神器，娜瑪妳貴為本王的寵物，也要用原初神器把那棵樹打扁啊！不然我就比不上那太陽神了。」

「嗚……我也想把胡姆巴巴轟個稀巴爛啊，可是一看見那條『毒蛇』就噁心得提不起勁，還要我打他那裡……」

見娜瑪邊說邊抖，利雅言亦點頭附和：「我們的目標是吉蒙里的后冠，就算娜瑪能將胡姆巴巴連同整片雪松林連根拔起，但如果因此把后冠掩埋或弄壞就本末倒置了。」

「真麻煩。」蘇梓我轉問夏思思：「妳好像很清楚那棵樹，知道他的弱點嗎？」

「可能知道喔。」

「知道就知道，那有什麼可能？」

夏思思抱怨說：「蘇哥哥好壞喔，都不哄一下思思。」

「現在正在戰鬥啊，妳想要我給妳棒棒糖吃嗎？先快點說！」

夏思思嗔道：「好啦，其實胡姆巴巴與思思源出相同神系嘛。飼養胡姆巴巴的太陽神沙瑪什，正是伊絲塔的兄長呢。」

蘇梓我苦惱地回想：「思思妳好像是什麼女神的三位一體？」

「阿斯塔特、伊南娜、伊絲塔的三相神，跟也是三相神的蘇哥哥很匹配喔。」她笑道：「傳說記載，有位人類英雄走進雪松林追蹤胡姆巴巴，追至伊絲塔的神殿，又利用自己的姊妹色誘胡姆巴巴脫去所有衣物，愚蠢的胡姆巴巴卸下七光盔甲，最終就被打死了。」

「所以妳要去色誘那棵樹？不可以，妳們都是我的。」

「嘻嘻，思思才不會色誘胡姆巴巴，故事的重點是，雪松林附近有伊絲塔的神殿呢。說不定魔界的雪松林也有相同遺跡，所以要拜託蘇哥哥爭取時間囉。」

夏思思提議讓她去尋找神殿，只要她能取回伊絲塔的神力，或許就知道該怎麼做了。

「明白，我批准；雅言比較聰明，也帶她去幫忙吧。」蘇梓我暫讓兩人脫離戰場，接著自己擋在胡姆巴巴面前大喝：「垃圾樹，就由本大爺教你做人！」

胡姆巴巴被惹怒，放聲大喊：「子孫們一起上巴巴！」

頃刻間，林中雪松統統連根拔起，樹幹變成觸手，樹根化為章魚般蠕動的腳！數百個雪松妖把蘇梓我等人重重包圍，魔力雖弱，卻是聚沙成塔，殺氣迫人。

「巴巴！」「巴巴！」

一眾雪松妖又拔出部分樹軀作為長槍，或手握樹果為武器，四方八面傳來「巴巴」叫聲，賭上惡魔的尊嚴，誓要殺死蘇梓我。

8

遠方傳來激戰的喊聲，夏思思與利雅言則偷偷潛入森林中央，即是最初探測到魔力異常之處。該處有座長滿青苔的石造神殿，前後左右都沒有門口，正正方方像個盒子，只有正面豎立了一塊石碑，碑上刻有女神的圖騰。

「夏同學，這裡是伊絲塔的神殿嗎？」

「雖然看起來不像，但至少供奉著伊絲塔的靈。」夏思思指向石碑說：「利姊姊妳看見那石碑的頂端刻有八芒星吧？那就是『伊絲塔之星』。」

「原來如此，那麼夏同學應該能打開神殿的門？」

「思思試一下喔。」

夏思思自在地走近石碑，以掌中魔力與伊絲塔之星共鳴——石碑閃出五彩光芒，眼前那正方形神殿轟隆轟隆地左右打了開來。

「找到了，原來那魔力源自伊絲塔的神骸。」夏思思鑽進神殿內，興奮地說著：「思思一直以來都不完整，就是缺了兩個神格，現在終於尋回其中一個了，嘻嘻。」

「看來夏同學對打敗胡姆巴巴胸有成竹呢。」

「當然了，那樹妖不過是太陽哥哥的寵物，而思思可是最偉大的女神喔。」

◇

「讓你們見識巴巴的厲害巴巴！」

另一邊廂，胡姆巴巴將樹幹觸手刺進泥土，提肩猛力一抽！整片大地頓時升高一尺，娜瑪甚至被拋到半空；她連忙順勢翻個筋斗，在林頂舉手匯集周圍水氣、生電反擊——

但腳下樹妖同樣一齊舉手，長出密集氣根，竟生出如毛毯般的樹海；水氣瞬間被樹妖吸乾，連空氣亦靜止。娜瑪無法有效產生雷元素，只剩一道淺藍電光穿越瘴氣劈向胡姆巴巴。

胡姆巴巴身上亮出七個光芒，微弱電光傷不了他，反被引導到地上消失了。

「只要擁有七個光芒，巴巴在雪松林裡就是無敵的巴巴！」

「巴巴！」「巴巴！」

樹妖們一呼百應，洪亮的喊聲響徹整片森林；娜瑪心煩意亂，稍不留神，樹幹觸手竟從她身後逼近——

「哇哈哈哈！」

只見蘇梓我用姆指和食指挾帶火屑彈出，一點火星就將不安分的觸手燒成灰燼。

蘇梓我大笑道：「始終還是要本王出手，娜瑪妳太沒用了！」

「嘖，你這笨蛋只是坐在一旁看戲罷了。」

娜瑪生氣地在空中轉了一圈，捲起旋風包圍自身，待散開時，她背上已展開一對巨大漆黑羽翼，雙瞳變成紅寶石般地鮮紅，又露出小犬齒，添了幾分殺氣。

「別小看阿斯摩太女王！」

她兩手握著閃電，以雲作柄，雷霆為槍，竟組成一道橫跨十數尺的電光，並用長槍把腳下樹妖掃個精光——不排除她是從平日使用掃帚的經驗習得了此招數。

「可惡巴巴！」

胡姆巴巴本能地感到恐懼，奮不顧身地撲向雷霆槍，再用七個光芒壓制住長槍；娜瑪雖想用力拉走，長槍卻被樹妖牢牢抓緊，胡姆巴巴看到優勢，使胯下毒蛇趁機貼近娜瑪，想要捕食夢魔的魔力——

「哇哈哈哈！」另一道如蘇梓我猖狂的女聲，從娜瑪頭頂傳來。

「又多一個笨蛋出場。」

「小娜娜，是時候看思思的表演了！」夏思思揚手畫出魔法陣式：「看我伊絲塔的八芒星陣！」

伊絲塔是美索不達米亞文明中，月神辛的女兒、太陽神沙瑪什的孿生妹妹，繼承了日月光輝，是明星的象徵。轉化成伊絲塔位格的夏思思全身放出魅惑光彩，以八芒星照亮森林，掩蓋了胡姆巴巴的七個光芒！

此刻胡姆巴巴猶如全身赤裸般，馬上用觸手掩蓋身體，但全身冒出的樹汁出賣了他恐懼的情緒。

「嘻嘻，小娜娜最終比不上偉大的思思呢。」

「誰說的？胡姆巴巴是本小姐的了！」

娜瑪把內心鬱悶化成憤怒的電鞭，瞬間就把胡姆巴巴五花大綁，接著施放雷電，胡姆巴巴整身從墨綠變成黑褐，還傳出一陣木炭的焦香，再無反抗能力。

「可惡，被小娜娜撿了尾刀。」夏思思降落在胡姆巴巴旁，抱怨道：「但蘇哥哥的眼睛是雪亮的，應該知道思思才是最大功臣才對。」

娜瑪也降落下來與夏思思對質：「是本小姐先纏鬥胡姆巴巴，妳不過是趁他不留意時在背後偷襲，沒有本小姐妳也不會成功！」

「但沒有思思蓋過胡姆巴巴的光芒，小娜娜又怎能傷害得到他呢？到頭來，小娜娜不過是胸前有兩團贅肉在天上飛來飛去而已。」

「妳、妳貧乳才是有病！不了解本小姐的魅力！」

「兩位，妳們開始離題了。」利雅言從樹林走了出來，將兩人分開。「我們還是先處置那樹妖吧。」

夏思思說：「那就先脫下胡姆巴巴的七個光芒吧。那原本是太陽神的東西，現在由可愛的妹妹代為接收。」

夏思思邊笑邊剝掉胡姆巴巴的樹皮，這次胡姆巴巴真的變得一絲不掛，連樹王的尊嚴都被夏思思剝奪；森林的小樹妖們見狀只好回復原狀、裝成普通的樹，垂直站在地上動也不動。

「真是一場兒戲。」蘇梓我走近胡姆巴巴喝道：「你現在知道撒馬利亞大公的厲害了吧。」

「大公饒命，是胡姆巴巴有眼無珠巴巴！」

「哼，那你快交出公爵夫人的后冠，不然我就讓思思把你砍成柴枝！」

「公爵夫人的后冠……巴巴？」胡姆巴巴滿身大汗，連忙解釋：「巴巴沒有聽過什麼后冠。巴巴守護了雪松之林幾百年，從來都沒有聽過后冠巴巴！」

利雅言問：「那麼，雪松之林裡有沒有叫麥比拉洞的地方，又或者帶有靈氣的山洞？」

胡姆巴巴猛地搖頭：「巴巴沒聽過雪松之林有寶洞，一定有什麼誤會！漂亮的人類妳要相信巴巴！」

「哼，誰知道你有沒有說謊？先砍他的子孫根再說！」蘇梓我恐嚇胡姆巴巴，但利雅言出面緩頰：

「我看這樹妖已經怕得不知所措，應該不會騙我們才對。」

「嘻嘻。」夏思思捉著蘇梓我的衣袖說：「思思可以借用胡姆巴巴的七光來拆除雪松林的結界喔，這樣就能用預視術看清一切了。」

於是她把七芒放在八芒星陣的七處角落，最後一角補上阿斯塔特的黑光，八方光芒包圍雪松之林，任何東西在她眼裡都無所遁形。

「沒有所羅門魔神的波長，也找不到我們想要的東西喔。」夏思思搖頭說著。

娜瑪質疑她：「不會是妳想獨吞后冠，所以不說出來吧？」

「小娜娜真過分，思思從來都不會欺騙蘇哥哥好嗎。」

「……確實是這樣。」娜瑪無奈地沒再吵下去，她只是不甘心輸給夏思思。

「真正過分的是巴力西卜，居然敢耍本魔王。」蘇梓我大叫：「決定了，我們現在就去找他討回公道，順便看看有沒有什麼寶物可以搶走！」

9

希伯侖的太陽神殿裡，巴力西卜仍是坐在運河前把食物船鯨吞下肚。他的胃袋就像黑洞，就算吞下整座山的食物亦面不改色，身體也沒絲毫變化。

「呵呵，大公閣下的吃相還是相當可愛。」耶洗別用欣賞寵物的眼神望著自己丈夫，從巴力西卜的吃相獲得療癒。不過幾秒鐘後，她身為希伯侖的先知力卻收到了隨風而來的噩耗。

耶洗別心道：胡姆巴巴居然這麼快就被那人類收拾？這樣他一定會來上門撒野，要先想辦法把他趕走——

「大、大事不妙！大公閣下大事不妙了！」

一位狗頭惡魔突然跑到殿上，耶洗別見狀立即喝止：「說了多少遍，沒人能打擾巴力西卜大公用膳！」

「可、可是大公任何時候都在吃——哇啊！」

狗頭惡魔才說到一半，就被巴力西卜又長又粗的舌頭捲走吞掉了。

「呸！真是難吃。」

巴力西卜大力吐出狗骨，但如此粗獷的食相深深吸引了耶洗別，她讚美道：「打擾大公閣下吃飯都是死不足惜，剛才真是大快人心。」

巴力西卜問道：「耶洗別妳應該知道那傳令的想說什麼？」

「我……的確是知道，就怕影響了大人的食欲。」

「但說無妨。」

反正巴力西卜已停止進食，暫時吃飽了。耶洗別如實相告胡姆巴巴一事，同時又說：「那個胡姆巴巴在自己地盤理應不會那麼弱才對，竟然被那人類輕易收拾，反而助長了他們的氣焰。」

「胡姆巴巴，他的樹皮太難吃了，沒用的傢伙。」

耶洗別說：「只不過那人類大公找不到吉蒙里的后冠，可能就會找大人發洩呢。你也知道人類有多狡猾。」

「雖然本王想吃盡人間美食，唯獨人類的肉質就像垃圾，本王不想花力氣跟人類的大公糾纏。」巴力西卜問耶洗別：「妳身為希伯侖的先知，有何建議？」

「我有想到打發那些人的藉口，但煩請大人這幾天要到寢宮迴避，暫時不要露面讓他們有機可乘。」

「好，一切聽妳的，這幾天妳就讓人把食物船抬到寢宮給我吃。」

◇

同一時間，蘇神號已降落在希伯侖的城牆外，主角則旁若無人地闖進城門，城門衛兵想擋也擋不住。

「哇，這是什麼鬼地方。」

希伯侖的烏煙瘴氣迎面而來，街道氣氛比起彼列打理的撒馬利亞相差甚遠，可說是完全相反、毫無秩序可言。

娜瑪說：「雖然魔界都是烏煙瘴氣，但這裡的空氣也太混濁噁心了。」

自從暴食的巴力西卜接管希伯侖後，他便修築運河貫穿城池，把城劃分為南北兩區。南面河右區是工廠區，有無數奇形怪狀的製肉工廠分布在大街窄巷，黑霧從生鏽煙囪裡不斷噴出；同時各類加工肉食輸出到街上市場，魚腥羊羶與血味混雜，幾乎令人作嘔。

然而巴力西卜食量驚人，若沒有城南區負責製肉，希伯侖早就被他吃垮了。然而食肉亦需要原料，那些原料就是由城北河左區供應。

蘇梓我走在河左區大街，一臉不屑地說：「以往彼列在撒馬利亞禁止色情行業，也沒有希伯侖這裡來得討厭。」

河左區連街道的地磚都刻有性交圖騰，兩側旅館林立，每間房都有男女甚至怪物在交歡，比莫斯科的紅燈區有過之而無不及。但這氣氛連蘇梓我都受不了，此起彼落的呻吟聲聽得一行人紛紛起雞皮疙瘩。

利雅言靠在他身旁說：「原來蘇主教也不喜歡這裡嗎。」

「這裡太低俗，不符合本英雄的氣派。那些生物並非為了愉悅而性交，不過是為了生孩子。」

「蘇主教不喜歡小孩嗎？」

「小孩這東西我倒是不討厭。」

「對了，而且迦蘭樞機還懷了你的孩子呢。」

蘇梓我看著河左區街道上的孩子，聽娜瑪說他們全是無父無母，養大後就被送到製肉工廠加工，他聽完後心情十分複雜。畢竟魔界深處仍是有著的黑暗面，像娜瑪那樣單純的惡魔是少之又少，說是奇蹟也不為過。

蘇梓我喃喃道：「嗯，之後我再去探望一下迦蘭吧。現在先去找巴力西卜算帳。」

說著走著，蘇梓我等人終於來到運河中央，看見宏偉的太陽神殿矗立其中；殿上不見主人蹤影，剩下幾個衛兵恭敬地對蘇梓我說：

「十分不巧，巴力西卜大公最近身體抱恙，不方便接見撒馬利亞大公，請大人他日再訪。」

蘇梓我大怒：「什麼？以為這樣就能打發本王離開嗎？」

太陽神殿的衛兵驚慌跪下。「小的不敢！但這是巴力西卜大人的親諭，請大人諒解……」

夏思思說：「聽說巴力西卜大公每天幾乎都在太陽神殿裡暴飲暴食，如今居然沒在殿上，看來是打算徹底地避開蘇哥哥呢。」

對守衛生氣也無濟於事，利雅言便提議先當作賣巴力西卜一個人情，他日再來，畢竟今日大家也累了。

蘇梓我無奈同意，看來只能這麼辦。

◇

「咦？前方天空有道光，是藍天嗎？」

在地中海的海床走了三日三夜，彷若走過陰曹地府，但終於得到回報。眼前一道「雅各之梯」從雲頂穿過海洋斷層，照亮了十萬信眾的腳下，猶如上天指引他們走出這陰森大地。

南方傳來清新空氣，面前是最後的上坡道，通往北非突尼西亞的海岸。快要脫離地獄的生活了，不用再每晚擔心火球從天而降砸死自己，亦無須為火山爆發而提心吊膽。

一切都要歸功於聖瑪格麗特。此刻她的臉上和衣服沾滿髒污，但她毫不在意，在隊伍前方揮動手中蛇杖，配上金腰帶鼓舞眾人繼續前進。

「黑暗終將結束，苦難的生活將成為過去。我們會取得最後的勝利，在新的光明大地上展開新的一章！」

就像回應瑪格麗特的話般，在前方的盡頭岸上已聚集了幾千名民眾，都等待著瑪格麗特的遠行團登岸。

盡頭連接突尼西亞的海岸城鎮胡瓦里耶，他們幾日前發現大海變異，便聯絡首都的聖教會尋求協助。教士來到後，他們用望遠鏡觀測到大批信眾徒步渡海而來，如摩西分隔紅海帶領人民走出埃及，這是何等的神蹟！神蹟一傳十、十傳百地傳開，如今大家都爭相前來海岸聚集，見證歷史的一刻。

海底的十萬信徒，海岸的四千民眾。二月十二日的中午，瑪格麗特完成超過一千公里的遠行，把苦難的聖教徒帶往光明之地——雖然只有荒涼的石灘和簡陋的渡假村，但蔚藍的天空、碧綠的海水、褐色的沙石，原來大自然的顏色是如此漂亮。

在信眾紛紛上岸的同時，一位突尼西亞祭司走來，說著不純正的英語，問候瑪格麗特：「請問妳就是安東尼小姐嗎？」

「我是瑪格麗特．安東尼，旁邊是亞倫．安東尼將軍，我們從梵蒂岡而來。」

「聖、聖瑪格麗特閣下！」祭司馬上跟身後的教士說：「是聖瑪格麗特閣下大駕光臨，她使神蹟分隔了地中海，聖教會有救了！」

其他教士紛紛向瑪格麗特鞠躬，但她謙虛回應：「我只是克盡職責。請問這裡是什麼地方，此地的情況還好嗎？」

於是兩方簡單交換了情報，同一時間，遠行團的信眾和騎士陸續上岸，接受當地民眾送上的飲水支援，氣氛和諧歡欣——

「咦，」瑪格麗特皺眉道：「好像有地震？」

雖只是微弱的震動，但大家都停下了動作，瑪格麗特更生起不祥預感。下一瞬間，海底傳出轟隆轟隆的回聲，緊接是爆炸聲響！海面忽冒巨大黑影，捲起巨浪、沖走數百名登岸信眾——

「哈哈！」巨大天使做著鬼臉大喊，想給人類一個驚喜。岸上萬人嚇得倉皇亂竄、恐慌大叫，人類的哭喊和慘叫反而蓋過了天使天真的笑聲。

不過惡作劇大成功，聖德芬站在淺灘上捧腹大笑：「真是好好玩。哈哈、嘻嘻。」

——第一殺神陣式！

安東尼喝令聖騎士團列陣迎擊，當地祭司亦展開攻擊法陣，聯合梵蒂岡的騎士團從地上連環砲擊，萬箭劃過藍天，不留情地猛轟向大天使。

「嗚，好痛！」聖德芬全身沐浴砲火中，被打得皮膚紅腫，但只像被蚊蟲叮咬，好不耐煩。

「你們為什麼都這麼壞，想要欺負聖德芬？不開心，不開心！」

聖德芬心情變差，赤腳走到海岸，看見有什麼人向她發砲，就伸出大腳板踩死——「砰砰」巨響，石灘上原本的渡假村都被她踏出一個個巨腳印。

安東尼的聖殿騎士攻擊為以魔法為主，不適合近戰，在天使面前變得不堪一擊，陣式亦被迅速瓦解。

安東尼只能激勵眾人：「不要懼怕，對方還只是未成熟的天使，我們一定能打敗她！就算手上的武器折斷、聖力耗盡，我們都要奮戰到底，用盡一切力量擊退大天使，至少要保護平民安全撤退！」

「為了聖殿騎士的榮耀！」

人類的反抗更加激烈了，聖德芬不明白。「為什麼要打聖德芬？果然如米迦勒大人所說，人類都是壞蛋。」

聖德芬氣得蹦蹦跳跳，特意踩踏人群中間，把反抗的人類狠狠踩死。大地每震一下，她的腳底就黏上更多人體殘肢；附著模糊血肉的足印遍布海岸，現場一片腥風血雨。

瑪格麗特呆站在岸邊，她費盡千辛萬苦帶來了十萬人，又親眼目睹十萬人被天使活生生踏死；景物褪成黑白，聲音漸漸遠去……

「大家……大家快逃，不要跟天使硬碰硬！」

但已經太遲。聖德芬殺紅了眼，騎士團亦不能舉手投降。原本風和日麗的下午已不復存在，當下只是惡夢的延續。

10

「真是有趣的體驗。」

利雅言跟隨蘇梓我返回撒馬利亞，再用魔空間侵蝕回到聖火教堂。她看見禮拜堂內莊嚴的神像和彩繪玻璃，有感而發：

「雖然魔界有不堪入目的地方，但也有值得學習之處。尤其蘇主教管理的撒馬利亞亂中有序，那裡的惡魔比起希伯侖的幸福多了。果然你也是魔界的救世主吧。」

「哇哈哈哈！雅言妳體會到本王的豐功偉蹟了吧！我就是拯救世界的真英雄。」

「比起英雄，蘇主教更像是搗蛋鬼呢。放在魔界會顯得太善良，放在神界又顯得太邪惡，不安本分的性格當然也不會被平凡的人間界困住。」

蘇梓我感到不滿。「妳是說本英雄不是英雄？」

「搗蛋鬼不是英雄也可以當主角啊，好比孫悟空。而且搗蛋鬼往往是左右整個神話的命運之人，北歐神話的洛基也是代表例子。」

「難道我是個邪神嗎？」

「蘇主教除了在床上邪惡，其實搗蛋鬼也不一定是邪惡的；他們只不過喜歡耍詐，連神明都能耍騙。要說的話，年輕的雅各也是舊約聖經裡的搗蛋鬼，他可是用計騙走了以掃的名分和祝福，最後依然能成為以色列的英雄呢。」

「原來如此，但搗蛋鬼聽起來很遜啊。」

蘇梓我與利雅言在教堂一角談天說地，冷落了娜瑪和思思也不自知。不久，雅典娜和阿提蜜絲來了，連伊琳娜也來了。

伊琳娜對娜瑪說：「親愛的妹妹，怎麼看起來好像不高興呢？」

「沒什麼，呃、我還是不習慣妳被吸走傲慢的這副模樣。」娜瑪續道：「而且妳也別叫得太親暱，我活了這麼多年，都不知道有妳這個姊姊……雖然不知娘親在外還有多少個孩子就是。」

伊琳娜垂頭喪氣道：「妹妹的話真令人傷心，果然我只是個沒出息的姊姊……」

「啊啊，我不要再照顧小孩子了！」

「那個，」雅典娜看見主人正在鬧性子，便轉而向蘇梓我匯報：「剛剛收到迦蘭樞機的通知，北非突尼西亞發現了瑪格麗特小姐的行蹤。」

蘇梓我聽見懷念的名字，連忙問：「是金毛丫頭啊，這不是好事嗎，為何妳臉色這麼難看？」

「不只有瑪格麗特，大天使也出現了。據報，聖德芬突然出現在北非海岸，聖殿騎士團馬上迎戰，如今狀況未明、生死未卜……」

夏思思不諱言道：「大天使很可怕呢，梵蒂岡之前也是被天使摧毀的，也許瑪格麗特會有危險喔。」

大家都見識過大天使的破壞力，記憶猶新；眾人靜默，就等蘇梓我反應。

「那金毛丫頭不能被其他人欺負，我去找大天使試一下身手。」

11

眾人先以轉移術抵達印度，艾因加納隨後安排了專機把蘇梓我等人送往北非，待抵達時已是黃昏。這算是同日第二次經歷黃昏了，聖火教有了蘇梓我，機動力比地球自轉速度還要快。

「就是這裡。」

娜瑪借來了軍用四驅車，依照情報駛到突尼西亞北部的小鎮停下，並道：「胡瓦里耶，教會報告就是在此地海岸看見大海分隔。」

後座的夏思思運用預視術，從車窗穿越叢林、透視海岸。「有很濃烈的血腥氣息，氣味滲在空氣中甚至能用肉眼看見……不過沒不到什麼海洋分開呢。」

蘇梓我說：「大概已經回復原狀了吧，但岸上那些血腥一定就是天使的傑作，真是變態的天使。」

蘇梓我踹開車門帶頭走往海岸，尾隨的兩位使魔是最親信的娜瑪和思思。此趟旅程只有他們三人，其餘都要留下應對莫斯科正教，又或者守衛自己魔界的地盤。

「嗚——！」娜瑪急停下來，來到海岸時終於忍不住掩鼻隔絕刺鼻氣味——橘紅夕陽與血紅大海相映，人類殘肢於海上載浮載沉；海浪拍打石灘，把殘破的肉塊沖到岸上、卡在岩石間，一群禿鷹被吸引而來叼走腐屍。這是死亡的風景。

然而始作俑者的天使卻不見蹤影，瑪格麗特和聖殿騎士團亦不知去向，只有看到數十位暴民舉起鋤頭正起哄著，好像在虐打著一位倒在地上的女孩，女孩被打得哇哇大叫。

「竟敢在本英雄面前欺負女人！你們不知道所有女人都是我的嗎。」

蘇梓我氣沖沖地跑上前，大力推開圍觀的暴民，嚇了那些暴民一跳。

「你是誰？」對方一見蘇梓我，便用鋤頭指著他威嚇道：「我們正在執行家法，外人別多管閒事！」

「你們才是垃圾，居然連本英雄都不認識！」

「我們奉聖瑪格麗特之名而行，你敢出手阻止就是阻擋主的意旨，休怪我們手下無情。」

蘇梓我冷笑一聲。「連那金毛丫頭也要聽我的話，本英雄還須看她部下的臉色？」

「居然敢出言侮辱聖瑪格麗特大人！」所有人凶神惡煞地包圍住蘇梓我，紛紛喝罵：「先殺死這敵基督——」

——轟隆！天變地異，一道紫雷忽劈在暴民面前。只見蘇梓我再一個眼神，連寸草不生的大地都燃起了數尺火圈，團團圍住失控的暴民。

「你們確定要試探神的力量嗎？」

蘇梓我的語氣如寒冰刺進暴民耳中，令人頭皮發麻；同一時間，上方天空風雲變色、烏雲密布，前一秒前的夕陽風景變得陰森可怕，雲層黑影投映在石灘上，壓倒性的神力掐住眾人，任何凡人都難以呼吸。

「這、這傢伙是撒旦，是真正的敵基督！我們不能落在惡魔手上！」

「快，要找人通知聖瑪格麗特，不止天使，連撒旦都要殺人了！」

暴民如一群從萬獸之王身邊慌亂竄逃的走獸，朝不同方向散開。不久四周恢復平靜，海岸就只剩下蘇梓我、兩位使魔，還有一個只有白布裹身的女孩。

娜瑪走來說：「蘇梓我你真是個恐怖的大魔頭呢，雖然這樣能趕走那些人，但我們不就無法抓住他們，問清楚這裡發生什麼事了嗎。」

「可是他們咒罵蘇哥哥也不是好人，別管那些笨蛋了。」夏思思望向少女。「這女孩看起來沒什麼特別，為什麼會被襲擊？」

娜瑪靠向女孩嗅著。「很熟悉的氣味，好像在哪裡——啊！」

女孩忽然爬了起來，探頭鑽到娜瑪的女僕裙底嗅著，大叫：「是媽媽的氣味！」

「等、等一下，妳也是變態嗎！」娜瑪本能地踢開女孩，又再仔細打量；雖然對方聲音稚嫩，但娜瑪自問還沒生過孩子。

「本小姐還是處女呢，妳別亂認媽媽！」

「但媽媽就是媽媽，娜瑪媽媽。」短髮女孩一直堅持說著，而且還說得出娜瑪的名字。

娜瑪皺眉反問：「妳叫什麼名字？」

「聖德芬！」

「原來是一直藏在小娜娜裙底的天使！」夏思思不禁捧腹大笑。「小娜娜還真的變成了母親呢！」

娜瑪盯著還抱著自己大腿的聖德芬。「這丫頭怎麼看都是普通人，怎麼可能是那個大天使？」

聖德芬低頭說：「那是、那是有人欺負聖德芬。有個人類覺醒了聖子的力量，把聖德芬大天使殺死了，好可怕。」

蘇梓我喃喃道：「難道是瑪格麗特？」

三人原本是要前來救援瑪格麗特，結果卻意外救了一個失去能力的天使。

12

日落後，眾人搭車離開海岸，在無人的林間紮營休息。夏思思使役巨蟒蒐集柴枝，娜瑪則用電生火煮湯，還有烘烤一些麵包餅乾讓聖德芬吃。

「好奇怪的味道，但吃起來不錯！」

蘇梓我斥責道：「寄人籬下還如此囂張，果然是天使。不過天底下可沒有免費的餐點，妳吃了我們的食物，就要對我們坦白。」

「人類你想知道什麼？」

「首先，那個海灘究竟發生了什麼事，為什麼那裡屍橫遍野，是妳幹的好事？」

聖德芬得意洋洋地回答：「人類想知道的事我才不告訴你們──啊！別搶走娜瑪媽媽給我的食物！」

蘇梓我沒收麵包。「再不回答，我就把妳吊在樹上調教。」

娜瑪盛了碗熱湯給聖德芬。「妳就老實一點，本來以我們的立場是不該把妳救來的。」

聖德芬覺得自己被欺負，有點害怕，只好一五一十說出她上岸嚇跑人類的惡作劇。

「我沒有想過要踩死他們，是他們先出手打聖德芬！」

「這是理所當然吧。」蘇梓我說：「天使是人類的天敵，安東尼為求自保只能先發制人。誰教他不像本英雄般冷靜，擁有泰山崩於前而色不變的氣概。」

聖德芬反問：「天使就有錯了嗎？」

「妳做過什麼事自己最清楚吧，妳離開娜瑪裙底時，不就把安東尼整個艦隊殲滅了？」

「嗯……好像有拿過他們的小船來玩。」

「還有梵蒂岡的教宗選舉，妳也有跟米迦勒來搗亂吧。妳的手沾滿人類的血，自然要血債血償。」

聖德芬鼓腮嚷道：「米迦勒大人說過人類就像害蟲，太多會對這星球有害，我們只是來幫忙打掃！」

「別說蠢話了。」蘇梓我沒興趣跟她辯駁，轉移話題問：「所以妳怎麼變成普通人的模樣，還被那些平民欺負？」

「是那個被選中的人類！她擁有聖子基因，突然發瘋把我快殺死！幸好她力量不完全，沒有受膏，殺不死天使，只是變成半殘。」

接著半殘的天使繼續生龍活虎地吃著麵包，蘇梓我已懶得吐槽了。

「那個人是一位金髮少女吧？瑪格麗特什麼時候變得如此厲害，妳知道她現在去哪裡了嗎？」

聖德芬答：「她和教會壞蛋飛往埃及，準備完全復活！假如真的被她繼承聖子，她就會回來殺死聖德芬了，好怕！」

夏思思打斷兩人對話。「這樣不是很好嗎？我們原本就是要對付天使，這個天使的死活根本與我們無關。」

娜瑪附和：「好像也是這樣……」

「娜瑪媽媽不要拋下我不管！人類太可怕，米迦勒大人又很兇，還是娜瑪媽媽的氣味最令人安心。」

「本、本小姐才沒有什麼氣味！我每天都有洗澡。」

就算娜瑪如何聖德芬對拳打腳踢，聖德芬依然抱著娜瑪不放。蘇梓我在旁看著，忍不住說：

「難以相信這白痴是殺人如麻的天使啊。」

「蘇哥哥你打算怎麼處置她？」

「暫時把她帶走吧，說不定之後會有用。反正她現在連反抗的力量也沒有，本英雄無須弄髒自己的雙手。」蘇梓我對聖德芬說：「只要妳發誓以後聽從娜瑪媽媽的話，我就答應讓妳跟著她。」

聖德芬爽快答應：「我想留在娜瑪媽媽身邊！」

「口說無憑，娜瑪，妳把惡魔契約拿給她吧。簽下契約就不能反悔。」

娜瑪喃喃道：「話是這樣沒錯，但天使和惡魔簽下契約聞所未聞，不知道是否能成功……」

說著同時，娜瑪變出一張莎草紙讓聖德芬簽下聖名，接著莎草紙綻放陣陣漣漪光環，水平擴散至整個森林，代表契約簽署完成。

——太令人失望，居然有人類跟天使結盟。

突然猛地颳起大風，剛才的和平氣氛一掃而空，換來的是殺氣迫人的黑影懸於上空。

手執蛇杖的少女在月光下染上一身蒼白，厲聲對蘇梓我說：「愚蠢的人類，為何包庇天使？」

「喔！這不是愚蠢的瑪格麗特嗎，居然反過來咒罵本英雄愚蠢？看來妳是缺乏調教！」

「別裝熟弄污本座之名！」聖瑪格麗特鄙視道：「我是拯救人類的救世主，使命是要殺光所有天使，包括包庇天使的叛徒。」

見聖瑪格麗特目露凶光，娜瑪喃喃道：「那傢伙是怎麼了，好像不認得我們了？」

「沒用的，」聖德芬說：「她已被聖子附體，不再是你們認識的人類。她之前還很殘忍地虐打聖德芬！」

蘇梓我此時察覺聖瑪格麗特右掌的聖痕放出強烈白光，何其神聖的力量。

「實在看不下去。」

「笨蛋你在說什麼？」娜瑪問。

「那金毛丫頭居然口出狂言，一副了不起的臭臉，快把以往的蠢臉還給我！」

13

「天使本身就是一種病毒，正教會企圖用此來刺激人類文明的進化，結果只會導向滅亡。我們聖教會的唯一宿願，就是要復活彌賽亞，以聖主的力量消滅所有天使。」

「現在聖子只是第一步，亦是最重要的一步，可以讓妳分享到彌賽亞的力量。」

「最後一次確認，妳願意捨棄凡人的生命，成為光明之子嗎？」

「很好。真是了不起的女兒。即使妳不再以安東尼為姓，父親依然會以妳為傲。」

——警告！危險！

聖瑪格麗特赫然回神，掃清突如其來的雜念；昔日的人已死，如今復活的是背負使命的自己，要剿滅天使、不擇手段。豈料眼前人類身有七彩魔光包圍，而魔力更以倍數暴增，把在場所有靈魂的光芒都蓋過，他到底是什麼身分？

地上的聖德芬同樣驚訝。「那人類不是人類！居然是地方的一等神！」

「哇哈哈哈！」蘇梓我覺醒了斯拉夫的三相神力，飛到半空與聖瑪格麗特對峙，笑道：「居然忘記本英雄，還一副殺氣騰騰的臉，以往的瑪格麗特可愛多了。」

「什麼？」聖瑪格麗特皺眉回答：「不過是地方神祇居然調戲本座，我會讓你得到應有的懲罰！」

聖瑪格麗特高舉蛇杖，憑空喚出無數白蛇把夜空完全覆蓋，包圍住蘇梓我的頭頂；蘇梓我隨即揚手喚雷，使紫電劈向白蛇群——聖瑪格麗特念念有詞，空中白蛇如蝗蟲一湧而上，瞬間就把紫電蠶食精光！

「靈蛇啊，如今你們化成風雷，粉碎眼前敵人！」

聖瑪格麗特揮動蛇杖，指揮靈蛇互咬尾巴、翩翩起舞，靈蛇群居然變成了龍捲風暴，張開暴風巨臂一下就把蘇梓我整個吞噬！蘇梓我被困於暴風密室，空氣中還滲著閃電以光速襲來，一時幾乎要束手無策——

「火滅雙盾！」

蘇梓我獲得了三位一體的斯拉夫戰神神骸，更是所羅門魔神的主人，大喝一聲便將彼列的火焰盾召喚左右，以猛火燒退風雷；接著又拔出彼列的焚風雙劍，交叉斬開纏身風捲、破風而出。

「哇哈哈哈，火剋風就是真理！」

風滅過後，天地恢復平靜，但聖瑪格麗特的心神卻泛起漣漪。她雙眼鎖定蘇梓我手中雙劍，暗自分析：那是天使的神器，薩麥爾的焚風劍。此人果然是天使的黨羽，必須速殺！

語音未落，聖瑪格麗特的蛇杖竟觸發機關變形，杖身伸出各種金屬支架，「咔嚓咔嚓」自動組合、旋轉、扣上；杖端兩側展開金屬羽翼，不消幾秒就變成一柱巨型十字架權杖，全長比聖瑪格麗特還要高。

「我是光明之子，這才是神的領域。」

聖瑪格麗特雙手緊握權杖，高舉十字架；霎時萬籟俱寂，下一秒，十字架的交叉中心竟轟出聖光大砲，直衝蘇梓我的頭而去！

求生本能告訴蘇梓我無法硬碰，唯有拚命避躲；大砲驚險掠過蘇梓我、轟向一旁大地，炸出一個深不見底的坑洞，嚇得在場眾人目瞪口呆。

聖德芬蜷軀抱住自己，害怕地說：「這個人比召喚聖父還要可怕，把聖子的力量降臨體內，不正常！」

天上的蘇梓我深吸一口氣，馬上重整架勢，帶著焚風雙劍在空中劃出火痕，直線衝向聖瑪格麗特——

「別浪費氣力了，區區地方神怎能跟真主的孩子相提並論！」聖瑪格麗特橫揮十字權杖使空間扭曲，打算硬生生撕裂蘇梓我的存在！

然而一陣黑光掠過，扭曲的空間竟猛然冒出赤色龍爪——蘇梓我單臂突襲、抓住權杖，使出龍的力量把十字權杖掐成兩截！

「輕視本英雄的話，妳會後悔的！」

待聖瑪格麗特捕捉到蘇梓我的聲音時，他左拳已覆蓋龍鱗，迅雷不及掩耳地轟在聖瑪格麗特面前，將她連同護身結界整個打到地上。

猶如殞石墜落、地動山搖，一旁觀戰的惡魔和天使都嚇得心跳停頓。聖德芬驚惶失措地嚷道：「那人類不但是地方古神，還是黑暗之子，撒旦的化身！這次慘啦，要是給米迦勒大人知道聖德芬投靠黑暗勢力，一定會被褫奪天使的身分！」

娜瑪喝道：「妳從剛才開始就好囉嗦啊，不能冷靜一點嗎？」

「娜瑪媽媽不也是全身顫抖嗎？」

「我、我只是覺得冷而已。」娜瑪就算擁有原初神器，但在光與暗的戰爭下仍感到恐懼，是與生俱來的本能。

撒旦和聖主，跟其他生物都不是同一級別，聖瑪格麗特當然不會這麼簡單就被蘇梓我打敗。縱使權杖斷了，但她蹲在草地隨手拔出雜草，雜草就凝固變成金屬支架，自動組裝成一模一樣的十字架權杖。

「我是屠龍的聖瑪格麗特，在手刃天使前，就先殺死赤龍。」

聖瑪格麗特連聲音都開始變得冰冷，與方才判若兩人，準備以聖子力量將蘇梓我完全抹殺。

14

「大約兩千年前，羅馬聖教烈女，安提約基雅的瑪格麗特，她最著名的事蹟就是以十字架擊退赤龍的撒旦……」娜瑪在地上解說：「如果現在的瑪格麗特也繼承此能力，她可以說是紅龍的剋星——」

偏偏蘇梓我在天上已化身紅龍咆哮，與手持十字架的聖瑪格麗特互相對峙。

「娜瑪媽媽的朋友是笨蛋呢。」聖德芬指天說。

「安靜！妳不能說他是笨蛋，只有我可以這樣叫他。」

話雖如此，娜瑪仍不得不擔心蘇梓我會被聖瑪格麗特殺死。畢竟她不但是安提約基雅的瑪格麗特，更是繼承聖子力量的大烈女。無論哪個身分，聖瑪格麗特都恨不得殺死赤龍的蘇梓我。

「包庇天使的惡龍，領死！」

十字架權杖照亮夜幕，伴隨刺耳音波在赤龍面前放出聖光——蘇梓我立刻蜷曲龍軀迴避，但聖光劃在地面竟把大地裂開兩截，更有岩漿從裂縫湧出。

「奇怪，」聖德芬說：「為什麼撒旦會為了包庇天使而跟聖子開戰？」

「本來聖子要殺死天使這件事就已經夠奇怪了。」

夏思思緊張地責罵娜瑪母女：「妳們別再互相吐槽了，我們先避到空地去吧！」

說時遲那時快，巨龍掠過了她們頭頂，天邊瞬時發出崩裂巨響！蘇梓我以龍爪猛抓山陵一角，高舉巨岩大力擲向聖瑪格麗特；然而聖瑪格麗特面無懼色，以權杖相迎——

一道白熾光芒閃出，千斤巨岩瞬間化成滿天白鴿，白鴿四散飛走！比魔法師還要荒誕，聖瑪格麗特隨意就把無機物變成了飛禽活物。

其中幾隻白鴿離群飛往月光，下一瞬間竟只剩白羽飄散，紅龍大口吞下白鴿，乘勢俯衝向聖瑪格麗特，電光石火將她撲壓到地上森林，擊起雷鳴巨響。

森林樹木被聲波左右壓倒，但聖瑪格麗特築起的聖光護盾使她刀槍不入，只見她浮空往後退，單手碰觸大樹，大樹立刻並重新構築，變成一柱全長十尺的巨型十字架。

「與神作對的下場只有死！」

巨型十字架紮根大地，把地上青苔雜草的靈魂吸收殆盡，直至聖力突破臨界點，便轟出神聖光砲擊向赤龍巨首！

發砲剎那，就連十字架自身都支撐不住而粉碎，天空能量瞬間暴增暴減之下，掠過的空氣都被蒸發；紅龍的身影應聲墜落大地，光砲以肉眼無法捕捉的速度將蘇梓我成功擊落。

「蘇梓我！」娜瑪和夏思思憂心忡忡，但見紅龍緩緩爬了起來，只是額頭龍鱗燒焦冒煙，至少沒有被打死。

「蘇哥哥的生命力越來越弱，再打下去可能會有危險——」

夏思思還未說完，蘇梓我一躍龍騰在天，吼叫一聲又往聖瑪格麗特撲去！

「本英雄是不會輸的！」

蘇梓我張開龍嘴，全身散發黑光，口前浮起倒轉的五芒星魔法陣，還有五個屬於撒旦的字母圍繞魔法陣旋轉——

頃刻間，整個世界的光線都被蘇梓我吸走，同時一柱暗黑大砲從龍口吐出——大砲以凡人無法理解的速度擊中聖瑪格麗特，先是聽見玻璃碎裂聲，同時聖瑪格麗特面前的空間竟如破鏡般粉碎，如萬花筒般四散落下，聖瑪格麗特則被蘇梓我的魔力轟落地面。

此時蘇梓我已是筋疲力竭，在半空中龍形消失，只剩下人形肉身從天空掉落；他穩住心神，拚上最後一口氣翻身喚鐮，銀光如流星般劃向聖瑪格麗特躺下之處——

大鐮掠在聖瑪格麗特的額、揮下一小撮髮後靜止不動；蘇梓我看見瑪格麗特的面容，不知如何下手，但腹部卻傳來一陣涼意。

「天使殺人無數，此仇我一定要報，無人能阻止我！」

聖瑪格麗特將腰間的白花變作匕首，趁蘇梓我分神之際捅下一刀！蘇梓我腹部頓時鮮血淋漓，立即掩住傷口蹣跚後退。

「蘇梓我！」「蘇哥哥！」

娜瑪和思思馬上跑去，聖德芬也跟在娜瑪身後，同時聖瑪格麗特握著染血的白匕首，逐步逼近蘇梓我。事情終究要有一個了斷，但聖瑪格麗特忽然停下腳步。

電光石火，蘇梓我緊抓身旁兩位使魔，賭命來一次轉移魔法——強光一閃，他們就在聖瑪格麗特眼前消失了。

15

連同天使一併消失，開羅恢復寧靜，聖子復活彷彿不曾發生。還好法蒂瑪聖母主教座堂迎來了梵蒂岡的聖殿騎士團，同時安東尼以樞機團團長身分暫時接管開羅教會，這樣才算是聖子復活所留下的證明。

「聖瑪格麗特閣下，請問事情順利嗎？」

當夜安東尼在座堂內恭迎聖瑪格麗特回歸，但她悶悶不樂，只搖頭嘆息：「現在要與大天使對決還是有點棘手，我想要先重點殲滅聖歌團的低階天使。」

「但聖德芬不是已被妳奪去羽翼了嗎？即使她在天使長之中力量最弱，也不能因此放過，一定要斬草除根。」安東尼又問：「或者是神格尚未完整，所以才無法殺死她天使長的靈魂？」

「不知道，我沒有機會下手。聖德芬被其他多管閒事的人保護了。」

「是誰保護天使？」

「人類……不，他是古神，卻擁有撒旦的鱗片，還有惡魔追隨。」聖瑪格麗特摸著胸口，微微皺眉道：「那男人好像在哪裡見過，在我靈魂深處有一種似曾相識的感覺。安東尼，你知道那人是誰嗎？」

安東尼無言以對。在自己失蹤時，那少年曾代替自己照看瑪格麗特，又幫助她與多瑪斯樞機爭奪教宗之位，算是聖教的恩人，瑪格麗特也十分信任他。

「暫時先專注擊滅其他天使吧。」

說到底，安東尼不想見到兩人反目成仇。

◇

另一邊廂，蘇梓我療傷過後又再度生龍活虎、破口大罵：「太可惡了！那丫頭居然連恩人都忘記，下次見面看我如何教訓她！」

聖德芬淡然地說：「人類無能，是不可能打得贏聖子的。」

「會什麼麼妳還在？娜瑪，妳是怎麼管教小孩的！」

娜瑪只好連忙掩住聖德芬的嘴巴。聖德芬之前也沒這麼多話，也許是娜瑪的氣味使她安心下來的緣故吧。

接著夏思思說：「雖然蘇哥哥同樣繼承了撒旦大人的力量，可惜還不完整，所羅門魔神蒐集的進度也停滯不前，導致覺醒的威力無法持久呢。」

「無法持久的人類真是沒用──啊！」

聖德芬眼前忽然天旋地轉，整個人被蘇梓我反轉抱了起來！蘇梓我把她平放膝上，掀起白布連身裙，竟露出了粉紅的屁股。

「居然沒穿內褲？」

「天使是不用穿內褲的──哇啊！」

只見蘇梓我手起掌落，大力拍打聖德芬屁股，罵道：「看來妳還不清楚自己立場呢。既然娜瑪不懂管教，就由我代勞了！」

「不要！不要打聖德芬！娜瑪媽媽救命啊，嗚嗚。」

「都教妳安靜點了。」娜瑪愛莫能助。

利雅言則無奈地問道：「我們確定要收養這個天使嗎？如此一來，瑪格麗特絕對不會放過我們呢。」

「我才不能放過那丫頭。」

伴隨「好痛好痛」的背景音效，蘇梓我邊打邊說：「那個丫頭就像被邪靈附身，我要替她驅邪捉妖。」

利雅言糾正說：「是聖子不是邪靈啊，但對付聖子，也許『命運之矛』會有奇效呢。」

根據紀載，聖子被釘上十字架後，羅馬士兵朗基努斯為確認聖子死亡，便以長矛刺穿聖子腹部。結果聖子噴濺鮮血，灑在矛上；長矛沾有聖血，遂成為「命運之矛」，擁有能殺神的力量。

但聖德芬一邊喊痛一邊說：「那是用來殺死約書亞的長矛罷了！那個欺負聖德芬的人類怎麼看都是女人，不是約書亞！」

利雅言愣住片刻。「約書亞不就是聖子的名字嗎？瑪格麗特繼承了聖子力量，她不就等於約書亞？」

「約書亞是聖子，聖子不是約書亞！」

眾人被越搞越亂了，利雅言知道約書亞即是基督希伯來的本名，但為何他是聖子，聖子不是他呢？

聖德芬續道：「聖德芬是天使，天使不是聖德芬！」

「妳的意思是，聖子跟天使一樣，都只是個統稱嗎？」

「沒錯。約書亞是神的兒子，但神也有女兒，約書亞也有兄弟姊妹，他們都是瑪利亞製造的。」

利雅言馬上在腦海翻閱聖經，確實經書裡有記載過瑪利亞至少有兩個女兒，即是約書亞的親妹妹；其中一人的名字還跟瑪格麗特有點相似，叫做瑪麗。

16

三千年前天魔戰爭的終幕，聖主用上最大的神力詛咒了地方神，使各地神祇逐漸步向死亡。可是咒術的消耗實在太大，聖主不得已得命令天使休息，自己也必須休眠來儲蓄神力，結果招來人類再次背叛。

第一次背叛聖主的是所羅門，所羅門甚至用聖主賜他的力量反過來對付自己。第二次則是一直追隨聖主的耶路撒冷教會，居然趁聖主虛弱之時殺死了祂。

正如「以色列」的字面含意「戰勝於神」，也許他們天生就不甘願當神的僕人；以色列人更將休眠中的天使長逐一封印，其餘低階天使則因失去能量供應而自然消失。

這段歷史的主使者是耶路撒冷教會，即聖教會的前身。這些聖教當然有所記錄，因此安東尼也有對瑪格麗特概略解說，不過教會的紀錄逸散，怎樣都不及由天使親口傳述來得詳細。

蘇梓我不再打聖德芬，反而覺得她有點用處，問道：「既然妳說聖主被殺死了，為什麼現在又弄出那麼多麻煩事？」

聖德芬回答：「殺死了但無法殺死，就像那女人殺死聖德芬，但聖德芬也沒有死。不中用的人類連天使都殺不死，更何況是聖主。」

蘇梓我望著這不識好歹的天使，感覺一隻手就能將她掐死，但他還是先想聽聽她還知道什麼事情。

「而且聖主不是一無所知！聖主在死前對以色列人下咒，要他們王國滅亡！」

因此所羅門王死後以色列分裂成南北兩國，在其後數百年先後被鄰國吞併，以色列人一直處於亡國的狀態。

直至在公元前一一〇年，以色列人曾短暫復國，史稱哈斯蒙尼王朝。不過以色列人獨立後很快就被羅馬共和國吞併成猶太行省，並扶植希律成為傀儡王管理以色列。

「希律王……」利雅言對此名字特別敏感。「他就是聖子出世時，猶太地區的暴君呢。」

聖德芬點頭說：「沒錯，就是他！」

蘇梓我狐疑地問：「你們天使不是都被封印了嗎，怎麼還知道天魔戰爭之後的事？」

「這、這是祕密。」聖德芬逃避了蘇梓我的眼神。

「娜瑪，教訓她。」

娜瑪嘆氣地告訴聖德芬：「妳跟我簽下了契約，不能違抗我的命令喔，不然我就要取走妳的靈魂。」

「連、連娜瑪媽媽都在欺負聖德芬！」聖德芬無奈回答：「因為天使和聖主都分享相同的眼睛、相同的記憶。記憶儲存在天界之上，而聖德芬是大天使，權限超高，幾乎無所不知！嘿嘿。」

蘇梓我說：「換言之，你們的記憶都被儲置在雲端伺服器，而天使就好像遠端操控的病毒，怎麼都殺不完。」

「別把天使說成是病毒！」

利雅言催促道：「我們不是在討論聖子嗎？聖德芬還沒有說到聖子的誕生呢。」

「喔，對了。」聖德芬腦中搜尋資料，照本宣科地說：「在希律王登基的同一時期，埃及托勒密王朝、以色列，同樣被羅馬共和國吞併。」

後世通稱為「埃及豔后」的克麗奧帕特拉七世，正是托勒密王朝的最後一位法老。雖然她先後色誘羅馬的凱撒大帝及其部下馬克·安東尼，但無奈敗於政敵手上，最終與馬克·安東尼雙雙自盡，埃及被納入羅馬共和國的行省。

「不過克麗奧帕特拉七世是位很厲害的女人，她死前把聖主的神骸偷渡運送到了埃及。」

亡國後，埃及人潛心鑽研聖主神骸，並深深體會到人類無法完全駕馭聖主的大能。於是他們想出了分割聖主、繼承其中一部力量的祕法：找出合適人選成為「神的孩子」，用「聖靈」從「聖父」中製造出「聖子」。

研究這種祕法的正是克麗奧帕特拉七世的孫女，也是埃及祕密教會的首領。可惜埃及人無法繼承聖子力量，於是她化名瑪利亞，潛入以色列尋找合適的繼承者，因為她知道「聖子適性」最高的，就是與聖主最密切的人，即是所羅門王的後裔。

「拿撒勒的聖若瑟。」利雅言喃喃道。

聖德芬說：「瑪利亞下嫁給若瑟，又將若瑟家族的七個嬰孩收養過來，實驗聖子降臨，為的就是要推翻當時的羅馬帝國，替祖母報仇雪恨。」

結果約書亞的適性最高，甚至擁有操縱星晨的力量，完全繼承了聖子之力。但星象同時通知了希律王，他知道有人將對王位不利，但又不清楚聖子身分，索性下令殺死伯利恆所有兩歲以下的男嬰。最終瑪利亞帶著約書亞逃回埃及，避過一劫。

約書亞長大後重臨以色列、創立聖教，設計殺害羅馬諸神，迫使羅馬承認聖教為國教，最終以宗教力量奪取統治權，顛覆羅馬帝國。

利雅言搖頭說：「聖子終究也不過是人類權力鬥爭的道具呢。」

「沒錯，卑鄙的人類把聖主分解為三個位格，用聖子剷除政敵，用聖子殺死天使，太壞了！你們一定要收拾那個假借聖子作惡的人！」

蘇梓我問聖德芬：「這樣的話，妳有什麼好建議？」

「所羅門是聖主的子民，聖子是所羅門的後代。人類你直接把那個女人收為魔神就好。」

17

相隔數月，羅馬如今不但沒有任何生命，更被厚重的火山灰淹沒填平，變成荒漠平原。昔日的宮殿、教堂，甚至是山陵和河流，統統不復見。如今羅馬有如月球表面，大地同樣是灰黑色，只是少了隕石坑；天空昏暗無光，取而代之的，是無數像螢火蟲般的小光球升上半空，凝聚、漸漸組成人形。

這裡是第二聖歌團的其中一個復活工廠。歐洲中部的生靈都因天使號角而亡，騰出來的靈魂額載讓天使重組生命，一個接一個羽翼組成的低階天使群逐漸遮蔽羅馬上空。

——嗚嗚。

天空忽然發出悲鳴，羅馬天穹由南向北裂出一道光痕，從西往東剖出另一道白光；天空像灰藍畫紙呈十字形裂開，一名少女強行從彼方而來，降臨眾天使頭頂。

「一千七百二十八，噁心的天使數目，終歸於零。」

少女語氣跟她的裝備同樣充滿殺意。聖瑪格麗特的黑色裙襬掛滿十字架，右手緊握十字槍，雙眼快速掃視三維空間的靈魂，精準記錄所有天使的座標。

天使同樣偵測到聖瑪格麗特的強大神力，屬於極高威脅；不用等天使長的指令，他們自動啟動防禦流程，所有天使裝備上魔法礦的盔甲，舉起聖矛排成戰鬥方陣——

然而方陣竟一下就散去，聖瑪格麗特的十字槍頭掠經天使群，眨眼間腥風血雨，當血色軌跡返回上空時，幾百位天使紛紛墜落、化成光點消失。

天使們見狀不禁紛紛動搖，即使比對方多上千倍數目，而聖瑪格麗特面無懼色，轉眼又提槍硬闖天使陣中。她將死去的天使化為自身能量、掠奪靈魂，纏槍殺氣越來越重，甚至使低階天使感官麻痺、視力被奪，以一騎當千之勢殺天使於無形！

「血……」

羅馬的天空下了一場天使的血雨，殺人十字槍離開了天使方陣，懸停空中。聖瑪格麗特的頭頂是天空裂縫，腳下是一堆如螻蟻般掙扎的天使；她發現自己左手手臂染上另一種血跡，不知何時受了傷，傷口血肉模糊、深得幾乎見骨。

但就算傷口再深也不會有半點痛楚。如同她也不為天使感到憐憫，情感、感覺對於獵殺天使是沒有必要的。

聖瑪麗格特彎腰撕下裙襬，將碎布鋪在手臂，接著一陣白光，手臂上的傷就痊癒了。她向自己施行神蹟，接著再次投入戰鬥。區區一千七百二十八個天使，花不了她多少時間。

◇

同一時間，開羅教會座堂之內，一名教士向安東尼傳話：「樞機大人，外面有位來自香港的少年求見，怎麼打發都不走，還會使奇怪妖法，看來不是普通人。」

安東尼暗忖：比想像中來得快，這也是他的優點吧。他朗聲答道：「請他進來大殿，其他人退下吧。」

數分鐘後，蘇梓我大搖大擺地走了進來，笑道：「好久不見，我就知道你怎樣都死不了。」

「只是運氣比較好，每次都能化險為夷罷了。蘇主教別來無恙？」

「我沒空閒聊，為什麼你要將瑪格麗特變成那樣的怪物？」

「怪物……將怪物殺死的人也叫怪物嗎？」

蘇梓我生氣地說：「本英雄一直待她不錯，她卻反過來要殺死我，這不是忘恩負義的怪物嗎！」

「抱歉，但這是我們拯救世界的方法，希望蘇主教理解，不要妨礙瑪格麗特──」

「安東尼，我回來了。」

先是一陣血腥氣味飄來，聖殿門口站的竟是滿身鮮血的聖瑪格麗特。蘇梓我見她這模樣，感到越來越不舒服，但聖瑪格麗特一見他也同樣莫名憤怒，馬上召喚出十字權杖在手──

「等等！先不要動手。」安東尼揚手希望兩人冷靜。「我們擁有相同的敵人，都希望從天使手中解放人類，就算無法合作也不用變成仇敵。」

「真不好意思呢，」蘇梓我得意笑道：「天使長聖德芬已經成為我寵物的寵物了，任何人想動她一根汗毛，都要先經過我的批准。」

「蘇主教，你為何要這麼做？」

「我不但要收服天使，還要把瑪格麗特抱回家，不讓你這變態父親把女兒變成怪物！」

聖瑪格麗特勃然大怒。「此人果然是天使的黨羽……呃！」她握緊權杖，內心卻突然一陣酸楚。「我好像認識這個人？這是什麼感覺、什麼感情……」

「金毛丫頭！」蘇梓我取出了乾坤球。「想殺死我和聖德芬，就來追蹤我的魔力波長吧！」

蘇梓我說畢便瞬間消失，而波紋確實清晰刻印在聖瑪格麗特的腦內。

安東尼馬上制止，卻阻不了聖瑪格麗特的憤怒。

「不能原諒……為何要站在殺人如麻的天使一方！」

聖瑪格麗特同樣劃破空間，穿越到地球另一端追殺蘇梓我，目的地正是香港的聖火山頂。

◇

空間一轉已夜幕低垂，香港現在是晚上八點。但不止時空有別，聖瑪格麗特飄浮於空中還有一種莫名的感覺。

她伸手擾動聖力的湍流，心道：力量好像變遲鈍了，有百毫秒的延誤，無法隨心所欲。

「哇哈哈哈，妳察覺不到嗎？此地沒有聖教信仰，所有信仰力都歸於本英雄啦！」

蘇梓我展開黑色翅膀與聖瑪格麗特互相對峙，魔力毫不遜色；香港是蘇梓我的主場，聖火山更是他英雄信仰的聖地，此刻山下更有教會的人幫忙傳道。

◇

「——各位來看看喔！」

商業區今晚依舊車水馬龍，在行人大街上，有兩位少女各自高舉宣傳牌，搖響聖鈴。「今晚聖火山上有好戲看喔！蘇主教大戰聖子，是聖子喔！歡迎各位上山朝聖。」

舉牌的兩位美女其中一人長有黑翼，另一人是純白羽翼，引來不少行人目光。其中一對年輕情侶好奇走來，男方問：

「聖子是那個被釘十字架的神嗎？蘇主教已經厲害得能挑戰聖主和聖子了？」

黑翼少女回答：「當、當然，我們的蘇主教天下無敵、哈哈……你們看旁邊的天使也是被蘇主教收拾的啊。」

「娜瑪媽媽，我只想輕鬆生活，為什麼要出來宣傳啊？」長著白翼的聖德芬抓住娜瑪衣袖，對她耳語：「而且我只是跟娜瑪媽媽簽下契約，不是被那笨蛋人類收拾的。要是給米迦勒大人知道我在這裡宣傳異端、對抗聖子，一定會很生氣。」

「如今聖子到處虐殺天使，妳阻止聖子也算是替天使報仇，米迦勒應該也能諒解啦。就看在我的份上，幫一下那笨蛋。」

「唉，沒有辦法呢。」聖德芬無奈地繼續擔任被收拾的天使角色，與娜瑪一起在街上宣傳，召集信徒上山為蘇梓我打氣。

◇

正是因為山下有人幫忙聚集信眾，聖火山上的信仰力此消彼長，蘇梓我的纏身魔力隆隆作響、氣勢迫人，足以讓他得意洋洋笑道：「這樣一來，本英雄就天下無敵了，哇哈哈哈！」

聖瑪格麗特駁斥：「少做夢，即使沒有信仰加持，聖子的力量還是遠高於你這十分之一的撒旦！」

「真是這樣嗎？妳不會又隨手把身邊一切變成十字架吧？這裡可是人類的居住地，商場有一家大小剛吃完晚餐，公園有情侶談情說愛，海岸邊還有老伯在釣魚呢。只不過信仰不同，妳就要把人類的住家和市集都夷為平地嗎？這樣妳還敢以人類的同伴自居。」

聖瑪格麗特低頭查看，確實腳下的城市非常熱鬧，比北非小鎮繁華得多。數以千計的居民魚貫擁上山，似乎都是蘇梓我的信徒；山頂甚至有人紮營、弄腳架，或以手機拍攝她與蘇子我對決，氣氛跟半空中的劍拔弩張是天壤之別。

「這不用你操心！」

聖瑪格麗特被激怒，明明她歷經千辛萬苦才把信徒遠渡重洋帶到北非定居，要不是天使阻撓……沒錯，是聖德芬，是她把信徒殺死的！不僅如此，海上還死了其他的人……聖瑪格麗特總覺得自己失去了什麼，奈何每次想起都頭痛異常，始終想不起來。

她隨手拈來雲絮變成十字權杖，橫揮權杖斥責：「為何你要阻撓我殺死天使，我殺天使有什麼錯？」

「錯在角色的問題。每個人都有自己相應的角色，拯救世界的工作妳應付不了，本英雄無可奈何只好來替妳承擔！」

語音未落，蘇梓我便催動六個火球圍繞自己，其中兩個火球化為一雙火光熊熊的焚風劍，以墮天使之力用來毒殺主神——

兩行火焰直撲聖瑪格麗特，她連忙在胸前劃出十字結界，但蘇梓我立即交叉劈出兩道火焰，「砰」聲衝破結界直逼聖瑪格麗特！

「主啊，請將火焰化作同伴！」

十字權杖碰觸到薩麥爾之火，將火焰倒戈指向蘇梓我，在聖力加持下反過來回砍他一劍！

蘇梓我馬上使火光熄滅，同時右手牽扯無形弦線——聖瑪格麗特心中一寒，立即橫身避開。

只見曲折電光從背後劃破天際、回歸蘇梓我手上，如今他有雷電纏身，並向聖瑪格麗特投擲佩龍短斧——

「不過是騙人的花招！」聖瑪格麗特將手掌放在視線水平上，向橫一抹，眼前便懸浮七座大十字架，交織發射聖光擊落雷斧，更掃平了任何敵意的魔力。

情勢又倒向了聖瑪格麗特，她挾著巨大十字架陣打算一併制伏蘇梓我，但視野卻忽然變暗。

聖瑪格麗特感知到冥界魔力，同時看見暗茫中亮起一輪彎月——唰！

聖瑪格麗特的黑色裙襬被劈斷，但她及時拔出腰間匕首抵住蘇梓我的大鐮，喝道：「我才不會被你殺死！」

蘇梓我退回數尺，打響指使四周黑暗退去，同時手上換了死靈燭台，笑道：「本英雄寬懷大量，豈會忍心殺死美女。」

「你有什麼企圖？」

「妳感到憤怒也好，我比較喜歡叛逆期的女孩呢，這樣才有征服感，嘿嘿。」

聖瑪格麗特看著蘇梓我，內心的酸澀就像氣球般不斷膨脹；不知為何，眼前的人總使她心亂如麻，好像不再是自己……

或者說，自己到底是誰？

「哇啊啊！」

聖瑪格麗特的腦袋又有如萬針刺入般疼痛，她抱頭大喊，天空裂開十字裂縫，聖力從未知空間源源不絕地貫注她的體內！

「這、這是什麼鬼……」連蘇梓我也感到訝異，唯有寄望思思他們在魔界的行動一切順利了。

18

「佛拉斯，你找得出來嗎？」

魔界巴別領地，夏思思與利雅言乘坐飛船而來，為的就是要找出麥比拉洞的所在，還有按照聖德芬的提議，將公爵夫人收為魔神。

佛拉斯摸著赤黃下巴，皺眉回答：「本人確實擅長尋回失物，諸如寶石之類，但麥比拉洞是一處『地方』，沒有人會遺失『地方』……」

佛拉斯的主人伊西斯依舊倚在黃金獅子兄妹旁，靜靜翻看小說，沒有理會夏思思。

同行的利雅言這時說：「其實我們想尋回第五十六位魔神，吉蒙里的公爵夫人后冠，而且后冠上鑲嵌了寶石，男爵閣下能否當作尋回寶石找到寶冠呢？」

佛拉斯回答：「公爵夫人后冠伴隨吉蒙里的名號消失多年，沒有其他線索只依循寶石尋找的話，也許要花上相當的時間。」

伊西斯盯著書本插話：「線索一定會有，小說橋段都是差不多的。」

「沒錯。」利雅言把舊約聖經裡她所知的麥比拉洞，以及利百加與吉蒙里的關係娓娓道來，還帶了某人一根金髮。「這就是吉蒙里的頭髮，也是以撒和利百加的後裔，不知對佛拉斯男爵尋找『公爵夫人的后冠』是否有幫助？」

「呵呵，你們並非想找『公爵夫人』，而是製造『公爵夫人』吧？」佛拉斯說：「是希伯侖的麥比拉洞。假如親自走一趟的話，應該能找到洞穴位置，不過希伯侖是巴力西卜大公的領地，我們能隨便去嗎？」

「我們已經通知了巴力西卜大公。」夏思思堅定地說：「就算巴力西卜不准許，我們也要用蘇哥哥的飛艦硬闖，所以把瓦布拉這飛艦駕駛都帶來了。」

伊西斯盯著書本，命令佛拉斯：「去吧。」於是一行人就跟夏思思登上蘇神號了。

◇

「大人，那會飛的鐵甲船又來侵犯希伯侖了！」

耶洗別衣衫不整，頭髮也是濕的，從浴室跑到巴力西卜的寢室報告。

巴力西卜聞言丟掉雞腿，生氣罵道：「又是那人類嗎？他們怎麼都喜歡死纏著本王，就這麼想搶走本王的東西！」

耶洗別緊張回答：「那人類大公太陰險了，不過他這次犯了一個錯。剛才我洗澡時，夢見了那艘鐵甲船上只有阿斯塔特女王，人類大公並不在船上。」

「阿斯塔特……自從那小妮子投靠他後變得目中無人，現在連本王都不放在眼裡？」

耶洗別附和：「阿斯塔特女王沒有告知就逕自駛船而來，希伯侖豈能讓他們自由出入！」

「妳有什麼建議？」

「既然沒有人類大公，我們就派帕祖祖去報仇！」

「帕祖祖，妳是說胡姆巴巴的兄弟嗎？」

「對，他恨不得手刃仇人替兄弟報仇，只要暗中慫恿，他便會義無反顧去殺死阿斯塔特。」

巴力西卜笑道：「這樣殺死蘇大公的部下也就與我們無關了，這方法不錯！」

「加上帕祖祖是南風魔王，最適合吹翻那鐵皮飛船了……」

◇

——哇啊啊！

回到聖火山上，天空裂開，神力不斷從異空間貫注到聖瑪格麗特身上，震撼天地，連蘇梓我腳下的樹林都劇烈搖晃。

那是何等的神力，連彼列都不及一半。蘇梓我冷眼望著金毛丫頭，盡量不讓自己動搖的情緒流露，舉起死靈燭台希望召喚些嘍囉來拖延時間——

「咦，燭台怎麼不亮？」蘇梓我連忙檢查燭台，之前都沒失靈過，怎麼現在卻不聽使喚？

「愚蠢的下等神。」聖瑪格麗特從頭痛中抬起頭，雙眼燃燒聖火，彷彿能燒淨世間邪惡。她威嚇道：「此空間已被聖主支配，任何旁門邪道都不管用！」

蘇梓我不敢置信，連忙喚出佩雷短斧，但短斧身上居然沒有閃電；又取出克洛諾斯的鐮刀，刀刃暗淡無光，就算用上火神鎚敲打亦無法燃起半點火星，彼列的六種火武具也無須試驗了。

聖瑪格麗特揚手指向蘇梓我：「你那些下等神的垃圾可以收起來了。」

「幸好我還有聖主賞賜的神物呢。」蘇梓我摸摸手上的所羅門印戒，右手獸印準備就緒——

黑幕下突現全身赤鱗的飛龍，騰空穿越雲層；然而蘇梓我太過拘泥於龍族的外形，卻無法掌握赤龍的力量。

撒旦之所以是撒旦，並非因為其龍身——

突然四周寂靜，聖瑪格麗特如暴風般繞到蘇梓我背面，一手抓住赤龍尾巴，再將他旋轉拋到山上！轟隆一聲，聖火山崩了一角，圍觀的教徒都看得驚心動魄。

「可惡，居然趁我變身的時候偷襲！」

赤龍再次飛天，但聖瑪格麗特又如海市蜃樓消失、再次現身，跨坐在蘇梓我頭上，雙手企圖把龍頭硬生生扯斷；蘇梓我痛得哇哇慘叫，一雙龍爪不斷徒勞撓抓——

「太慢了！」

繼承聖子力量的她實在難以匹敵，不對，她根本就是聖子，是凌駕地上所有靈魂的天神族，沒有絕對覺悟根本無法對抗。

沒錯，就只有撒旦的力量。

「本英雄就是蘇梓我，擁有撒旦之力，接下我的英雄力量吧！」

蘇梓我的龍背上赫然張出三對黑色羽翼，情勢一時逆轉，他兩掌轟出閃光炸退聖瑪格麗特，接著高聲大笑。

「我可不像妳這金毛丫頭，本英雄連撒旦的力量都能吞下！」

19

「那笨蛋又展開六翼了！」

娜瑪正在護送信徒上山，當中還包括從歐洲來的難民；她抬頭一看天空戰況不對，大為緊張，害怕蘇梓我會再次失控。

聖德芬大叫：「那笨蛋淩駕了六翼耶！明明聖德芬都只有兩翼……」

在此之前，蘇梓我有兩次背負六翼：第一次在所羅門群島，被雌雄同體的朱龍葛貫注性慾至發狂；另一次則在梵蒂岡，目睹娜瑪被多瑪斯刺穿身體而失去理智。

這一次，蘇梓我自主張開了六翼，將天地間所有魔力聚於身上。

娜瑪喃喃道：「他明明不是天使，為什麼會這樣？」

「他已經是『卡巴拉』了。」聖德芬說：「不論天使惡魔，只要理解宇宙的構造，就能以肉身化作『生命之樹』通往伊甸園。」

生命之樹——猶太人卡巴拉中心思想之一，舊約聖經亦有紀載，當創造主將第一名人類逐出天界時，便有此描述：

於是把他趕出去了；又在伊甸園的東邊安設基路伯和四面轉動發火焰的劍，要把守生命樹的道路。

——《創世記》（3：24）

基路伯是擁有翅膀、聽命於神的超凡存在，即是天使。天使把守著天界的路，從此人類與聖主斷絕，唯獨生命之樹連接伊甸園的道路。

生命之樹共有十個質點，左右兩側各三個，中間主幹有四個。如今蘇梓我展開六翼化作生命之樹，肉身是主幹，四個質點分別是頭部的「王冠」、心臟的「美麗」、肚臍的「基礎」、性器的「王國」。

左三翼的質點由上至下分別是「智慧」、「慈悲」、「勝利」；右三翼的則是「理解」、「嚴厲」、「宏偉」。

就此，蘇梓我以自身化為生命之樹連結天界，獲得來自「伊甸園」的力量，與大天使匹敵——而他的六翼來自撒旦，使他擁有神性完全相反但不相伯仲的魔力。

「六翼天使，你居然騙我！」

然而聖瑪格麗特眼中的蘇梓我與天使無異，是可恨的翅膀生命！她雙手下意識已緊握十字權杖，憤怒沖昏了腦袋。

蘇梓我見狀亦拔出薩麥爾的雙劍——火焰歸刃，並化作黑焰與纏身黑霧交織；蘇梓我拍打六翼，黑暗擴散至黑夜，籠罩聖火山頭，從四方八面威迫聖瑪格麗特。

不過黑暗與光明從來都是相對的。聖瑪格麗大發雷霆，金色頭髮揚起，數百支十字架從天空裂縫穿來、豎立築陣，向蘇梓我連環發砲——

每發光砲都在微秒間爆發巨大能量，眨眼劃破夜空，烙下殘光不散；蘇梓我在光輝中左穿右插，黑夜天空像用水彩在畫板塗上道道光痕，逐筆塗亮天際。

地上的信徒看得嘖嘖稱奇，紛紛舉起手機；但手機螢幕卻紛紛變形，強大的電磁波將所有電子儀器都燒壞，就連聖火書院的燈光都明滅不定。

這就是聖主的大能。但蘇梓我瞄看手背獸印，會心微笑，接著鼓動黑翼，散發的黑霧竟吞蝕了對方光砲的餘暉，甚至縫補了天空的十字裂痕！

世界再次陷入黑暗，蘇梓我笑道：「這樣妳就不是我的對手了。」

他緊接著左一砍、右一掃，雙手交錯劈劍，聖瑪格麗特提起十字權杖卻力不從心——

這裡沒有她的信仰，最初來臨此地時，她已發覺聖力的回饋延後了幾百毫秒，而這誤差更在蘇梓我凌厲的攻勢下逐漸變大。

「啊啊啊！」

蘇梓我大力砍斷她的權杖，勝利的天秤緩緩傾斜；但此時聖火山上有信徒認出了瑪格麗特，是羅馬的馬里諾夫人……

◇

「——帕祖祖，你知道自己擋住的是誰嗎？」

魔界希伯侖外二十公里，夏思思正在執行主人交付的任務，飛出甲板外，與獅頭四翼鷹爪的惡魔互相對峙。

帕祖祖是胡姆巴巴的兄弟，除了同樣擁有怪物外表，陽具果然也是一條毒蛇。

怪物生氣斥道：「你們是殺死巴巴的撒馬利亞惡魔，今天祖祖一定要用你們的內臟來祭祀巴巴，祖祖！」

「噁心的低智商魔物。」夏思思鄙視說：「思思既是阿斯塔特，亦是太陽神的親妹妹伊絲塔，美索不達米亞的一等神。你區區守護南天的小魔竟敢攔路？」

「祖祖不管，受死吧祖祖！」

帕祖祖舉手抓住風暴飛身猛衝，帶著風刃的利爪劃向夏思思，豈料被她身上陽光彈開。在無形結界下，帕祖祖的任何攻擊都傷不了她。

「這就是你哥哥的，不對，是思思姊姊的『七光』盔甲呢。」

「卑、卑鄙祖祖！」帕祖祖馬上連忙拍翼退後、召喚烏雲，企圖將夏思思的太陽神的力量掩蓋——

「思思沒空跟你糾纏，」她瞄準帕祖祖的胯下毒蛇，揚手釋出巨蟒。「有小蟲吃囉。」

巨蟒如閃電探頭伸往帕祖祖，一口就吞下他的性器！

「哇啊啊啊！」帕祖祖掩住胯下痛不欲生，掙扎悲鳴。

夏思思替他感到可憐。「就讓你安心離開好了。」

她遂以手指攪拌黑霧變成長槍，乾淨俐落地刺穿帕祖祖心臟，將他的風暴之力吸收進自己蛇寵體內。吃掉澳洲雌雄同體虹蛇的烏洛波羅斯，這次又噬吞帕祖祖的暴風下體，牠吃飽後回到夏思思手上。

「烏洛波羅斯真乖。」

夏思思心滿意足地回收巨蟒，接著蘇神號靠了過來，利雅言和佛拉斯站在甲板上迎接。

「辛苦夏同學了。」

「嘻嘻，小菜一碟。」夏思思笑道：「而且還有意外收穫喔，帕祖祖掌管了希伯侖地域的風暴，狂風吹遍大地，將這裡一帶的地形都記錄在魔力中。這些資料應該能幫忙找到公爵夫人后冠呢。」

利雅言高興地說：「太好了，蘇主教已在等著我們回去了。」

20

懸掛夜幕的十字架逐一折斷，蘇梓我六翼翱翔，劃出黑色軌跡重新支配聖火山頭。鐮刃反射月光，一輪勾月劈斷聖瑪格麗特裙上的十字架，連帶巨大魔力將她從空中擊落！

攻勢連綿不絕，蘇梓我連環放出六個火球追擊、包圍並迎面轟炸地上的聖瑪格麗特！火星揚起，周圍空間被炸至裂開、粉碎——

「該死的天使！」

聖瑪格麗特的鬥志沒有因此減弱，瞳孔更轉為白色。不知為何，身為人的意識越來越薄弱，但她沒有退路，只能把自身託付於神，同樣借助伊甸的力量來殺死撒旦。

——鏘！蘇梓我亦狠下心腸，召喚出佩龍雷斧砍斷她的聖力，不讓聖瑪格麗特有喘息的機會。已經走到這盡頭，蘇梓我見對方聖痕依然閃亮，而自己的獸印卻已接近極限，若現在不殺聖子，恐怕再也沒有機會……

「不要殺死大姊姊！」

兩個男孩繞過封鎖線跑向山頂，其中一人大叫瑪格麗特的名字，另一小孩則喝令天上的蘇梓我住手。

瑪格麗特瞪眼驚道：「你、你們是……不可能……」

「瑪格麗特大人！」馬里諾夫人跟在孩子後方跑來跪下，仰天哭道：「瑪格麗特大人，妳認得我們嗎？我們曾追隨大人遠行，妳和蘇大人都是這兩孩子的救命恩人，為何非打得你死我活不可呢？」

「救命恩人……？」瑪格麗特問：「你們不是在薩雷諾乘船出海……然後被天使擊沉、葬身大海嗎？」

此時夜空打開一道裂縫，瑪格麗特口中的郵輪從天而降，縱然現在已被改造又更名為蘇神號。

「喔，時間剛剛好呢。」

蘇梓我淡淡地說。這艘船在蘇梓我眼中簡直是聖誕節的馴鹿車，名為思思的聖誕少女來送禮物，但其他人見天空飛船左搖右擺不穩定地飛來，嚇得紛紛走避，聖火山上瞬間騰出一空地。最後蘇神號強行在不遠處著陸，在聖火書院的操場上揚起滾滾沙塵。

馬里諾夫人告訴瑪格麗特：「是蘇大人拯救了我們船上的幾千人。我沒有辜負瑪格麗特大人的期望，帶著孩子來到香港暫居了。」

「原來如此……沒有被天使殺死呢……太好了……」

瑪格麗特的人性似乎恢復了一些，她輕撫著腰間白花，卻「啪」聲狠心折斷。

「不要！不要這樣做……嗚啊啊！」

瑪格麗特的聖力急速上升，她抱頭大喊，背上忽然長出三對白色羽翼，眼珠再度變白濁，完全被聖子支配了身體！

「大家……不要接近我……快離開……」

無情感的聲音從瑪格麗特口中傳出，她全身顫抖，已控制不了自己雙手；十字長槍憑空召來，槍刃輕易劃破空間，刃尖指著旁邊男孩——

「大姊姊！」

原本喊住瑪格麗特的孩子被她拋走，瑪格麗特控制不了身體，說道：「我已經不是瑪格麗特……啊啊啊！」

「真是讓人操心的丫頭。」蘇梓我不顧聖力洪流，昂首迎面走近瑪格麗特，即使臉龐被揚起的粉塵割出幾道血痕——

「蘇先生別靠過來，我無法保證不會殺死你！」

瑪格麗特背部皮膚裂開，羽翼越伸越廣，聖力一發不可收拾——

「成為我的妻子吧。」蘇梓我將吉蒙里的后冠戴在瑪格麗特頭上，接著一切靜止下來。

「什麼……？」瑪格麗特圓睜雙眼盯著蘇梓我。

「這是公爵夫人的后冠，別當什麼聖子了，來服侍本王。怎麼樣，妳願意嗎？」

后冠上的各色魔法寶石驅散了聖力，瑪格麗特臉紅起來，丟下十字長槍不知所措。

「我、我願意……呃！」瑪格麗特頓時聖力消散，白色羽翼化作輕煙。

蘇梓我伸出右手高聲說：「我以撒馬利亞大公之名，賜予瑪格麗特第五十六位魔神的名號與爵位，從今天起，妳就是公爵夫人吉蒙里！」又笑道：「作為見證，讓本英雄抓胸吧！」

「太、太大力了——」瑪格麗特第一次被異性碰觸，全身如觸電般。「蘇先生、咦？不對，該怎樣稱呼大人……啊！」

不經意間，瑪格麗特手掌的聖痕漸漸褪色，同時手背浮上黑色印記；與此對應，蘇梓我的手背獸印亦被聖痕沖淡，兩人力量互相補足，光明和黑暗的力量在聖火山上水乳交融。

◇

在遠處觀望的聖德芬說：「原來憤怒的印記在那人類手上啊。」

夏思思才不在意什麼獸印，她走向娜瑪抱怨道：「明明是思思替蘇哥哥找回后冠的，居然讓那丫頭戴上了，真氣人。小娜娜妳說是嗎？」

然而娜瑪一言不發，模樣反常。

「小娜娜？」

「娜瑪媽媽？」連聖德芬都感到她殺氣騰騰。

「沒什麼，不要煩我。我才不是渴望當那笨蛋的妻子！」

聖子的亂局終於落幕，但娜瑪怒氣沖沖地登上蘇神號回家了。要如何哄回娜瑪又是另一個故事，至少在這一刻，世界得到短暫的安寧。

（末日前，我把惡魔少女誘拐回家了！3完）

國家圖書館出版品預行編目資料

末日前，我把惡魔少女誘拐回家了！/ 黑貓C著.--初版.--台北市：奇幻基地，城邦文化發行；家庭傳媒城邦分公司發行 2019.9（民108.9）
面： 公分. –（境外之城：96）
ISBN 978-986-97944-2-8（第三冊：平裝）

857.81 108012717

ISBN 978-986-97944-2-8

Printed in Taiwan.

城邦讀書花園
www.cite.com.tw

境外之城 096

末日前，我把惡魔少女誘拐回家了！3

作　　者／黑貓C
企畫選書人／張世國
責任編輯／劉瑄
發 行 人／何飛鵬
副總編輯／王雪莉
業務經理／李振東
行銷企劃／陳姿億
資深版權專員／許儀盈
版權行政暨數位業務專員／陳玉鈴
法律顧問／元禾法律事務所　王子文律師
出版／奇幻基地出版
　城邦文化事業股份有限公司
　台北市104民生東路二段141號8樓
　電話：(02)25007008　傳眞：(02)25027676
　網址：www.ffoundation.com.tw
　e-mail：ffoundation@cite.com.tw
發行／英屬蓋曼群島商家庭傳媒股份有限公司城邦分公司
　台北市104民生東路二段141號11樓
　書虫客服服務專線：(02)25007718・(02)25007719
　24小時傳眞服務：(02)25170999・(02)25001991
　服務時間：週一至週五09:30-12:00・13:30-17:00
　郵撥帳號：19863813　戶名：書虫股份有限公司
　讀者服務信箱 E-mail：service@readingclub.com.tw
　歡迎光臨城邦讀書花園 網址：www.cite.com.tw
香港發行所／城邦（香港）出版集團有限公司
　香港灣仔駱克道193號東超商業中心1樓
　電話：(852) 2508-6231 傳眞：(852) 2578-9337
馬新發行所／城邦（馬新）出版集團
　【Cite(M)Sdn. Bhd.(458372U)】
　11, Jalan 30D/146, Desa Tasik,
　Sungai Besi, 57000 Kuala Lumpur, Malaysia.
　電話：(603) 90578822　傳眞：(603) 90576622

封面插圖／Fori
封面設計／李涵硯
排　　版／極翔企業有限公司
印　　刷／高典印刷有限公司
■2019年（民108）8月29日初版一刷

售價／330元

廣　告　回　函
北區郵政管理登記證
台北廣字第000791號
郵資已付，免貼郵票

104台北市民生東路二段141號11樓

英屬蓋曼群島商家庭傳媒股份有限公司城邦分公司 收

請沿虛線對摺，謝謝

奇幻基地

每個人都有一本奇幻文學的啓蒙書

奇幻基地官網：http://www.ffoundation.com.tw
奇幻基地粉絲團：http://www.facebook.com/ffoundation

書號：1HO096　　書名：末日前，我把惡魔少女誘拐回家了！3

請於此處用膠水黏貼

奇幻基地

讀者回函卡

謝謝您購買我們出版的書籍！請費心填寫此回函卡，我們將不定期寄上城邦集團最新的出版訊息。

姓名：________________ 性別：□男 □女

生日：西元________年________月________日

地址：________________

聯絡電話：________________傳真：________________

E-mail ：________________

學歷：□1.小學 □2.國中 □3.高中 □4.大專 □5.研究所以上

職業：□1.學生 □2.軍公教 □3.服務 □4.金融 □5.製造 □6.資訊

□7.傳播 □8.自由業 □9.農漁牧 □10.家管 □11.退休

□12.其他________________

您從何種方式得知本書消息？

□1.書店 □2.網路 □3.報紙 □4.雜誌 □5.廣播 □6.電視

□7.親友推薦 □8.其他________________

您通常以何種方式購書？

□1.書店 □2.網路 □3.傳真訂購 □4.郵局劃撥 □5.其他

您購買本書的原因是（單選）

□1.封面吸引人 □2.內容豐富 □3.價格合理

您喜歡以下哪一種類型的書籍？（可複選）

□1.科幻 □2.魔法奇幻 □3.恐怖 □4.偵探推理

□5.實用類型工具書籍

為提供訂購、行銷、客戶管理或其他合於營業登記項目或章程所定業務之目的，英屬蓋曼群島商家庭傳媒（股）公司城邦分公司，於本集團之營運期間及地區內，將以電郵、傳真、電話、簡訊、郵寄或其他公告方式利用您提供之資料（資料類別：C001、C002、C003、C011等）。利用對象除本集團外，亦可能包括相關服務的協力機構。如您有依個資法第三條或其他需服務之處，得致電本公司客服中心電話 (02)25007718請求協助。相關資料如為非必要項目，不提供亦不影響您的權益。

1. C001辨識個人者：如消費者之姓名、地址、電話、電子郵件等資訊。
2. C002辨識財務者：如信用卡或轉帳帳戶資訊。
3. C003政府資料中之辨識者：如身分證字號或護照號碼（外國人）。
4. C011個人描述：如性別、國籍、出生年月日。

對我們的建議：________________

____

____

請於此處用膠水黏貼